长篇历史小说

成吉思汗

爱恨情仇

子孙秘传

第二季 之三

胡刃 著

中国国际广播出版社

图书在版编目（CIP）数据

爱恨情仇 / 胡刃著. —北京：中国国际广播出版社，2017.3
（成吉思汗子孙秘传.第二季）
ISBN 978-7-5078-3932-6

Ⅰ.①爱⋯　Ⅱ.①胡⋯　Ⅲ.①长篇历史小说—中国—当代
Ⅳ.①I247.5

中国版本图书馆CIP数据核字（2017）第000902号

爱恨情仇

著　者	胡　刃	
责任编辑	杜春梅	
版式设计	国广设计室	
责任校对	徐秀英	

出版发行	中国国际广播出版社［010-83139469　010-83139489（传真）］	
社　址	北京市西城区天宁寺前街2号北院A座一层	
	邮编：100055	
网　址	www.chirp.com.cn	
经　销	新华书店	
印　刷	环球东方（北京）印务有限公司	

开　本	710×1000　1/16
字　数	240千字
印　张	16.5
版　次	2017 年 3 月　北京第一版
印　次	2017 年 3 月　第一次印刷
定　价	38.00 元

主要人物

1. 巴祯：巴家次子，从六品骁骑校

2. 云氏：巴祯之妻

3. 巴文栋：巴祯之子

4. 奥云：巴文栋之妻

5. 巴文雅：巴祯养女，林永盛亲生女

6. 巴喜：巴祯四弟，包头召喇嘛

7. 云恒：云氏之侄

8. 巴长春：巴氏家族世袭从四品章盖，居沙尔沁

9. 巴丰：巴祯之父的养子，绰号啸天虎

10. 林永盛：巴文雅、林玉凤生父，绰号啸天豹

11. 李二改：林永盛发妻，后改嫁伊占魁

12. 林永昌：广盛西皮毛店掌柜，林永盛之弟

13. 林玉凤：林永盛之女，由林永昌收养

14. 伊占魁：日本黑龙会成员，本名伊藤正雄

15. 孙妈：日本黑龙会绥远头子，本名犬养良子

16. 刘彪：包镇公行武甲头，后任包头镇警察署署长等职

17. 郭洪霖：包头同盟会领袖，马王庙两等学堂堂长

18. 王定新：山西同盟会领导人之一

19. 李青林：山西同盟会领导人之一

20. 乌恩其：巴府管家，原名孙恩铭

目　录

建立后金算起，现在大清已经二百九十五年了，大厦将倾，非独木能支。

同舟共济，生死相随。

第一章

云恒只顾自己逃命，根本不把我的生死屈辱当回事。这哪是男人？这不是二刈子吗？我怎么能跟这种不男不女的二刈子过一辈子？

1911 年初夏，蓝天，白云，草原，牛羊。

在通往归化城（今呼和浩特市）的路上，一支迎亲队伍缓缓而行，队前有六个乡勇开道，队后有六个乡勇护从，十二个乡勇都背着长枪。中间有五辆马拉的木轮轿车，轿车后面是八个女眷，女眷后面是八个唢呐手。女眷各自端着铜盆，盆里盛着红枣、花生、桂圆、栗子及五谷杂粮。唢呐手喇叭口朝天，吹着欢快动听的曲子。

五辆轿车红漆鲜艳，闪着亮，发着光。每辆车由两匹马拉着，马头戴红花，项挂铜铃，背披红绸，走起路来发出悦耳的"丁零丁零"声。五辆轿车中，前面那辆最为抢眼，这辆车上方是蒙古包式圆顶。圆顶以白为主色，配以蓝色图案。车身四周是"卍"字不到头的金色花边，寓意幸福万年，富贵吉祥。花边内的上面是龙凤呈祥，中间是石榴吐子，下面是鸳鸯戏水，寓意相亲相爱，多子多福。车门是十孔吉祥结，吉祥结中间盘绕着火形图案，寓意十全十美，红红火火。轿车既有蒙古民族特色，又有汉族风情，两种格调兼容并蓄，相得益彰。

这辆轿车旁边有一匹高头大马，马上骑着一个年轻人，年轻人宽额大眼，英俊伟岸，一表人才。此人头戴红缨帽，身着长袍，肩挎弓箭，足蹬马靴。显然，年轻人就是新郎，他身边轿车里就是新娘。

云雀岭一望无边，密林遮天蔽日，一些不知名的野花争奇斗艳。蜜蜂飞着，蝴蝶舞着，只是听不到鸟鸣。

突然，从迎亲队伍对面跑来一匹马，马上骑着一个壮汉，壮汉神色紧张，他跑到新郎近前圈回马。新郎一见壮汉就是一愣。壮汉在新郎耳边说了几句，新郎的脸顿时白了。

新郎对唢呐手高喊："不要吹了！不要吹了！"又对乡勇和赶车人道，"快走！快走！"

壮汉高声道："少爷，不能回去！"

新郎怒道："不，我必须回去！"

马蹄如飞，车轮滚滚，人们两耳生风，但队形还算整齐。

迎亲队伍也就跑了两三里路，"啪"的一声枪响，树林中蹿出一群人，这群人齐声喊："站住——"

新郎勒住马，迎亲队伍停下。新郎一看，这伙人或是骑马，或是步行，人人手里拿着枪，个个怒目横眉，正一步步逼向迎亲队伍。

"忽拉盖！"新郎惊呼。

忽拉盖是蒙古语，意为土匪、强盗。

十二个乡勇拉枪栓向土匪射击，土匪还击。迎亲队伍一下子乱了，先是女眷跑，接着是唢呐手跑。喇叭、铜盆以及红枣、花生、桂圆、栗子和五谷杂粮扔了一地。五个赶车人惊慌失措，他们看着新郎，不知该怎么办。

壮汉一把抓住新郎马的缰绳："少爷，我就说不让你回去，你偏要回去，快调头！"

壮汉和新郎的马就地打了个旋儿，壮汉对新娘那辆车的赶车人命道："调头，往西，快！"

赶车人问："去哪儿？"

壮汉道："去少奶奶家，快！"

赶车人明白，壮汉说的少奶奶就是车内的新娘。赶车人调转车头，摇着鞭子，抽打马匹，壮汉和新郎保护着新娘的轿车往西，车剧烈地颠簸起来。

女眷没了，唢呐手没了，五辆轿车也只剩了新娘这一辆，那个壮汉却紧紧地跟在新郎身边。

枪声远了，可新娘的车里一点动静也没有。新郎牵挂新娘，他想看看新娘，可手刚伸向车帘，"啪"的一声枪响。

新郎的手缩了回来，他转过头，见对面冒出二十几个土匪。这些土匪一字排开，拦住去路。其间有一个中年男子，此人黑脸膛，细眼高颧，肩宽背厚，四肢粗壮，跨下一匹乌龙马，提着一支手枪。

壮汉眼睛一瞪，从腰间拔出短刀，催马往前冲。黑脸男子抬手一枪，壮汉落马。新郎大惊，他拨马就跑，眨眼之间消失得无影无踪。

见新郎跑了，赶车人一骨碌滚下车，猫腰钻进草丛，也溜了。

山坡上，除了这些土匪只剩新娘这辆轿车了。

包头召是包头城内唯一的喇嘛庙。包头召大殿的一楼供奉着藏传佛教黄教创始人宗喀巴佛像。一对青年男女走进大殿，两人关上门，跪在宗喀巴佛像前。大殿香烟缭绕，尽管供桌上燃着九十九盏酥油灯，但里面仍很昏暗。

青年男女三跪九叩，双手合十，虔诚地望着宗喀巴佛像——

男青年道："弟子巴文栋，愿与林玉凤白头到老，天长地久。"

女青年道："弟子林玉凤，愿与巴焕章不离不弃，生生世世。"

巴文栋字焕章，林玉凤称焕章以示亲切。

门"吱扭"一声开了，一个中年喇嘛走了进来。

巴文栋和林玉凤像受惊的小鸟，两人慌忙站起。

巴文栋对中年喇嘛道："四伯伯……"

土默特蒙古人把叔父叫伯伯，把伯父叫大爷。四伯伯就是四叔。

包头召汉名福徵寺，是蒙古土默特右旗巴氏家族的家庙。1578 年，北元蒙古土默特部可汗阿拉坦皈依藏传佛教，赐封了中国第一位达赖喇嘛，并把黄教引入草原。从此，草原从南到北，从西到东，到处经幡飘动，蒙古民族由彪悍骁勇逐渐变得温谨包容。努尔哈赤建立后金，后金在皇太极时期改为清朝，清朝相继兼并了北元和明朝，草原中原归为一统。为防止蒙古民族心生异志，清朝政府因势利导，规定蒙古男性"三出一，五出二"当喇嘛，也就是，家中有三个男孩，至少一人出家；有五个男孩，至少两人出家。不但如此，清朝还大力倡导蒙古贵族修建家庙，每建一座庙，朝廷都给予一定奖赏。蒙古民族无论贵族还是平民，人人都念经诵佛，人人都为摆脱六道轮回之苦到极乐世界而苦修今生。即便衣不蔽体，食不果腹，甚至无端遭受残害也默默忍受，认为自己前生做了恶事，今生得到报应。

包头召就是在这样的背景下修建的。

在包头召修行的几代喇嘛都是巴家人。巴氏族人不叫本家喇嘛的法号，而是按辈分称呼。

中年喇嘛叫巴喜，巴喜喇嘛脸色凝重："焕章，你妹妹文雅出嫁途中在云雀岭被忽拉盖劫持，新郎云恒下落不明，你阿爸准备上山要人，你快回去看看吧。"

林玉凤惊道："什么？文雅被土匪劫持了！"

巴喜喇嘛似答非答，一语双关："阿弥陀佛，罪孽呀罪孽。"

巴文栋只有兄妹二人。几年前，文栋中了秀才时，父母给他定了一门亲事，可文栋对这门亲事不满意。不久前，他从山西优级师范学堂归来，在包头召小学任教习，与林玉凤一见倾心。然而，父母不同意，文栋的亲事就放了下来。文雅和云恒是表兄妹，两人从小定亲。今天早晨，新娘文雅被新郎云恒接走，还没到中午，居然发生了这样的灾祸！

巴文栋转身就往外跑。

林玉凤追出大殿，望着文栋的背影，她不知是不是该和他一同去巴府看看。

文栋回过头："玉凤，不要忘了我们的誓言。"说着，就出了庙门。

林玉凤站在大殿门前，她深深地点了点头，又向巴文栋挥了挥手。

包头召矗立在包头城内东北部。包头城北高南低，草原上的人们通常将地势较高的地方叫梁，因此，包头召附近被称为召梁。召梁有四道巷子，第二道巷北口有座四合院，院内正房五间，东西厢房各五间。大门位于四合院的东南角，门内有一面照壁，壁上雕着彪形图案。

彪也称亚洲金猫，是类似于老虎和狮子的动物，体长在一米五左右。彪在清朝代表官阶。清朝的文官用鸟来表明官阶：一品仙鹤，二品锦鸡，三品孔雀，四品大雁，五品白鹇，六品鸬鹚，七品鸳鸯，八品鹌鹑，九品练鹊。武官用兽来表明官阶：一品麒麟，二品雄狮，三品豹子，四品猛虎，五品黑熊，六品彪，七品、八品犀牛，九品海马。照壁上雕的彪寓示这是六品武官之家。

四合院大门两侧各贴着红红的"囍"字，门楼上红灯高悬，彩旗舞动，经幡招展。四合院进进出出的人很多，可是，人们脸色沉郁，神情紧张，没有一丝笑容。见巴文栋回来了，人们都自动地闪到两旁。

"少爷回来了，少爷回来了。"

巴文栋跑进四合院，推门进了上房。客厅里，文栋的父亲巴祯正在和家人商量怎么救文雅。一见儿子文栋，巴祯怒斥："逆子！你妹妹出了这么大事，你却跑出去跟那个姓林的女子厮混，你的心长到胯骨上去了吗？"

巴文栋急切地说："阿爸，你骂我有什么用？赶紧想办法救妹妹呀！"

巴祯何尝不想救女儿，关键是怎么救。他想独自上山，用自己换回女儿，忽拉盖要多少钱给多少钱。可是，大哥和三弟担心忽拉盖不讲信用，不但救不回文雅，还可能威胁到巴祯的安全。

一家人莫衷一是，管家乌恩其跑来，他对巴祯说："老爷，你快去看看吧，夫人昏过去啦！"

巴祯、巴文栋父子匆匆进了里屋。

巴祯的妻子云氏脸色惨白，满面是泪，她头朝里，脚朝外，半躺半坐在炕上，两个使女一个抚着云氏的前胸，一个捶着云氏的后背。

巴文栋跳上炕，手摁云氏夫人的人中穴呼唤："额吉！额吉！你醒醒，你醒醒啊……"

蒙古人称母亲为额吉。

巴祯抓住云氏夫人的手："夫人！夫人……"

好一会儿，云氏夫人这口气才上来。

云氏夫人泪如泉涌："巴门忠厚继世，包容传家，潜心向佛，辈辈行善，这种恶事怎么就落到我女儿的头上？神佛，让我去换回女儿吧！……"云氏夫人挣扎着要下地："我去家庙，我给宗喀巴大师烧香磕头，求神佛保佑……"

巴祯、巴文栋扶着云氏夫人刚要下地，管家乌恩其又跑了进来："老爷、夫人，小姐回来啦！"

云氏夫人立刻止住哭声："你说什么？"

管家乌恩其重复道："小姐回来了，已经进院了。"

云氏夫人甩开丈夫和儿子，她跳下地，光着脚往外跑。巴祯、巴文栋父子紧随其后，两个使女在后面提着云氏夫人的鞋。

云氏夫人刚出房门，女儿巴文雅已经到了门前，她一把把文雅搂在怀里："女儿，额吉的心肝，额吉的宝贝，你都让额吉担心死了……"

巴祯、云氏、文栋、文雅一家四口进了上房。

云氏夫人上下打量女儿，见文雅光头没戴帽子，上身是白色小褂，下身是红色绸裤，云氏夫人心如刀绞。早晨文雅被新郎云恒接走的时候头戴贵妇冠，身着婚袍，珠光宝气，绫罗绸缎。现在穿着内衣，满脸是汗，浑身是土，还有一股酒味……女儿一定是被忽拉盖非礼了，这些魔鬼！云氏夫人号啕大哭。

巴祯的脸抽搐起来，他向家庙包头召方向望了望，心说，宗喀巴神佛，请饶恕弟子，让弟子去惩罚那些忽拉盖吧！

巴祯脱去蒙古袍，从衣柜中取得六品官服，他换上官衣，戴上官帽，往外就走。

文雅拦住父亲："阿爸，你去哪儿？"

巴祯狠狠地说："阿爸回旗务衙门调兵，剿灭这股忽拉盖！"

文栋抓起墙上的镇宅蒙古刀："阿爸，我跟你一起去！"

文雅急道："阿爸，哥，你们不能去！"

文雅摘下巴祯的帽子，脱下巴祯的官服，又从文栋手中夺过蒙古刀。

巴文栋纳闷，妹妹疾恶如仇，天不怕，地不怕，今天这是怎么了？不用说，肯定是被忽拉盖吓坏了。

文栋道："文雅，你这委屈不能白受！"

文雅若无其事："我受什么委屈？我没受委屈呀！"

文栋指着妹妹身上的衣服："你这，你这衣服都这样了……"

文雅低下头看了看，她一笑："我衣服怎么了？噢，这是我自己脱的。"

巴祯、云氏夫人和巴文栋都瞪大了眼睛，云氏夫人又哭了："你，你一个女孩家，怎么随便脱衣服……"

巴祯觉得云氏夫人的话太幼稚，哪有女孩在人前脱衣服的？要么是忽拉盖逼的，要么是忽拉盖撕扯的。巴祯责备云氏："你怎么这么糊涂！"

文雅解释道："不是！阿爸，额吉，哥，是他们请我喝酒，我喝热了，就把外衣脱了。"

云氏夫人莫名其妙："那你的头冠和婚袍呢？"

文雅一挥手："扔到山上了。"

云氏夫人又想到了新郎："那云恒呢？他怎么样了？"

文雅眉毛往起一挑："他？他比兔子还快，早就跑了。"

文栋一口否定："不可能，云恒不是那种人！"

巴祯问："迎亲时，云恒不是还带着十二个乡勇吗？"

文雅道："乡勇被忽拉盖打散了。"

乡勇被忽拉盖打散，新郎云恒跑了，女儿文雅却回来了……不过，云氏夫人最关心的还是女儿是否被忽拉盖污辱，她问文雅："那些忽拉盖，没，没有对你动手动脚？"

文雅摇了摇头："没有。"

说着，文雅拿过额吉的大烟袋，她给云氏夫人装了一锅烟。云氏夫人叼在嘴上，文雅给额吉点燃。云氏夫人抽了两口："那，那，他们没欺负你？"

巴文雅很是不屑："欺负我？额吉，你女儿是被人欺负的人吗？"

云氏夫人心中狐疑："那，那他们就这么把你放了？"

巴文雅兴奋起来，她眉飞色舞地说，云雀岭有三个当家的，大当家叫啸天龙，二当家叫啸天虎，三当家叫啸天豹。啸天虎和啸天豹把她劫上山，啸天龙问她是谁家的姑娘？她说自己是包头镇巴府的，巴祯是自己的父亲。大当家啸天龙便激动起来，当即摆酒宴给她压惊，她吃饱喝足就回来了。

云氏夫人和文栋跟听天书一般，巴祯更是一脸疑惑，自己当了四年骁骑校，负责保境安民，抓贼捕盗，可在职位上不到一年，就因母亲去世回家守孝了。虽然和一些地痞流氓有所接触，可从没听说啸天龙、啸天虎、啸天豹这三个忽拉盖。怎么女儿一提我的名字，那个大当家啸天龙居然给文雅摆酒压惊，压完惊就把文雅放了？这太不可思议了！

云氏夫人恍然大悟，什么不可思议？巴氏家族积德行善，世代敬佛，一定是神佛保佑。云氏夫人把管家乌恩其叫来，吩咐他多准备祭品，准备高档次祭品，明天一早全家到家庙包头召给宗喀巴大师上香。乌恩其答应一声，转身而去。

云恒是云氏夫人的内侄。女儿是回来了，可姑爷云恒却不知怎么样。巴祯想派人到云恒家看看，要是云恒也平安到家，就让云恒来把文雅接回去，两个人好好过日子。

巴文雅一听就不高兴了："阿爸，一个大男人，忽拉盖一来，扔下老婆就跑，你让我跟这种男人过一辈子？"

云氏夫人劝道："文雅，嫁鸡随鸡，嫁狗随狗，这么多亲戚朋友都喝了你们的喜酒，你不跟云恒回去怎么能行？"

巴文雅想，只有在生死关头才能看出一个男人是否有血性。如果忽拉盖出现的时候，云恒往她面前一站，胸脯一拍，要杀杀我，不要动我老婆。云恒死了，我甘心为他守寡；他要是活着，哪怕有一口气，我都愿意伺候他一辈子。可是，云恒只顾自己逃命，根本不把我的生死屈辱当回事。这哪是男人？这不是二刈子吗？我怎么能跟这种不男不女的二刈子过一辈子？

巴文雅面带愠色："阿爸，额吉，不要逼我，就当我做云雀岭的压寨夫人了。"

巴祯和云氏夫人被女儿呛得无话可说。

云氏夫人的目光转向儿子文栋，文栋是个有大学问的人，文雅最佩服哥哥，云氏夫人想让文栋劝劝文雅。

巴文栋道："书上说，近亲结婚，后代容易染上遗传疾病，体质退化，智力缺陷。云恒和妹妹是姑舅结亲，是典型的近亲，文雅和云恒本来就不应该成亲……"

巴祯一直对儿子文栋不满，听文栋这么一说，巴祯的火就压不住了："你给我闭嘴！姑舅结亲，亲上加亲。无论是蒙古人还是汉人，几千年都是这样。什么近亲结婚容易染上遗传疾病？我和你额吉也是姑舅结亲，你是缺胳膊了还是少腿了？你是傻了还是笨了？你以为我不知道，你不就是不想要奥云吗？奥云怎么了？奥云是多好的女孩！我明确告诉你，只要我有一口气，那林家的姑娘就别想进巴府的门！"

第二章

如果文栋娶了林家姑娘，那就是悔婚，说话不算数，这是蒙古人最为鄙视的。以后自己怎么见内兄？妻子怎么见她大哥？巴、云两家怎么相处？

包头召大殿。管家乌恩其把羊背子、奶食和面食等供品摆在宗喀巴佛像前。祭拜仪式由巴喜喇嘛主持，大殿中庄严肃穆，气氛凝重。巴祯手捧哈达，举过头顶，敬献神佛。然后，点燃三炷香，插进香炉中，巴祯带着云氏夫人、巴文栋、巴文雅一家四口跪倒磕头。

巴祯站起，管家乌恩其从殿外走来："老爷，旗务衙门来人了，说老爷守孝期满，大青山一带匪患严重，请老爷马上回衙门听差。"

回到家中，云氏夫人为丈夫打点行装。

巴祯叮嘱文雅，不要疯疯癫癫，舞枪弄棒，要好好上学，跟着哥哥文栋学知识，长学问。巴文雅答应了阿爸，不过，她请求阿爸剿匪时对云雀岭的忽拉盖手下留情。

巴祯说："阿爸知道该怎么办，你好好学习就行了。"

叮嘱完文雅，巴祯又把文栋叫到书房。巴祯未曾说话，先是长叹一声："焕章啊，阿爸昨天说的虽然是气话，可也是心里话。这么多年，奥云一直都在等你，咱们不能对不起奥云。"

文栋道："阿爸，我知道奥云表妹为人贤淑，通情达理，可是，近亲结婚真的不好，不信我把课本拿给你看。"

巴祯脸一沉："你说的是洋人写的书。这些年，咱们大清国受洋人的欺负还少吗？你这叫崇洋媚外。"

文栋争辩："阿爸，洋人的科技比我们发达，人家造出了蒸汽机，造出了轮船，造出了火车，我们连根洋火都造不出来，我们为什么不崇洋？再说了，李鸿章大人、张之洞大人、左宗棠大人，哪个不崇洋？洋人的东西好，我们就要崇洋；洋人的制度比我们先进，我们就该崇洋。我虽然崇洋，但我并不媚外，我要把从洋人那里学到的知识用于我们国家，让我们的百姓富起来，国家强大起来。"

巴祯讲不过儿子，他说："阿爸说的是你的婚事，你不要跟阿爸讲那些大道理。"

巴文栋道："是啊，我是在说我的婚事。我跟表妹奥云是近亲，我跟林玉凤却没有血缘关系。如果，如果我和玉凤能成，这对巴家的后代有好处。"

云氏夫人娘家有一个哥哥一个弟弟，奥云是云氏哥哥的女儿，云恒是云氏弟弟的儿子。巴文栋十七岁那年中了秀才，当时蒙古民族受教育水平很低，土默特左右两旗的蒙古学子极少有人考中秀才，巴文栋得中之后，在土默特蒙古人中轰动一时。

中了秀才就有了功名，就从普通老百姓进入到士绅阶层。不过，秀才还不能当官，只有中了举人之后才具备做官资格。举人虽能做官，但要等机会，有时等上三年两载，有时要等五年八年。如果举人参加三年一次的会试得中进士，那就立马有官可做。

学成文武艺，货与帝王家。自隋唐以来，历朝历代都把科举当官作为男儿人生的最高目标。巴文栋考中秀才，离举人、进士就不远了。亲朋好友都来巴府道贺，席间巴祯的内兄，也就是云氏夫人的娘家哥哥，他提出把自己的女儿奥云许配给巴文栋。巴家与云家世代结亲，巴祯当场就答应了。然而，文栋称自己想考举人，婚事以后再说。

儿子有理想、有抱负，父亲当然高兴。正当巴文栋全力备考举人之际，清政府取消了科举制度。举人不能考了，那就给文栋和奥云完婚吧，可是，文栋却报考了山西优级师范学堂。

科举制度虽然废除了，可国家选拔人才不能间断。20世纪初，清朝推行中西结合式的教育，开办了培养师资的优级师范学堂。"优级"即"高等""高级"之意。优级师范学堂的课程有：国学、外语、地理、历史、算学、物理、化学、植物、动物、矿物、生理学、心理学等，学制四年。这是我国真正意义上大学教育的开始。那时主要有京师优级师范学堂、两江优级师范学堂、福建优级师范学堂，山西优级师范学堂也是其中之一。

朝廷对优级师范学堂的毕业生非常重视，一些缺补的下级官职多半从优级师范学堂中遴选。不能考举人，考优级师范学堂也是出仕做官的一条路子。既然儿子要考，就让他考吧，能考上更好，考不上再给文栋成亲也不迟。

巴文栋确有真才实学，他轻而易举地考上了山西优级师范学堂。

文栋在山西优级师范学堂上了三年，差一年就要毕业了，可是，他在学校出了件惊天大事，巴祯只得把他接了回来。

此时，本该给巴文栋和奥云完婚，但巴祯的母亲一年前去世。巴祯身为六品武官，按照清朝制度，巴祯要回家守孝三年，三年之内，家中不能办喜事，巴文栋的婚事又放了下来。

包头召小学堂始建于1907年，是以招收蒙古族学生为主的初等小学堂。当时的小学分初等和高等两个级别，这就是初小和高小。包头召小学堂学生的年龄参差不齐，大的有二十三四岁娶妻生子的，小的只有六七岁。包头召小学堂准备办一个高小班，但一时找不到合适的老师。巴文栋蒙汉兼通，又是秀才出身，还在山西优级师范学堂上过三年学，他一回来，就被包头召小学堂请去了。学堂把班里成绩较好、年龄偏大的学生组成高小班，由巴文栋授课。这样，巴文栋就成了包头召小学堂的一名教习，他和林玉凤就是这个时候认识的。

包头城内还有一所小学，叫马王庙两等学堂。这所学堂以招收汉族学生为主，既有初小，又有高小。林玉凤是高小班学生，父亲林永昌是广盛西号皮毛店的东家，在包镇公行算是个大人物。

包镇公行全称叫包头镇公行，最初叫包头商会。包镇公行虽然是商会组织，却具有乡绅行政职能。清朝实行严格的蒙汉分治政策，1809年，包头由村升格为镇，设立巡检衙门，相当于镇政府，专门管理汉人事务。蒙民事务仍由沙尔沁章盖衙门负责。这就形成了"一城两制"——蒙古人管蒙古人的事务，汉人管汉人的事务，双方互不隶属。

清代中期，包头的商业逐渐繁荣，人口迅速增长，包镇公行日益壮大。而巡检衙门人少经费不足，难以全方位地履行对包头镇的管理。1822年，巡检衙门把一些行政职能委托给包镇公行管理。

包镇公行的负责人叫总领，总领下有文牍和武甲两个部门，文牍负责会费收支、文书档案、支应差官、迎来送往，以及公行的日常事务，相当于现在的镇政府办公室主任。武甲也叫武甲头，负责社会治安、城防抓捕、民事诉讼、摊派款项等，相当于派出所所长。林玉凤的父亲林永昌就是包镇公行的文牍。

19世纪末，包头镇已经发展为塞外皮毛业的集散地、水旱码头，不但全国的皮毛商来包头做生意，英、俄、日、德等国也在包头设立洋行。他们收购皮毛，然后转运到天津港口运到国外。那时，外国人在中国有许多特权，其中一项就是免税。以皮毛为例，如果中国商人把皮毛从包头运到天津，沿途关关交税，而洋人则是全部免税，只有在出海关时，才交一次税。

英国洋行为了垄断包头的皮毛，他们抬高收购价。商家都很会算账，如果自己的货运到天津，虽然卖出的价格比英国洋行的收购价高一些，但是，除去沿路的关税、官员的吃拿卡要和自己的人吃马喂，所赚的钱还不如卖给洋行实惠。于是，包头皮毛商纷纷把货转手给英国洋行。

最初，英国洋行全部现款收货，然而，时间一长，英国洋行就拖欠货款了。包头皮毛商把大量皮毛赊给英国洋行，几年之中，英国洋行拖欠包头各家皮毛商货款近16万两白银。正当包头皮毛商等待还款时，英国洋行从包头撤回了天津。

包头许多皮毛商资金链断裂，不少商号破产。为讨回自己的血汗钱，包镇公行的总领把各家皮毛商组织起来到天津讨要货款。英国洋行地处英租借地，清政府没有管辖权。包头的皮毛商冲击租借地，英国警察出动，总领等数人被关进监狱。

林玉凤的父亲林永昌是个有头脑的商人，当英国洋行支付现款时，林永昌大批出货；当英国洋行赊账时，林永昌一张羊皮也没卖。所以，在包头镇的皮毛商中，只有他的广盛西没有损失。

林永昌早年和自己的哥哥林永盛在天津做过绸缎生意，在天津地面有一定的社会关系。总领被抓，作为包镇公行文牍的林永昌，人们推举他赶往天津，与英国洋行接洽。林永昌去了两个多月，林玉凤牵挂父亲，每天坐卧不宁。

马王庙两等学堂和包头召小学堂都是半日制学校。那段时间马王庙两等学堂教室漏雨，学校维修教室，原来一个班一个教室，现在教室不够用，学校就采取两个班合用一个教室的办法，初小上午上课，高小下午上课。

一天夜里，林玉凤做了个梦，梦见父亲林永昌被英国人打得浑身是血，奄奄一息，林玉凤梦中惊醒。第二天上午，林玉凤来到包头召大殿，她跪在宗喀巴佛像前，祈求神佛保佑父亲早日平安归来。当天晚上，林玉凤又做了一个梦，梦见父亲和包头的皮毛商都回来了，还把英国人所欠的货款要了回来。

林玉凤大喜，宗喀巴显灵啦！

清晨，林玉凤带了好多布施来到包头召拜谢神佛。

布施之后，林玉凤轻松了许多。她从大殿出来，听到包头召小学堂传来慷慨激昂的说话声，她信步走了过去。见教室的门上挂着一块匾，匾上刻着四个大字"百舟风励"，匾下的门开着，巴文栋站在学生前面，一会儿挥手，一会儿振臂，学生的眼睛盯着巴文栋，听得特别认真。

巴文栋又从地球的起源，讲到生物的进化；从亚里士多德的地心学说，讲到哥白尼的日心学说；从西洋的英国工业革命，讲到东洋日本的明治维新；从蒸汽机、轮船、火车，讲到内燃机、摩托车、汽车……

马王庙两等学堂的老师从没给学生讲过这些，巴文栋广博的学识令林玉凤大开眼界，她简直听呆了。

发现林玉凤站在外面旁听，巴文栋走下讲台，来到林玉凤近前，见她面如桃花，眼如丹凤，眉如弯月，唇如樱桃，身着绛紫色的旗袍，脚上是一双平底绣花鞋。美丽清纯，优雅大方。

巴文栋把林玉凤让进教室，给她找个位子。

从这天开始，林玉凤每天上午都来包头召小学堂听巴文栋讲课，很快，两个人产生了感情。

巴祯守孝期满，他和云氏夫人准备先给文栋和奥云完婚。可此时的巴文栋心中已经有了林玉凤，他执意托辞。巴祯和云氏夫人没有强行逼他，他们想给文栋时间，逐渐开导他，反正女儿文雅也到了成亲年龄，就先给文雅办了婚事。

山西优级师范学堂有一批洋教习，巴文栋接受了许多新事物。在外国，就算是结了婚，夫妻感情不好也可以离婚，何况自己并没有跟表妹奥云成亲，所以，他心中只有林玉凤，没有奥云。

巴祯是个很传统的人。文栋和奥云的亲事是巴祯亲口答应的，如果文栋娶了林家姑娘，那就是悔婚，说话不算数，这是蒙古人最为鄙视的。以后自己怎么见内兄？妻子怎么见她大哥？巴、云两家怎么相处？

巴祯和蔼地说："焕章啊，你是个念大书的人，人情事理你都懂，阿爸不逼你，阿爸再给你一段时间，你好好想一想。"

巴文栋默默无言。

送走了阿爸，巴文栋心中波涛翻滚，奥云是自己的表妹，小的时候他们就在一起玩。无论是人品还是长相，奥云都无可挑剔。可是教科书上言之凿凿，近亲结婚对后代不利，巴家几代人丁不旺，这与近亲通婚有很大关系。看来，自己应该抽空找大舅当面把话说开，以求得大舅的谅解。

高小班的学生青年人较多，巴文栋觉得有必要把近亲结婚的危害讲给他们。

巴文栋站在讲台上："英国科学家达尔文最早发现了近亲结婚的危害。达尔文的舅舅有个女儿叫爱玛，爱玛和达尔文从小在一起玩，感情基础很深。表姐表弟，亲上加亲，父母给他们办了喜事。可是，婚后的不幸让达尔文痛苦一生。达尔文夫妇生了十个孩子，其中两个没断奶就夭折了，还有一个没有活过十岁。另外七个孩子虽然长大成人，但都不同程度地患有先天疾病。达尔文是个科学家，他决心弄清楚这其中的原因。晚年，达尔文终于发现，近亲结婚极容易导致孩子生理缺陷，体质虚弱，家族退化。"

巴文栋又说："还有一位科学家，他的遭遇也和达尔文差不多，他就是美国的人种学家摩尔根。摩尔根的夫人玛丽是他的表妹。摩尔根、玛丽夫妇生了两女一男三个孩子，但是，两个女儿早亡，活下来的男孩却是个傻子。经过半生的研究，摩尔根告诫后人，无论如何也不能近亲结婚。"

文雅站了起来："哥，你明明知道近亲结婚危害很大，你冷落奥云，要娶玉凤，让我和云恒结婚，你太不仗义了。"

"哦……"教室里一片哄笑。

林玉凤从面颊到脖子，如同被火燎了一样难受，她把头深深地埋了下去。

巴文栋的脸也红了，这个文雅，太愣了，说话也不分个场合。我一直都在替她说话，反对她和云恒的亲事，她居然说我不仗义。

巴文栋想反驳妹妹，可当着这么多人的面，玉凤已经很难堪的了，如果文雅瞎对付，那玉凤岂不是更为尴尬？

巴文栋训斥道："巴文雅，这是课堂，不得胡闹！"

文雅白了哥哥一眼："我怎么胡闹了？我说的是真的，你想生个聪明强壮的宝宝，不娶奥云；我也想生个聪明强壮的宝宝，我也不嫁云恒。"

"哦……"又是一阵哄笑。

巴文雅朝同学们瞪眼睛："好笑吗？我哥讲的是科学，我说的是真话，难道科学和真话都好笑吗？难道你们愿意生出个傻孩子吗？"

一些学生被巴文雅镇住了，教室里安静下来。

巴文栋不想再争下去了，他对全班说："放学！"

巴文栋逃也似的回到办公室，他关上门，坐在椅子上，心怦怦直跳。

"梆梆梆"，声音很轻，外面传来敲门声。

巴文栋稳了稳心神："进来。"

文雅拉着玉凤笑嘻嘻地走了进来，她往文栋身上一撞："哥，还生我气呢？我跟你说着玩呢！"她撒着娇，"我知道，我哥向着我。我想让玉凤早点成为我的姐吉，所以，公开你们的关系，给你们造个声势，让阿爸和额吉别想拆散你们。玉凤，你觉得我这个办法怎么样？"

姐吉是蒙古语，就是嫂子。

玉凤白了文雅一眼，嗔道："不怎么样！"

巴文雅转向巴文栋："哥，你觉得怎么样？"

文栋加重语气："很不怎么样！"

文雅挠了挠脑袋："真不怎么样？"她灵机一动，神秘地说，"哥，这个办法不怎么样，我还有一个办法，保证你们这对有情人能成眷属。"

第三章

　　文栋和玉凤惊呆了，这怎么可能？啸天龙是忽拉盖，是土匪头子，文雅什么时候成了土匪？又什么时候成了土匪头子？这太离谱了！

　　文栋和玉凤谁也不看文雅，但耳朵都竖了起来。

　　文雅见哥哥文栋和玉凤没反应，有点沉不住气了："哥，玉凤，你们听不听啊？不听我可不管了！"

　　文栋和玉凤不约而同地转过头，文栋道："我听着呢。"

　　文雅问玉凤："你呢？"

　　玉凤咬了咬嘴唇："我也听着呢。"

　　文雅眼中放光："我觉得你们两个应该分头行动。哥，阿爸和额吉思想守旧，不能指望阿爸和额吉转变态度，你去找大舅，向大舅解释近亲结婚的危害。玉凤，你回去跟你爹说。如果大舅被说服，你爹也同意，你们的事不就成了吗？"

　　去找大舅，这点兄妹二人想到一处了。至于玉凤父亲这层，文雅提醒得很及时，阿爸和额吉已经成了文栋和玉凤之间的强大阻力，如果不争取玉凤父亲林永昌的同意，那他们就没有希望了。

　　文栋问："玉凤，你爹什么时候回来？"

玉凤道："我爹明天上午回来。"

文栋嗫嚅道："你，你能不能跟你爹说说？"

玉凤脸色绯红，她深深地点了点头："嗯。"

文雅开心地笑了："哥，玉凤，我为你们着想，你们是不是应该谢谢我？"

文栋高兴："哥请你吃四美元的烧卖。"

四美元的烧卖是包头镇著名的美食，生意特别火，来这里吃烧卖的人常常排起长队。四美元每天只开半天，下午就关门了，店家要准备第二天的肉馅和面皮。

此时已是午后，店里没有空桌。巴文栋、巴文雅、林玉凤三人等了半个小时，东北角才腾出一张桌，店小二把三个人请到这张桌前。

这张桌挨着窗户，外面的风吹在脸上，很是惬意。

三个人要了一壶烧酒，几笼烧卖。三个人一边喝着茶，一边等待店小二上酒和烧卖。不远处的桌边坐着几个身着长衫的人。长衫在当时是地位和身份的象征，是有钱人的标志。当然，能来四美元吃烧卖的人都是包头城内有头有脸的人物。

烧卖油大，吃完烧卖一般要喝两碗红砖茶，红砖茶解油，助消化。这几个人一边喝着红砖茶，一边聊天。

一个灰绸长衫的人对桌上其他人说："你们知道烧卖的来历吗？"

一看灰绸长衫的表情就知道他有意卖弄，其他的长衫客都赔着笑脸摇头，有人道："刘爷，您是包镇公行的武甲头，您走的路比我们过的桥多，您吃的盐比我们吃的饭多，您给我们讲讲这烧卖的来历，也让我们长长见识。"

他这么一说，那几个长衫客也跟着附和："就是，就是，刘爷，给我们讲讲，让我们开开眼。"

林玉凤背对着那几个人，因为父亲林永昌是包镇公行的文牍，她不由自主地转过头，见那位被称为"刘爷"的人正是包镇公行的武甲头刘彪。

刘彪唾沫星子乱飞："想当年，这烧卖可不是咱们这些老百姓能吃的，那是御宴！是康熙爷享用的！知道不？"

"刘爷不说，我们哪能知道。刘爷，接着说，接着说。"

"康熙爷三征噶尔丹的时候来过咱们草原，那叫威风……"刘彪想起了说书人的词儿，他连说带比划，"那真是大旗如同高粱地，小旗如同牛毛，三军儿郎盔明甲亮，杀气腾腾。眼看天色将晚，一轮明月东升，大军安营扎寨。可是，康熙爷饿了，急着想吃东西。那埋锅造饭得需要工夫，巧了，附近有个包子铺，御前侍卫来到包子铺，让包子铺赶紧给整点吃的，知道不？"

几个长衫客道："知道，刘爷，然后呢？"

刘彪喝了一口茶："包子铺掌柜的说：包子都卖完了。御前侍卫说：有吃的就行。掌柜的见御前侍卫的穿着打扮哪敢惹呀，那就做吧。可是一看，只剩了一碗羊肉馅，盆里的面刚和出来，准备明天发了蒸包子。知道不？"

刘彪三句话之内必然夹一句"知道不"，这句口头禅使得刘彪如长辈教训晚辈，大人教训孩子，几个长衫客甘愿被教训："知道，知道，刘爷。"

"御前侍卫在旁边一个劲儿地催，包子铺掌柜的没办法，他揪下一块面，擀了十几个面皮，把馅往面皮上那么一塞，手那么一攥，就放到锅里蒸上了。知道不？"

"知道，知道，刘爷。"

"不一会儿，出锅了。那御前侍卫赶紧端给康熙爷。康熙爷拿起筷子，夹起一个咬了一口，满嘴流油，挺好吃。知道不？"

"知道，知道，刘爷。"

"康熙爷一连吃了八个，越吃越香。康熙爷心想，天下的美味朕什么没吃过，这是什么吃食？像包子不是包子，像饺子不是饺子。康熙爷就问御前侍卫，这吃的叫什么？知道不？"

"知道，知道，刘爷。"

刘彪越讲越来劲儿，越讲声越大："御前侍卫也不知道这吃食叫什么，他跑到包子铺，问掌柜的。知道不？掌柜的心里暗想，其实这就是包子，是你催得急，我的面没发，也没好好包。可掌柜的不敢说实话，他怕御前侍卫责问，知道不?"

"知道，知道，刘爷。"

"掌柜的灵机一动，他说：捎卖。御前侍卫没明白，他问：捎卖? 为什么叫捎卖? 掌柜的说：我的包子铺主要卖包子，这种吃食有客人要我就捎带着卖点，没有客人要就不卖，所以叫捎卖。知道不?"

"知道，知道，刘爷。"几个长衫客又是点头。

"御前侍卫回去向康熙爷禀报，康熙爷琢磨，捎卖，捎带着卖，这两个字有点太随意了。知道不?"

"知道，知道，刘爷。"

"于是，康熙爷提起笔，把捎带着卖的'捎'字写成了烧火的'烧'，'卖'字没改。知道不?"

几个长衫客一副恍然大悟的样子："知道了，知道了，刘爷。"

"康熙爷叫御前侍卫把这两个字给包子铺送去。御前侍卫对掌柜的说：知道吃你烧卖的人是谁吗? 掌柜的哪里知道。知道不?"

"知道，知道，刘爷。"

"御前侍卫说：是康熙爷。掌柜的吓坏了，康熙爷? 那是皇上啊! 我把没发的面随便一攥就给皇上吃，这不是欺君之罪吗? 掌柜的连忙磕头求饶。知道不?"

"知道，知道，刘爷。"几个长衫客追问，"后来呢?"

刘彪抹了一下嘴："后来……御前侍卫对掌柜的说：你怎么跪下了? 皇上夸你的烧卖好吃，还给你题了字。掌柜的接过康熙爷的字如获至宝，他把这两个字刻在匾上挂到外面。从此，那个掌柜的就不卖包子，而是改卖烧卖了，烧卖也就这么传了下来。知道不?"

几个长衫客赞不绝口："哦，原来烧卖是这么来的。刘爷讲得好，刘爷太有见识了，高! 真是高! 实在是高!"

刘彪余性未消："烧卖做起来简单，吃起来好吃，可那是有讲究的。知道不?"

"哟，这还真不知道，刘爷，您再给我们讲讲?"

刘彪拿起筷子："烧卖要出锅就吃，趁热吃，凉了就不好吃了。"刘彪夹起一个烧卖,"看见没?好烧卖夹起来像茄子,放下去像碟子,肥而不腻,满口流香。知道不?"刘彪又把这个烧卖放入盘中。

"刘爷真是吃烧卖的行家。"

刘彪放下筷子,得意地说:"刘爷我吃烧卖别的地方都不去,就来四美元。别人家的烧卖不行,淋巴、哈喇皮、囊膪,什么都往馅里剁。可四美元的烧卖都是好羊肉,从来不用那些下脚料,知道不?"

一个长衫客说:"小的知道刘爷爱吃四美元的烧卖,所以,才把刘爷请到这儿来。"

刘彪又喝了一口茶,然后站起身:"行了,哥儿几个,刘爷我公务在身,失陪了。"

"刘爷您忙,刘爷您慢点……"两个长衫客起身给刘彪掀开门帘,刘彪掸了掸袖子,迈着方步走了。

店二小把烧酒和烧卖都端了上来。酒酣耳热之际,文栋对文雅说:"文雅,这次你在云雀岭有惊无险,平安归来,哥敬你,给你压惊。"

玉凤也说:"我和焕章一起敬你。"

文雅把碗举了起来,大大咧咧地说:"好啊!"

三个人同时喝了一口,文雅放下酒碗,左右看了看,她诡异地说:"哥,玉凤,你们知不知道云雀岭大当家啸天龙是谁?"

对文雅平安归来,文栋一直心存疑惑,他觉得啸天龙一定跟巴府有关系,很可能是阿爸的挚交,不然,怎么能轻易把文雅放了回来。

文栋摇了摇头,他和玉凤都盯着文雅,等着她往下说。

文雅一双丹凤眼转了两下,她向文栋和玉凤摆了摆手:"嘻嘻……你们过来,都过来。"

文栋和玉凤的头都凑向文雅,文雅小声道:"云雀岭的大当家啸天龙,你们都认识。"

文栋和玉凤对视一下,文栋道:"我从山西回来才几个月,我怎么会认识一个忽拉盖?"

玉凤也说:"我也从来没跟土匪接触过。"

文雅哈哈大笑,引得屋子里的人都往这边看。玉凤拍了文雅的手背两下，文雅忙捂住嘴止住笑声，她神秘地说："告诉你们，啸天龙就是巴文雅，巴文雅就是啸天龙。"

文栋以为妹妹说的是酒话，见两人不信，文雅又重复一遍，文栋和玉凤惊呆了，这怎么可能？啸天龙是忽拉盖，是土匪头子，文雅什么时候成了土匪？又什么时候成了土匪头子？这太离谱了！

文栋脸色严峻："文雅，忽拉盖是要杀头的，可不能胡说！"

文雅头一扬："哼！我就知道你不信，既然你不信，那我就不跟你说了。"

文栋当然不信，他的心突然一动："难道你是为了不嫁给云恒搞的恶作剧？"

文雅道："哎呀，不是不是。算了，算了，我还是告诉你吧。"

云恒和巴文雅在云雀岭遭遇土匪，双方交火，迎亲队伍中的乡勇寡不敌众，云恒护着新娘文雅的车往包头方向跑。哪知，又一伙土匪拦住他们的去路，为首的是个黑脸男子，云恒扔下巴文雅的轿车，跑了。

黑脸男子跳下马，走到轿车前，他想看看新娘长的什么模样，黑脸男子撩开车帘，哪知车内一支乌黑的枪口顶住了他的眉心，巴文雅低声喝道："别动！动我就打死你。"

黑脸男子还没反应过来，巴文雅一只纤纤玉手已经抓住了他的枪。黑脸男子不想放手，巴文雅的枪口在他头上一戳，黑脸男子知道这意味什么，只得松手，黑脸男子的枪被巴文雅缴了。

巴文雅手中枪没有离开黑脸男子的额头，她从容地下了车。

众土匪纷纷举枪，要来救黑脸男子："大当家的！大当家的！"

巴文雅喝道："站住！你们再往前走一步，我就让你们的大当家脑袋开花！"

黑脸男子向后一摆手："都别动！"

众土匪停住脚，不由得仔细打量新娘。见巴文雅十八岁上下，头戴八寸多高的蒙古贵妇冠，冠上掐着金边，走着金线。冠前镶着银蝙蝠，银蝙蝠上镶着蓝宝石。冠下散着额穗，每条额穗都坠着红宝石，红宝石沿眉毛排到双鬓。双鬓各有六个挂串，挂串穿着红珊瑚、绿松石、白珍珠。红如火，绿如柏，白如霜。巴文雅身穿立领玫瑰色蒙古婚袍，肤嫩如水，粉面桃腮，悬胆的鼻子，樱桃般的红唇，一双丹凤眼如同两颗刚刚出水的葡萄，晶莹剔透。

巴文雅本来就美若天仙，加之如此精美的头饰和衣着，十分的容貌，显出十二分的美丽，只是巴文雅表情冷峻，让人觉得有一股冬天般的寒气。

巴文雅对黑脸男子喝道："叫他们放下枪！"

大当家对众土匪道："都把枪放下。"

怜香惜玉是男人的本性，何况眼前是个如花似玉的新娘，不要说打死她，就是擦破她一点儿皮都会让人心疼。既然大当家有令，众土匪放下了枪。

大当家心中盘算，怎么说这个新娘也是一介女流，我已年过不惑，可以说阅人无数，凡是漂亮的女人都被男人宠着，被男人宠着的女人都不太精明。我得想个办法脱身，不能让她总这么拿枪对着我。

大当家打了个哈哈："你是谁家的姑娘啊？胆子不小嘛，就不怕我啸天虎杀你全家吗？"

巴文雅丹凤眼一瞪："忽拉盖，你是啸天虎，姑奶奶我是啸天龙。虎能斗得过龙吗？"

大当家啸天虎觉得很好笑，新娘自称啸天龙就等于说她也是个土匪头子，可她却骂我"忽拉盖"。我是"忽拉盖"，那她就应该不是"忽拉盖"，既然她不是"忽拉盖"，怎么可能是什么啸天龙？漂亮的女人往往自作聪明，一句话就露出马脚。

有个土匪却对巴文雅的话信以为真，他问身边的另一个人："咱们大当家叫啸天虎，二当家叫啸天豹，这怎么又来了一个啸天龙？"

这个忽拉盖也被蒙住了："哎？是啊！啸天龙是哪个绺子的？"

啸天虎心中暗骂手下这两个人太弱智，新娘说她是啸天龙你们就当真？如果她说自己是王母娘娘，你们是不是认为她驾云来的？简直是猪脑子！

啸天虎一想，既然新娘自报啸天龙，那我就用道上的黑话问问她，也让手下的弟兄清醒一下："你是樱桃把子？"

樱桃是女性，把子是当家的。啸天虎在问巴文雅是不是女土匪头子。

巴文雅没听懂，她在琢磨，阴，阴什么八子……怎么听着像骂人话？巴文雅怒道："你敢骂姑奶奶，我毙了你！"

啸天虎心里有了数，他又问："西北悬天一片云，不知黑云是白云？"

这也是江湖黑话。这句话通常有三种答法：第一种是"黑云过后是白云"，这说明对方是占山劫道的；第二种是"白云过后是黑云"，这说明对方是晚上抄家抢大户的；第三种是"白云黑云都是云"，这说明对方既劫道又抄家，这种忽拉盖往往人多势众。

巴文雅看了看天，见晴空万里，心说，这个忽拉盖怎么胡说八道，天上一朵云也没有，他竟问我黑云白云……巴文雅似乎明白了，对方讲的大概是黑话，她随口杜撰一句："天上无云不下雨，地上有雨才有云。"

啸天虎心里更有底了，这个新娘绝对是个外码子，根本不是道上的人。

众土匪也都明白了。

啸天虎想拖延时间，伺机反制。正在这时，东边跑来一群土匪，跑在前边的人身材魁梧，肤如古铜，五官英俊，目光深邃，头戴一顶蒙古礼帽，胯下一匹黄骠马，手里提着短枪。

啸天虎身边有土匪叫道："二当家来了！"

巴文雅把啸天虎向北逼退七八步，新娘与东西两队土匪成一百二十度角。巴文雅心想，这个二当家就是刚才他们说的啸天豹吧？

巴文雅猜对了，啸天豹看上去要比啸天虎大上几岁。

啸天豹见啸天虎被新娘挟持，他催马就要往上闯。

巴文雅右手枪顶着啸天虎的脑袋，左手拿着啸天虎的枪。巴文雅一换手，用啸天虎的枪顶啸天虎的脑袋，自己的枪一扬，"啪"的一声，二当家啸天豹头上的帽子就飞了。

巴文雅说："啸天豹，别人的枪不长眼睛，姑奶奶的枪可是长眼睛的！"

巴文雅枪法如此精准，众土匪"啊"的一声。啸天豹吓出了一身冷汗，他忙带住马。

大当家心想，我堂堂啸天虎，居然受制一个女人，如果不把她收拾了，今后我怎么在草原上混？

啸天虎换成一副笑脸："啸天虎有眼无珠，冒犯了女掌柜，说吧，女掌柜想要什么？"

巴文雅怒道："你杀了我的人，抢了我的嫁妆，你说我要什么？"

啸天虎对啸天豹说："二当家，把东西都还给女掌柜，放女掌柜下山，清了。"

"清了"就是撕票，杀人。啸天虎前面的话是假的，是麻痹巴文雅的，后面的话才是真的。

啸天豹心领神会："是，大当家的。"

第四章

是不是林永昌反对我们的婚事,不让玉凤出来?如果是这样,那我们怎么办?不行,我要见她。我们在宗喀巴大师佛像前发过誓,哪怕是天涯海角,我们都要在一起。

啸天豹让人把文雅的几车嫁妆都赶过来,让文雅查看。只要文雅的枪离开啸天虎的头,注意力一分散,啸天豹立刻将文雅乱枪打死。

巴文雅不懂黑话,但她也提防土匪耍花招,文雅什么东西都不要,只是挟持大当家啸天虎,让他送自己下山。

啸天豹想杀巴文雅,却无从下手。

啸天虎暗想,这小丫头片子还挺难对付,她到底是什么人?啸天虎突然问:"你让我送你去哪儿?"

"包头巴……"巴文雅想说包头巴府,可话到嘴边又觉得不对,巴文雅改口道,"包头吧……"

巴文雅改口虽快,可前后口气不同,啸天虎眼中露出异样的光芒:"你是巴府的人?"

巴文雅愣了一下。

二当家啸天豹又问:"巴祯是你什么人?"

巴文雅暗道,这两个忽拉盖好聪明,我只说"包头巴",他们就猜到我是巴府的人，还说出了阿爸的名讳。

巴文雅艺高胆大，她昂起头："巴祯是我阿爸，我是他女儿巴文雅，你们想怎么样？"

啸天虎、啸天豹呆住了。

啸天豹用黑话问啸天虎："大当家，踩宽敞吧？"

"踩宽敞"就是放人。

啸天虎也改变了主意："听二当家的。"

啸天虎、啸天豹想快点把巴文雅打发走，他们让土匪给巴文雅牵来一匹马。巴文雅见两个土匪头子怕了，她的胆子更大了。巴文雅左右看了看："这里风景不错，姑奶奶想看看风景。"

啸天虎神色不像刚才那样镇定了，他问："你想干什么？"

巴文雅收了枪："我想入你的绺子，行不？"

没等啸天虎做出反应，众土匪骚动起来，这么漂亮的女子，看上一眼就能高兴一整天，若能收她入绺子，太好啦！

啸天虎和啸天豹却没答话。

巴文雅一向感觉良好，凭自己的身手，指挥百十号人应该没问题，她说："啸天虎，你把大当家的位子让给我得了呗？"

啸天虎问："凭什么？"

巴文雅把啸天虎的枪扔给他，她往怀里一摸，掏出一个毽子。这毽子上边是羽毛，下面是三枚铜钱。

巴文雅把毽子在手中掂了掂："试试你的枪法。"

说着，一抖手，把毽子抛到空中，啸天虎"啪啪啪"连开三枪，其中一枪擦到了铜钱边缘，发出"铮"的一声响，众土匪连声叫好。

巴文雅用脚一勾毽子，毽子到了鞋面上，巴文雅一脚踢出，毽子飞得比刚才还高，巴文雅"啪"的一枪正中毽子，三枚铜钱在空中散开，羽毛纷纷落下。

啸天虎不禁道："神枪！"

巴文雅既似调皮，又似挑衅："我能当大当家吗？"

啸天虎随口道："能……"

可是，话一出口，他就后悔了。

巴文雅对啸天虎说："看你也像是个蒙古人，我们蒙古人说出的话就像山一样不会动摇。啸天虎，你不会食言吧？"

啸天虎犹豫一下，他以蒙古人的礼节向巴文雅以手抚胸："啸天虎拜见大当家。"

众土匪欢呼起来："大当家，大当家，大当家……"

啸天豹斥责众土匪："不准起哄！"

众土匪安静下来。

啸天豹问啸天虎："大当家，你真要把大当家的位子让给一个小姑娘吗？"

啸天虎心事重重："大丈夫一言既出，驷马难追。"

啸天虎这么一说，众土匪又欢呼起来。

巴文雅被接上云雀岭，啸天虎、啸天豹摆酒宴为她接风。巴文雅把头上的贵妇冠一扔，把婚袍一脱，她穿着小褂，脚往长条凳子上一踩，大碗喝酒，大块吃肉。土匪三个一伙，五个一群，都来给巴文雅敬酒。一个说"我愿为大当家肝脑涂地"，另一个说"我愿为大当家赴汤蹈火"；这个说"我愿为大当家上刀山"，那个说"我愿为大当家下油锅"；……只有啸天虎和啸天豹两个人眉头紧蹙，谁也不说话。

巴文雅借着酒劲儿对啸天虎、啸天豹说："从现在起，我就是山上的大当家了，是不是？"

两个人点头："是。"

巴文雅又说："那么，你们就是二当家、三当家，对不对？"

啸天虎强作笑脸："对，大当家。"

啸天豹笑得更为僵硬："是，大当家。"

巴文雅斜着眼睛看啸天虎、啸天豹："可是，我怎么瞧着你们两个好像不高兴？"

啸天虎一摇头："没有啊。"

啸天豹讪讪地说："哪能呢！"

巴文雅端起一碗酒，"咕咚咕咚"喝了个精光，她手一扬，"啪"，碗摔在地上，碎片四溅。人们不知道巴文雅什么脾气，屋里的气氛顿时紧张起来，有把酒举到嘴边的，有酒含在口中没来得及咽的，有伸筷子夹肉停盘子上的，有肉噎在嗓子眼儿里伸脖的……

巴文雅横眉立目，偌大的屋里一下子静了下来，人们的目光全部集中在巴文雅脸上。

巴文雅抹了一把嘴，把手枪往腰里一插，迈大步出了房门。她牵过一匹马，飞身跳上坐骑，两脚一磕镫"嗒嗒嗒……"飞驰而去，身后留下一串高亢的歌声：

> 你晓得，天下黄河几十几道弯？
>
> 几十几道弯上，几十几只船？
>
> 几十几只船上，几十几根竿？
>
> 几十几个艄公呀来把船来扳……

讲完了以往的经过，巴文雅得意地说："我当时真想留在山上当忽拉盖，过一把大当家的瘾。要不是怕阿爸和额吉你们着急，我就不回来了。"

巴文栋和林玉凤听得目瞪口呆。

一个谜解开了，可一大堆谜产生了。啸天虎是谁？啸天豹是谁？他们跟巴府肯定有关系，可是，他们与巴府有什么关系？还有，云恒现在怎么样了？为什么他这么长时间没有消息？

云恒家住毕克齐，毕克齐位于包头东大约二百里，云雀岭是必经之地。云恒的父亲是土默特右旗第二甲毕克齐章盖衙门的章盖。巴文栋决定去一趟毕克齐，一方面请求大舅退婚，另一方面到云恒家看看。

巴文栋担心途经云雀岭遇上麻烦，他换上了普通牧民的衣服。

大舅不在家，奥云迎了出来。奥云特别喜欢文栋，每次见到文栋都是笑逐颜开，但今天却是一脸愁容。她告诉文栋，就在云恒和文雅成亲那天，云恒家被官府查抄，除了一个壮汉逃脱，一家人全被押往归化城。她阿爸到归化城打听消息，至今未归。

文栋又问清军为什么抄云恒家？奥云说，听说云恒在归化城读书时接触了山西同盟会革命党，清军在云恒家搜出了好多枪支弹药。

原来如此！

巴文栋想跟表妹奥云提退婚的事，可现在这种情况他难以开口。

小舅大舅两家相距三十多里，巴文栋辞别了奥云。来到云恒家时，见大门贴着封条，他趴门缝往里看，院中冷冷清清，空无一人。

巴文栋的心提了起来，小舅一家人不会有什么危险吧？阿爸已经回了归化城土默特旗务衙门，既然小舅一家被押到了归化城，阿爸一定知道，阿爸一定会想办法救小舅一家。可私藏枪支弹药，这是谋逆大罪，阿爸救得了小舅一家人吗？

回到家，文栋怕额吉着急，他没有告诉云氏夫人，而是对巴文雅说了实情。文栋的意思是，云恒既然参加了同盟会革命党，就肯定不是贪生怕死的人，云雀岭云恒扔下文雅，一定有他的原因。

得知小舅家被抄是因为与同盟会革命党有关，文雅想到了文栋，阿爸把哥哥从山西优级师范学堂强行接回来，就是因为哥哥与革命党有牵连。

文雅问："哥，同盟会革命党是干什么的？官府为什么抓他们？"

文栋心中烦闷："你一个女孩，不该问的不要问。"

文雅瞪了哥哥一眼："我都十八了，还什么女孩？我问问怎么了？"

见妹妹不高兴，文栋赔笑："好好好，哥告诉你，同盟会革命党都是好人，他们愿为国家百姓献出一切，云恒就是这样的人。"

文雅瞥了文栋一眼："就他？把我一个人扔给忽拉盖，胆小怕事，没有血性，跟个二刘子似的，还愿意为国家百姓献出一切？得了吧！"

文雅转身离去。

巴文栋觉得好久没有见到林玉凤了，可屈指一算，只有八天。八天时间虽然不算长，可是，自从两个人相爱，他们从没有这么长时间不见面。也是因为文栋牵挂云恒，牵挂同盟会革命党，冷淡了玉凤。可是，我冷淡她，她不该冷淡我呀！为什么她连包头召小学堂也不来了？

文栋拍了一下脑门，玉凤是马王庙两等学堂的学生，没准马王庙两等学堂的教室修好了，她回马王庙小学上课了。

巴文栋走进了马王庙两等学堂堂长郭洪霖的办公室。

郭洪霖出身官宦人家，郭家也算是包头镇首屈一指的名门大户。郭洪霖的父亲叫郭向荣，当年沙俄占领新疆伊犁，郭向荣追随左宗棠收复国土，清政府赐封郭向荣"巴图鲁"称号，意为英雄、勇士，官居二品。1881年，西北回民暴动，郭向荣驻防包头镇，并在城西牛桥街北侧购买巴家土地盖了房子，那条街因郭家而命名郭家巷。郭洪霖排行老四，人称郭四少。1900年，郭向荣告老还乡，回到故土安徽省颍上县鲁口镇养老去了，只有郭洪霖留在了包头。

中日甲午战争之后，偌大的中国竟然败给了小小的日本，无数仁人志士仰天长啸，悲愤万端。痛定思痛，人们认为，大清朝要想强大，必须创办新式教育，让更多的中国人觉醒起来。1903年，包头镇第一所官办学校马王庙两等学堂创立，郭洪霖被任命为堂长。

巴文栋和郭洪霖是同年秀才，彼此间有所了解。两个人寒暄几句，巴文栋的话题就转到了马王庙两等学堂教室维修上。郭洪霖说教室还没修好，高小仍然下午上课。巴文栋又问到林玉凤，郭洪霖说，林玉凤已经十来天没来了。

巴文栋暗觉不妙，他的思绪像云一样乱作一团。

离开郭洪霖的办公室，巴文栋的脚像踩了棉花，飘飘悠悠。文雅给我们出主意，让玉凤争取她爹同意，是不是林永昌反对我们的婚事，不让玉凤出来？如果是这样，那我们怎么办？不行，我要见她。我们在宗喀巴大师佛像前发过誓，哪怕是天涯海角，我们都要在一起。

夜里，风一阵紧似一阵，继而电闪雷鸣，雨下了起来。巴文栋很想入睡，可越想睡越睡不着，巴文栋索性把被子蒙在头上，可是，没多长时间，他就憋闷难耐，头上的汗直往外冒。巴文栋很是烦躁，一把把被子掀了下去。

天亮了，雨停了，昨夜的风雨打落了不少树叶。管家乌恩其和几个家人在院中打扫落叶，见巴文栋梳着一条大辫子，身着西服，系着领带，脚穿皮鞋，看上去很帅气，只是眼睛红红的。

管家乌恩其问："少爷，这么早就出去呀？"

巴文栋含糊地应道："啊，我出去吃早点……"

乌恩其道："少爷，你吃什么？我去给你买。"

巴文栋仿佛没有听见，迈步出了大门。

包头镇最繁华的地段是九江口。九江口并没有江，而是一条南北巷子，因为九条巷口交汇于此而得名。九江口中段路东是个戏台，路西是财神庙，财神庙与戏台隔街相望。有句顺口溜："财神庙前九江口，吃喝玩乐样样有。"

一辆木轮推车停在戏台下，车左边有个火炉子，火炉子上有个铁鏊子，铁鏊子上烙着饼子。包头人通常把饼子叫焙子。车右边放着食油、熟鸡蛋和小咸菜，紧挨着是一大块和好的面。一男一女忙活着。

巴文栋从车前经过，男的向巴文栋打招呼："这位爷，买个焙子吧，两个铜板一个。"

巴文栋没有一点食欲，他匆匆而过。

女的骂男的："你眼睛长到胳肢窝了？人家的穿着打扮，一看就是有钱人，谁吃你的破焙子！"

男的一脸不高兴："你不让我招呼客人吗？"

女的又骂："你是猪脑子啊？招呼客人我让你谁都招呼了吗？"

男的怒道："你不是猪脑子，你一个人干！"

男的一甩手，走了。女的在后面跳着脚骂："挨千刀的，你给我回来！"

男的理也不理，扬长而去。

财神庙自北向南有三条巷子，依次是：财神庙头道巷，财神庙二道巷，财神庙三道巷。广盛西皮毛店位于财神庙二道巷和三道巷之间，商号坐西朝东，面向九江口。皮毛店是九间大房，中间开门，左右各有八扇窗户，窗框的油漆被雨浇过之后闪闪发亮。紧临皮毛店的南侧是财神庙三道巷。进入巷子，有座高大的石门楼，石门楼下是一丈多高、八尺多宽的拱门，拱门两侧是两排拴马石。拱门内有对开的两扇红漆大门，每扇大门钉着五五二十五个泡钉，每个泡钉有鸡蛋大小，金光灿灿。

巴文栋叩打门环，一个老者推开门，他上下打量巴文栋："你是巴少爷吧？"

巴文栋给老人作了个揖："老人家,我是巴文栋,是包头召小学堂的教习,请问林小姐在吗?"

老者立在巴文栋面前,脸色十分难看,他训斥道:"巴少爷,听说你是秀才出身,男女有别,你懂不懂规矩?"

巴文栋忙道:"老人家,林小姐在包头召小学堂上学,有很长时间没去了,我来看看。"

老者说:"我家小姐在马王庙两等学堂上学,什么时候到包头召小学堂了? 走吧,走吧。"

说着,老者就推巴文栋。

巴文栋乞求道:"老人家,老人家,我有事要见林小姐,我跟她说句话就走……"

林永昌从里面走了出来,他沉着脸:"什么人大清早在我家门前吵吵闹闹?"

巴文栋躬身施礼:"林掌柜,林文牍,我是巴文栋。我想……我有事想找林小姐。"

林永昌的脸仿佛挂了一层霜:"巴少爷,我家玉凤马上就要定亲了,不见客。"

巴文栋如同五雷轰顶:"定亲? 跟谁定亲?"

林永昌冷冷地说:"如果巴少爷有兴趣的话,明天中午复成元饭庄,玉凤的定亲宴上会有人赏给你一碗喜酒。送客!"

第五章

　　文雅怀抱大公鸡和奥云站在一起，姑嫂之间，一拜天地，二
拜高堂，"夫妻"对拜，文雅把姐吉奥云送入洞房。

　　包头召大殿一楼香烟缭绕，正中的宗喀巴佛像头戴黄色通人冠，细眉
垂目，嘴角内敛，大耳下垂，双手当胸，指捏莲花茎，身披法衣，结跏趺
坐于莲花台上。莲台花瓣肥腴鲜艳，错落整齐，绢带绕臂而过。左右肩分
别托着经书和智慧剑，暗喻文殊菩萨化身。佛像仪态安详，气定神闲。

　　巴文栋跪在宗喀巴佛像前，大师，神佛，我和玉凤在您面前发过誓，
您是看见的，也是听到的。请您告诉我，玉凤为什么不理我？玉凤父亲林
永昌说的是真的吗？玉凤到底要跟谁定亲？巴文栋眼巴巴地望着宗喀巴，
仿佛神佛会抛下绢帕，给出他答案。

　　巴文栋跪着，腿麻了，腿木了，他全然不知。

　　巴喜喇嘛和巴文雅走了进来，文雅说："哥，这事都怪我，我不该让
玉凤跟她爹说，如果她不跟她爹说，可能就不会发生这样的事。"

　　文栋摇了摇头："让我静一静。"

　　巴喜喇嘛双手合十："缘聚缘散，花开花落。万事皆因缘而生，因缘
而聚，因无缘而散，不可强求啊。佛说：苦非苦，乐非乐，只是一时的执
念而已。执于一念，将受困于一念；一念放下，自在于心间。放宽心态，

顺其自然。听四伯伯的话，和你妹妹回家去吧，别让你额吉担心。"

文雅搀起文栋，巴文栋两腿已经不听使唤了。

晚饭巴文栋只吃了两口，就回到自己房中。文栋躺在炕上，翻来覆去睡不着……教室里的学生都坐满了，巴文栋站在讲台前，林玉凤突然出现在教室门口。

文栋激动万分，他走下讲台："玉凤，你终于来了！"

文栋刚要拉玉凤的手，玉凤却飞了起来，巴文栋拼命地追，可追不上，够不着："玉凤，你等等，你等等，我有话对你说，玉凤，玉凤……"

巴文栋惊醒，原来是个梦。

文栋一夜未睡，第二天，他早早地来到包头召小学堂，期盼玉凤真的出现在眼前。可是，他一直挨到放学，也没见林玉凤。

巴文栋叫了一辆轿车，匆匆赶往复成元饭庄。

包头城有五个城门，东门、南门、西门、西北门和东北门。从南门进城的第一条巷就是复成元巷，是因为复成元饭庄而有复成元巷，还是因为复成元巷而有复成元饭庄，已经没有人能说清楚了。这里不是包头的商业区，但是，每天中午和晚上车水马龙，人来人往。

复成元饭庄是一座二层楼，外表装饰豪华，中间是一个高大的门楼，门楼上面挂着一条宽大的横幅，横幅上写着一行隽秀楷书——

　　　　郭洪霖先生与林玉凤小姐定亲之禧

清末的包头，人们把乐队叫鼓匠班子。饭庄大门左右各有一个鼓匠班子，这边吹，那边敲；这边拉，那边打，跟比赛似的。鼓匠班子后面墙上挂着六条条幅：天作之合，大吉大利；白头偕老，百年好合；夫唱妇随，天长地久；举案齐眉，相敬如宾；恩恩爱爱，美满良缘；……红红的地毯从街边一直铺到复成元饭庄大门。

郭洪霖站在门前招呼客人，见他头戴瓜皮小帽，上身穿红绸子小衫，下身是乳白色西裤，脚下是三接头的黑色皮鞋。中西结合，土洋一体。郭洪霖与走过来的亲友相互作揖抱拳，人们被一一请进门。

巴文栋站在地毯上，两脚像灌了铅似的，每迈一步都非常吃力。

郭洪霖迎上前："焕章，里边请，里边请！"

巴文栋脸色铁青："郭洪霖，你是和林玉凤定亲吗？"

郭洪霖，字润生。他有些奇怪，巴文栋这是怎么了？要么叫我郭兄，要么叫我润生，怎么直呼我的名讳？不过，郭洪霖并没有往心里去，他做了个请的手势："焕章，里边请。"

巴文栋几乎吼了起来："我在问你，你是不是和林玉凤定亲？"

郭洪霖愣了一下："是啊，焕章，那上面不是写着吗？"郭洪霖指了指门楼上的横幅。

巴文栋听完转身就走，旁边停着一辆轿车，巴文栋抬腿上车，"咚"，额头撞在轿车的门框上，一个包鼓了起来。

赶车人吓坏了："巴少爷，巴少爷，您怎么样？"

巴文栋手捂额头："我没事，走！"

赶车人关切地说："巴少爷，你的头……"

巴文栋大叫："我说没事！你听见吗？"

赶车人怯怯地上了车，他一摇鞭子，轿车离开复成元饭庄，赶车人问："巴少爷，您去哪儿？"

巴文栋生硬地说："去哪儿都行！"

去哪儿都行？赶车人想，我赶了这么多年车，还从来没遇上去哪儿都行的客人。我这可是收费的，而且费用不低，难道这位巴少爷脑袋撞坏了？傻了？

赶车人嗫嚅地问："巴少爷，您，您不告诉我去哪儿，我，我把车往哪儿赶……"

巴文栋大怒："去哪儿都行！去哪儿都行！你聋了？你以为我不给你钱吗？"

"好好好……"赶车人心说，既然你愿意付钱，我就拉你随便跑呗。

巴文栋在包头城内转了一圈又一圈，直到天黑，巴文栋才让赶车人把他送回家。巴文栋付了钱，走进家门，他往炕上一躺，就觉得浑身跟散了架子似的。后半夜，巴文栋觉得特别冷，他把三条被子压在了身上，可还是冷。

巴文栋病了，一会儿清醒，一会儿糊涂。找郎中，看大夫，请喇嘛，祭敖包，拜神佛，什么方法都用了，就是不见好转。

眼看文栋一天天消瘦，云氏夫人写信捎到归化城土默特旗务衙门。

巴祯和内兄为了云恒一家上下打点，总算有了点眉目，儿子却得了重病。巴祯跟衙门告假回到家中，见文栋瘦成了皮包骨头。

云氏夫人哭着絮叨："焕章啊，林家小姐与你无缘，你为什么要往牛角尖里钻，你要是有个三长两短，你让额吉怎么活呀！"

巴文栋两眼紧闭，没有反应。

云氏夫人望着巴祯："老爷，你快想个办法，救救儿子吧！"

巴祯双眉紧皱，一筹莫展。

巴文雅灵机一动："额吉，我有个主意。"

云氏夫人一下子瞪大了眼睛："什么主意？快说！"

巴文雅道："哥哥的病是因为林玉凤而起，我去把林玉凤绑来，让她陪哥哥。"

巴祯训斥文雅："你这叫什么主意？这叫抢男霸女！巴氏家族忠厚继世，包容传家，怎么能做出这种荒唐事？"

巴文雅的喉咙动了两下，她嘟囔一句："那怎么办？"

云氏夫人却眼前一亮："老爷，咱们不绑林小姐，咱们求林小姐总可以吧？"

巴祯瞥了云氏夫人一眼："婚姻大事岂能儿戏？不要说林家不会答应，就算林家答应了，郭四少会答应吗？"

这也不行，那也不行，云氏夫人又哭上了。

管家乌恩其道："老爷、夫人，要不给少爷冲喜试试？"

冲喜是内地传到草原上的风俗。男子久病不愈，给他娶一房媳妇，用喜事来冲掉晦气，以期达到治病的目的。这种方法有冲好的，但把人家姑娘冲成寡妇的也十分常见。

乌恩其这么一说，巴祯和云氏夫人两个人神情一振，可转瞬夫妻俩的目光又黯淡下来。冲喜，只能娶奥云冲喜。文栋没病的时候巴府不提奥云过门的事，现在文栋起不来炕了，却让人家冲喜，这怎么张口啊？万一文栋……那不是坑奥云一辈子吗？

乌恩其看出了巴祯和云氏夫人的心思，可是，少爷再这样下去，性命就难保了。不管怎样，也要撞大运到奥云家看看。

此时，奥云的父亲刚从归化城回来了，乌恩其含含糊糊地说了为文栋冲喜的事。老夫妻犹豫不决，奥云却激动不已。她从小就喜欢文栋表哥，仰慕表哥的才华。文栋和林玉凤的事她虽然有所耳闻，但她一直不死心。既然自己和文栋表哥有婚约，救人要紧，只要能跟表哥过一天，自己这辈子就满足了。

奥云同意，父母也就没啥说的了。

冲喜就得拜堂，可巴文栋卧病在炕，根本起不来，怎么拜堂呢？

乌恩其还真有主意，他说内地有小姑子抱大公鸡与新娘拜天地的，可以让文雅小姐与奥云拜堂。

云氏夫人说："这么大的事，是不是要跟焕章商量商量？"

巴祯摇了摇头，叹道："当初，焕章和奥云的亲事是我答应的，后来焕章跟林家小姐不清不楚，咱们已经对不起他大舅一家了。现在焕章病成这个样子，奥云不嫌弃咱们，我心中十分愧疚。如果跟焕章商量，万一他不同意，咱们怎么向他大舅交代？怎么向奥云交代？我看还是先成了亲再说，焕章是个有大学问的人，相信他能够理解我们这片苦心。"

冲喜之日，巴祯亲朋好友都没请，只有几个吹鼓手吹吹打打，然后是文雅怀抱大公鸡和奥云站在一起，姑嫂之间，一拜天地，二拜高堂，"夫妻"对拜，文雅把姐吉奥云送入洞房。

烛光之下，巴文栋的头仿佛比以前大了一号，他脸色蜡黄，嘴唇发紫，手只剩了一层皮。奥云的心一紧，我的表哥，我的丈夫，你怎么成这样了！为什么不早告诉我？为什么不让我早来为你冲喜？

朦胧中，巴文栋见一个女子头戴红花，身着红袄，面带笑容，亭亭玉立地站在自己面前，很像林玉凤。巴文栋激动起来："玉凤！玉凤！是你吗？"

奥云的心一紧，她没有多想，表哥是病人，只要能让表哥痊愈，他叫谁的名字都无所谓。奥云似是而非地应道："是我……"

巴文栋伸手划拉："玉凤，你别走，你别走……"

奥云拉住巴文栋的手，声音很轻："我在这儿，我不走……"

巴文栋抓住奥云的手，一下子坐了起来，他睁大眼睛，直盯盯地看着奥云。可是，面前影影绰绰，模模糊糊，怎么看不清啊？巴文栋使劲儿揉眼睛，但无济于事。巴文栋抚摸着奥云的脸："玉凤，我想死你了。"他把奥云揽入怀中，口中喃喃道："玉凤，不要走，不要走，不要离开我。"

奥云把脸贴在文栋的胸前："我不走，永远也不走，永远在你身边。"

良久，奥云问文栋渴不渴，饿不饿，巴文栋这才觉得口有点干。奥云让巴文栋倚在炕墙上，她给巴文栋端来奶茶。奥云吹了吹，自己喝了一小口，不凉也不热。她把奶茶送到巴文栋嘴边。文栋抿了一口，好喝，怎么这么好喝，文栋"咕嘟咕嘟"几口就喝了下去。

奥云又到厨房端来一碗粥，文栋也吃了下去。

第二天，巴文栋开始要吃的，巴府上上下下都高兴得不得了。

七天之后，巴文栋的烧退了，脸上也有了血色。

半个月后，巴文栋的视力逐渐恢复，他这才发现眼前之人不是林玉凤，而是表妹奥云。巴文栋沉默了。奥云眼中含泪，她把冲喜的事详详细细地告诉给巴文栋。奥云说，她能在表哥身边服侍他，她就满足了。如果表哥嫌弃，等过几天，文栋痊愈了，她就回娘家。

巴文栋把奥云搂在怀里："患难见真情。什么海枯石烂，什么山盟海誓，都靠不住。林玉凤已经不属于我了，永远也不属于我了，属于我的只有你，只有表妹。"

"表哥……"奥云泪如雨下。

巴文栋的身体逐渐康复，他接纳了奥云。

这天，归化城土默特旗务衙门派人来了，说衙门里有紧急公务，请巴祯马上回去。临行前，巴祯说，文栋的命是奥云给的，奥云对他有救命之恩。他叮嘱文栋，受人滴水之恩，当以涌泉相报，一定不要辜负奥云。

巴文栋苦笑一下："阿爸，你就放心吧，儿子知道怎么做。"

巴祯这才上了马，奔归化城而去。

话虽如此，可巴文栋的心结并没有打开。他怎么也想不通，林玉凤为什么突然变心？为什么突然跟郭洪霖定亲？不问个明白，他死不瞑目！

文栋要出去走走，云氏夫人想让奥云陪他，奥云用询问的目光望着文栋，文栋回避了她。

文雅看出了哥哥的心事，她说："哥，你的身体还没完全康复，我陪你去吧。"

文栋只想一个人找林玉凤，他说："你在家陪你姐吉吧。"

一句"陪你姐吉"，奥云心里很是温暖，云氏夫人听着也很舒坦。

文雅抢白道："姐吉也没毛病，有毛病的是你。再说了，我也想出去遛遛，放心吧，哥，我不会给你添乱的。"

文栋有点心虚，他有意掩饰："你能给我添什么乱？"

文雅一笑："不添乱还不好？那我就陪你走走呗。"

云氏夫人抽着烟袋，叮嘱道："别忘了，先到庙里上几炷香。"

文雅挽着文栋的胳膊，兄妹二人出了家门来到包头召。上了香，磕了头，文栋独自走进包头召小学堂。

巴文栋已经三个多月没到教室了，一到这里，他感到十分亲切。文栋站在教室门前，门上仍挂着"百舟风励"的牌匾，文栋站在门口往里看，他心如潮涌。跟同学们在一起的日子真好，明天，我明天就来给他们上课。不知不觉，巴文栋的目光落到林玉凤曾经坐过的凳子上，他信步来到凳子前，文栋坐在这个凳子上，他抚摸着林玉凤的书桌发呆。

人到底怎么了？为什么说变就变？我和她在宗喀巴神佛前发过誓，可她竟违背誓言跟郭洪霖定了亲，她还是我心中那个天真无邪的玉凤吗？还是我心中那个冰清玉洁的玉凤吗？……

巴文栋正陷入遐思之中，一个少女飘然而至，她面如桃花，眼如丹凤，眉如弯月，唇如樱桃，身着绛紫色的旗袍，脚上是一双平底绣花鞋。美丽清纯，优雅大方。

巴文栋第一次见到林玉凤时，她就是这身打扮，这身打扮早就刻到了巴文栋的脑子里。

"玉凤！"巴文栋一下子站了起来，他以为自己的眼睛花了。奥云冲喜的时候，他的眼睛就花了，错把奥云当成了玉凤。巴文栋伸出自己的手指，放在眼前，五个指头清清楚楚，他甚至看到了自己的手纹。

没有，眼睛没花，没花！眼前之人就是林玉凤！

巴文栋冲上前，一把拉住林玉凤的手："玉凤，我不是在做梦吧?"

林玉凤却咯咯地笑了。

第六章

　　巴文栋怪父亲巴祯，怪五伯伯巴丰，林家受那么大冤屈，你们不为民申冤也就算了，为什么助纣为虐杀害林永盛、李二改夫妻？再说了，林永盛杀人，他妻子李二改是无辜的，你们为什么连一个产妇也不放过？

　　"哥，我像林玉凤吧？"

　　文栋听出了妹妹文雅的声音，他定睛看了看，这哪是林玉凤，分明是文雅嘛！文栋这才注意，文雅的身高体态，眉毛眼睛脸型，尤其是这身打扮，跟林玉凤太像啦！巴文栋纳闷，从家里出来时，妹妹没穿这身衣服啊，怎么一转眼，她的衣着就变了？

　　文栋放开文雅的手，他的脸一红道："像，像，你太像玉凤了！我以前怎么没发现呢？"

　　巴文雅绷起脸："行了，哥，别玉凤玉凤的了，林玉凤是郭四少的人了，你已经有了奥云姐吉。"

　　巴文栋脸色凄然，目光转向门外。

　　见巴文栋神色阴郁，巴文雅"扑哧"又笑了："哥，你不是想见林玉凤吗？走，我带你去找她。"

　　巴文栋扭过头："她在哪儿？"

兄妹二人叫了一辆车，他们在九江口戏台下了车。九江口只有四五步宽，两旁商号林立，绸缎庄、玉器行、杂货铺、粮油店、茶馆、小吃部、豆腐坊……街上人来人往，很是热闹。

过了戏台，穿过九江口就到了财神庙。每天上午，财神庙的人很多，做买的，做卖的，求财的，敬香的……一到中午，庙里就空空如也了。

文雅让哥哥文栋在财神庙二道巷口等着，她由财神庙往南，经过广盛西号皮毛店，巴文雅步入财神庙三道巷，来到林家门前。林家大门关着，巴文雅上前敲门，老者从里面走了出来。

老者一见巴文雅，愣住了："小姐，你什么时候出去的？"

巴文雅明白，老者也把她看成林玉凤了。巴文雅没说话，她往里就走。

老者望着巴文雅的背影，摇了摇头："唉，真是老了，这记性一天不如一天了。"

屋里，林玉凤正在绣花，巴文雅突然站在面前，玉凤吓了一跳："你！文雅……"林玉凤脸色一变，口里像含着冰一样冷，"巴文雅，你来我家干什么？"

巴文雅"啪"地抓住林玉凤的手："跟我来，我告诉你。"

巴文雅拉着林玉凤往外就走，林玉凤挣扎着叫道："放开我！放开我！"

巴文雅低声道："他出大事了！"

林玉凤问："他是谁？"

巴文雅道："他，就是那个谁……那个谁嘛……"

林玉凤斥问巴文雅："到底是谁？"

巴文雅向林玉凤挤眼："到了你就知道了。"

文雅从小骑马、射箭、打枪，跟个男孩一样淘气，玉凤绣花做女工，玉凤的劲儿哪里比得上文雅？林玉凤想甩甩不开，想挣挣不脱，被文雅拽着往外跑。

林家老者面前突然出现两个林玉凤，他眼睛直了："小姐！小姐……"

没等老者反应过来，巴文雅和林玉凤已经跑出了林家。巴文雅把林玉凤拉到财神庙二道巷，林玉凤气喘吁吁。巴文雅对一旁的哥哥文栋说："哥，有什么话，你就问吧。"巴文雅信步而去。

林玉凤和巴文栋四目相对，见巴文栋脸上虽然有了红润，但比以前瘦了一圈，林玉凤的眼泪就涌上来了，可是，她咬了咬嘴唇，转身要走。

巴文栋抓住林玉凤的手："玉凤，我从鬼门关绕了一圈又回来了，就是想问问你，为什么抛弃我？为什么跟郭洪霖定亲？"

林玉凤痛苦地摇了摇头，什么话也不说，只是哭。

巴文栋吼道："告诉我！告诉我！"

林玉凤头一甩，情绪激动："你们家杀了我父母！你还跟我装糊涂？"

巴文栋仿佛当头一棒："你说什么？你父母不是好好的吗？谁杀了你父母？"

林玉凤两眼喷火："我的亲生父母十八年前就死了，是被你父亲、你叔叔杀害的！"

巴文栋眼发直，头发胀："不！不可能！巴氏家族忠厚继世，包容传家，不可能杀人，绝不可能！你告诉我，你告诉我，到底是怎么回事？"

林永昌把包镇公行总领一行人从天津搭救出来，当晚，林玉凤做了几道菜，又打了一壶酒。林永昌虽然家道富足，但平时吃得比较简单，见桌上这么多酒菜，他好奇地问："玉凤，今天是什么日子？"

林玉凤抿嘴笑道："爹救回了总领，还讨回了钱，这不是好日子吗？"

林永昌望着林玉凤："不光是这件事吧？还有什么好事？说说，让爹高兴高兴。"

林玉凤娇羞道："女儿说了，爹可要答应。"

林永昌心情很好："女儿的事爹都答应，说吧，什么事？"

林玉凤脸色绯红，她犹豫再三，才在林永昌的耳边悄悄地说："爹，女儿看上了一个小伙子……"

林永昌愣了一下，林玉凤撒着娇："爹，你说你答应的嘛……"

林永昌叹道："这真是女大不可留啊。嗯，说吧，女儿看上了谁家的公子？"

林玉凤脸上洋溢着幸福的微笑，她低声说："是包头召小学堂的教习巴文栋，巴秀才。"

林永昌的脸顿时沉了下来，他拿起的筷子又放下了，筷子在桌上发出不大不小的声响。林永昌站起身，在屋里来回走了两趟，林玉凤的目光随林永昌移动着，她的心都提到了嗓子眼儿。

林永昌停了下来，他郑重地说："玉凤啊，你嫁到谁家爹都没意见，就是不能嫁给巴家！"

林玉凤身子摇了两摇，差点摔倒："为什么？"

林永昌眼中燃起仇恨的火焰："玉凤啊，你已经十八岁了，该把你的身世告诉你了。你不是我的亲生女儿，你是我的亲侄女，我是你二叔，你爹叫林永盛，是我的同胞大哥，我们林家与巴家有血海深仇……"

林永盛、林永昌兄弟早年在天津开了一家绸缎庄。两次鸦片战争之后，洋货大量进入中国。洋布既便宜，又结实，绸缎生意越来越难做。林家兄弟听说归化城的皮毛生意不错，哥儿俩决定到归化城看看。经过一番考察发现，从草原上的牧民手中收购皮毛，再转手卖出去，中间的利润很大。于是，林家兄弟兑出了天津的绸缎庄，到归化城做起了皮毛生意。

经过几年的发展，林家兄弟的皮毛店十分兴隆，成了远近闻名的皮毛大户。当时，包头经济发展很快。兄弟二人决定在包头开家分店，哥哥林永盛在归化城经营总店，弟弟林永昌到包头管理分店。

林永昌的包头皮毛店开了两年，归化城总店就出事了。绥远将军五姨太的弟弟叫孙江河，外号寇五。包头有句歇后语：寇五背鼓——找捶。传说，寇五的父亲富甲一方，寇五是其独子，从小娇生惯养，长大吃喝嫖赌。寇父不但不管，还觉得家财万贯，寇五怎么败也败不完。不过，为防万一，寇父修了一座宅院。盖房时每根椽子下面放了一块金元宝，院子里的每块砖下压根金条。寇父死后，寇五整天豪赌，先输了家里的地，后输了这座宅子。寇五流落街头，一无所有，为了填饱肚子，他在鼓匠班子为人背鼓。从此，便留下了这个歇后语。

老百姓出于对孙江河的仇视，背地里都把他叫寇五。

寇五看中了林家总店的地盘，非要把林家的店铺买下来。做生意地段至关重要，林永盛当然不卖。可寇五倚仗绥远将军的势力，隔三差五就到林家总店闹事，林永盛一气之下把寇五告上了归化厅官府。林永盛本想请官府为自己做主，哪知寇五反告林永盛诬陷他。寇五伪造一张纸，人证物证俱全，说林永盛欠寇五十万两银子，逼林永盛三日之内还钱，如果还不上，寇五就去收林永盛的店铺。林永盛如遭晴天霹雳，自己的全部家当也不值十万两银子，这不是把自己往死里逼吗？

此时，林永盛的妻子李二改怀着九个月的身孕。林永盛叫伙计套上车，他想和妻子李二改到包头分店弟弟林永昌那里避一避，可又咽不下这口气，难道我们兄弟辛辛苦苦挣下的家业就白白地便宜了寇五？林永盛越想火越大，车出归化城城门，林永盛对妻子说，有三百两银子忘在了家里，他要回家取来。李二改说，算了，既然已经出来就不要回去了。林永盛说，三百两银子，够咱家花好几年了。李二改一想，这么多银子，哪能说不要就不要呢？李二改叮嘱丈夫快去快回。林永盛安慰妻子："你放心，我骑马，你坐车，我取了银子很快就能追上你。"

林永盛取什么银子？哪有什么银子？他把店里的伙计叫到跟前，让他们把能带走的全部带走，林永盛要一把火把店铺烧了，什么也不给寇五留下。

那天风挺大，林永盛担心着了火之后，烧到左右的店铺。他走出大门看风向，正在这时，寇五带着三四人来了。林永盛牙一咬，心一横，寇五，你来得正好！

林永盛转身进院，摸出一把刀，他躲在大门内侧。寇五大摇大摆地往里走，刚一进门，林永盛手起刀落把寇五的脑袋劈为两半。

见出了人命，寇五的那几个狗腿子撒腿往回跑。绥远将军差人捉拿林永盛，领兵者叫巴丰，是巴祯的五弟。

巴家兄弟五人，巴祯是老二，巴丰是老五。巴丰武艺出众，弓马娴熟，他在绥远将军衙署官居从六品前锋校，是绥远将军的侍卫头领。归化城副都统主管土默特左右两旗，他的上级就是绥远将军。副都统为了在绥远将军那里办事方便，他巴结巴丰，把巴丰的二哥巴祯调入旗务衙门。归化城是蒙汉分治，"一城两制"，归化城副都统是管蒙古人事务的，林永盛是汉人，这事不归副都统管，而是由归化厅官府管，可为拍绥远将军的马屁，他命巴祯带十几个人也去捉拿林永盛。

李二改坐车，本来就不如林永盛骑马快，加之李二改有意等丈夫林永盛，车更慢了。林永盛匆匆出城，不一会儿就赶上了妻子李二改。李二改见丈夫身上有血，手里还拎着一把刀，她大吃一惊，就问出了什么事？林永盛也不回答，只是催促赶车的伙计快走，巴丰带人很快就追上了。

见清军追来，林永盛用刀背一抽拉车的那匹马，车在路上剧烈地颠簸起来。李二改挺着大肚子，这么一颠，五脏六腑都往上翻，痛得她通身是汗，脸都变形了。林永盛一看，这怎么行？再过一会儿，妻子非早产不可。看来，不能和妻子走在一起了。此时，前方出现一个岔道，一条路通向包头，另一条路通向大青山，林永盛一拨马就奔大青山去了。

李二改跑了几里，一回头，见丈夫没了，清军也不见了，她让赶车的伙计停下，她要返回去找丈夫。赶车的伙计劝李二改，李二改主意已定：活，与丈夫活在一起；死，她和丈夫死在一处。

总店有个伙计从归化城跑到包头给林永昌送信儿，林永昌骑着马去找哥哥嫂子。在山脚下，林永昌发现了一件血衣和一只绣花鞋，不远处还有一个奄奄一息的婴儿。林永昌来到孩子近前，他跳下马，见婴儿脖子上挂着一块玉佛。林永昌拿起玉佛一看，认识，这是哥哥给嫂子的定情之物。不用说，这孩子一定是哥哥和嫂子的骨肉。

林永昌没有找到哥哥嫂子，却找到了他们的孩子，这孩子就是林玉凤。

林永昌经过多方打听，得知林永盛和李二改夫妻拒捕，被巴祯和巴丰兄弟杀了。

林永昌恨官府，恨寇五，也恨刽子手巴家兄弟。林永昌无数次想为哥哥嫂子报仇。可又一想，哥哥嫂子只留下这么一个孩子，自己要是死了，这孩子怎么办？不顾死的，还得顾活的。林永昌把侄女林玉凤视如己出，爱如掌上明珠，一直抚养到现在。

林永昌说完，林玉凤痛不欲生。她在想，如果自己嫁到巴府，巴祯就成了自己的公公，她就要叫仇人为爹，这怎么向九泉之下蒙冤的父母交代？

林玉凤仍称叔父林永昌为爹。爹说得对，她牙一咬，心一横，快刀斩乱麻，慧剑斩情丝，她不想再和巴家的任何人见面。

林玉凤说完，转身而去，巴文栋呆若木鸡。

巴文栋怪父亲巴祯，怪五伯伯巴丰，林家受那么大冤屈，你们不为民申冤也就算了，为什么助纣为虐杀害林永盛、李二改夫妻？再说了，林永盛杀人，他妻子李二改是无辜的，你们为什么连一个产妇也不放过？五伯伯已经死了多年，阿爸还在，巴文栋真想到土默特旗务衙门质问父亲。

巴文栋伫立良久，还是四伯伯说得对：万事皆因缘而生，因缘而聚，因无缘而散，不可强求啊！

巴文栋两眼迷离，漫无目的地向前走，买卖铺户向他打招呼——

"巴少爷，进店看看，有新进的安徽宣纸，还有西洋进口的自来水钢笔。"

"巴少爷，店里有新到的和田羊脂玉手镯，要不要给巴少奶奶买一只？"

"巴少爷，富三元大师傅烤的糕点，给老人带一盒吧……"

巴文栋无心理会。

一辆自行车驶来，骑车的是个男子，后架上带着一个女的。自行车速度很快，巴文栋想着心事没留神，一下子被撞倒在地。自行车倒了，自行车上的男子摔在地上，女子跳了下来。

"你瞎了眼……"女子骂道。

巴文栋很气愤，你们撞了我还骂人，太不讲理了。巴文栋一抬头，见这女子是妹妹文雅。

文雅也发现了文栋："哥！"

文雅把文栋扶了起来。

那个骑自行车的男子惊道："焕章！"

巴文栋上下打量面前的男子，见他二十七八岁，重眉朗目，双眼皮，高鼻梁，白脸膛，嘴唇棱角分明，下颏微微翘起，身着西服，内着白衬衫，系着一条蓝底红花领带。这身打扮已使他鹤立鸡群，但最引人注目的还不是他的穿着，而是他的头发。清朝男人都是前额剃发，后脑结辫。可这个人没有辫子，梳着一个三七开的小分头。这在当时绝对是个另类。

巴文栋惊道："松如先生！"

李青林，字松如。祖籍山西，后来全家走西口在包头扎下了根。李青林家住财神庙二道巷。李家家道殷实，李青林从小读书，十九岁时中了秀才，第二年考入山西优级师范学堂。

清朝取消科举制度，国家为培养人才，便从几所优级师范学堂选学子入国子监。国子监可了不得，凡是从国子监学成出来的人，大多都给五品顶戴，因此，各优级师范学堂的生员削尖脑袋往国子监里钻。早些年，进国子监必须通过科举考试，可是，清末不是割地就是赔款，国库空虚，为了补充国家开支，国子监开始招"自费生"，谁花钱，谁就能进国子监。李青林进了国子监仅一年，京城修城墙没钱，大清朝为了筹银子，向有钱人卖官。李家捐了多少银子不得而知，反正李青林一下子就当了个五品。几个月后，李青林又被朝廷选派到日本东洋大学留学。李青林入学时学的是医科，后进入警务系。

能被派到国外深造，不但光宗耀祖，整个包头镇的官员百姓脸上都有光。可是，谁也没想到，李青林吃大清的饭，砸大清的锅。

第七章

同盟会山西领导人李青林、王定新等人看到了这一有利条件，不久前，他们在归化城策划起义，因计划泄露，部分同盟会革命党人被捕，起义流产。

李青林在日本结识了孙中山，在孙中山的影响下，他痛恨清政府的腐败无能，痛恨皇权专制制度。1905 年 8 月，孙中山在日本东京成立了中国同盟会，李青林是第一批同盟会成员。1906 年，李青林与山西同盟会领导人一起回国。此时，清朝社会矛盾激化，风雨飘摇。为挽救其灭亡，清廷拟改皇权专制制度为君主立宪制度，成立了国会性质的咨议局，筹备订立宪法。因此，吃过洋面包、喝过洋墨水的留学生都被视为稀缺资源，难得人才。李青林一回国，山西省咨议局就给了他一个重要官职。

李青林经常在公众场合发表演说，他讲西方工业文明、社会文明和政治文明，电灯是靠什么亮的，电话是怎么传声音的，为什么说妇女缠足是对人性的摧残，为什么说专制制度愚昧落后，等等。李青林不但在山西讲，每次回包头都讲，而且，他还特意买回一辆自行车在大街上来回骑。

然而，老百姓对李青林没有辫子却很反感，身为大清朝的子民怎么可以没有辫子？洋鬼子才没有辫子。又见李青林穿西装系领带，老百姓对他更为排斥，这不就是二鬼子嘛！如此一来，老百姓都躲着李青林，对他的演讲只当笑料，背地里都叫他李疯子。

别人把李青林当李疯子，巴文雅却不这么看，她觉得李青林有思想，有见识，是个做大事的人。每次李青林在街头演讲的时候，巴文雅都认真倾听，有时人都走光了，巴文雅就一个人听。

巴文雅把林玉凤拉到财神庙与哥哥巴文栋见面，她没事干，就在九江口街上闲遛，进这个店看看衣料，到那家店看看首饰。这时，李青林骑着自行车拐进了九江口。

李青林一年回包头不过两三次，一见李青林，巴文雅上前打招呼："李先生，您什么时候回来的？"

李青林也认出了巴文雅："哦，文雅姑娘，我前天回来的。"

"李先生，您今天还要发表演说吗？"

"当然，开启民智，唤醒民众，恢复中华盛世，我李松如义不容辞。"

"太好啦，我就喜欢听李先生演讲。"

"好啊，走，跟我一起去财神庙戏台。"

巴文雅坐在自行车后架上，李青林带着巴文雅沿着九江口街往南骑。

李青林的自行车是包头镇的第一辆，当时的人都管自行车叫洋车。每次见他骑出来，街上的人都看新鲜。今天更新鲜了，巴文雅坐在李青林身后，几乎跟李青林零距离接触。巴文雅第一次坐自行车，还掌握不好平衡，她双手抱着李青林的腰。

李青林没不好意思，巴文雅也没不好意思，看热闹的人却不好意思了，没出嫁的姑娘都转过头去，年轻的小媳妇想看又不敢看，年龄大的女人口中啧啧连声——

"哟——巴府小姐竟跟李疯子挨那么近，这成了什么世道？"

"可不是嘛，男女授受不亲，他们居然在大庭广众之下那样，真叫人脸红。"

包头镇北高南低，自行车一路下坡，速度很快。刹车不及，撞上了巴文栋。

巴文栋很早就认识李青林，但是，深入了解李青林还是在山西优级师范学堂读书期间。在山西优级师范学堂读书的还有一个包头人，这个人叫王定新。王定新的父亲在包头城外的刘宝窑子村开了家私塾，巴文栋从小在王家上学，王定新比巴文栋早一年进入山西优级师范学堂。巴文栋一到太原就去找王定新，两个人既是童年的玩伴，又有同窗之谊，所以，王定新对巴文栋十分热情。李青林此时在太原为官，他经常到师范学堂演讲。王定新每次都带巴文栋一起去听，回来之后，他们在宿舍里，围绕如何振兴国家，如何振兴民族，如何使老百姓活得更有尊严发表各自的想法。

听了李青林的演讲，巴文栋深受启发，他慷慨激昂，痛斥朝廷腐败，大骂官府欺压百姓。王定新也是同盟会革命党人，见巴文栋思想进步，就向他介绍同盟会的纲领和宗旨，想发展巴文栋加入同盟会。然而，巴文栋对同盟会"驱除鞑虏，恢复中华，创立民国，平均地权"的十六字纲领心存疑虑。"驱除鞑虏"什么意思？"鞑虏"是中原大汉族主义者对北方民族的贬称。巴文栋满腹诗书，他记得元朝末年，朱元璋起义的檄文中有"驱逐胡虏，恢复中华，立纲陈纪，救济斯民"的主张。"鞑虏"和"胡虏"是一个意思。同盟会要推翻清朝，难道连蒙古人也不放过吗？

"平均地权"怎么平均？在土地上，草原跟中原是不同的，中原的土地大都掌握在少数有钱人手里，随便买卖。草原上蒙古人的土地主要由三部分组成：一是户口地，是朝廷按人头分给蒙古百姓的牧场；二是战场上阵亡蒙古将士的抚恤地，蒙古兵战死沙场，不给抚恤金，只给一片牧场；三是蒙古官兵的俸饷地，清廷对蒙古民族除了世袭职务外"官无俸，兵无饷"，也是给一片土地。有清以来，分配给蒙古人的各种土地都不允许交易。

巴氏家族在乾隆时期有十五户，后来分成几十支，这其中，有相当一部分巴氏族人生活在土默特右旗第六甲沙尔沁章盖。十五户之中有一户是世袭佐领，蒙古人称佐领为章盖。章盖衙门设在沙尔沁。章盖在清朝是从四品武官。包头镇东五十里，南北二十余里，这个区域内，几乎全是巴氏家族的牧场。

当年晋陕汉人走西口逃荒来到草原，巴氏家族把牧场租给他们耕种，第一年按秋后收成的十分之一收取租金，第二年按十分之二，第三年之后全部按十分之三。这远远低于内地的地租，汉人因此在草原上有了安身立命之本。如果"平均地权"，是不是要把巴氏家族赖以生活的牧场跟外来的汉人平分？

这些问题王定新也说不清楚，他找来李青林，李青林向巴文栋解释，"驱除鞑虏，恢复中华"是驱除清朝统治者。清朝统治者腐败无能，使国家成了唐僧肉，列强谁想割就割一块，中华民族为此陷入水深火热之中。蒙古民族不是统治者，"驱除鞑虏"当然不包括蒙古人。"平均地权"是对内地而言的，蒙古、西藏地区情况与内地不同，有历史原因，同盟会当然不会平均蒙古、西藏的土地。李青林明确告诉巴文栋：蒙古民族不是同盟会的革命对象，而是同盟会的革命盟友。

巴文栋的心结打开了，在李青林和王定新的介绍下，巴文栋秘密加入同盟会，成了一名革命党人，与李青林和王定新等共同探索救国救民的道路。

巴文栋的革命热情很高，每当节假日，他都和同学一起到太原闹市区散发反清传单。毕业的前一年，为了掩护同学，巴文栋被警察抓入大牢。巴祯得知此事，迅速奔赴太原，不惜重金把巴文栋从牢中赎了出来，带回包头。巴文栋的学业中断了，与同盟会的联系也中断了。没想到今天遇上了李青林，巴文栋又惊又喜。

巴文栋说："松如先生，那边有家茶馆，我们到茶馆里坐坐。"

李青林推着自行车，与巴文栋和巴文雅兄妹进了茶馆。

店小二对巴文栋说，茶馆有红砖茶、绿茶、花茶、奶茶，问他们要什么？巴文栋征求李青林的意见。李青林虽是汉人，但从小生活在包头，早就习惯了蒙古民族风俗。他们点了一铜锅奶茶、一盘风干牛肉、一盘风干羊肉、一盘炒米和一盘黄奶油。

巴文雅在三个木碗中放入风干牛羊肉、炒米和黄奶油，然后，给三个碗盛上奶茶。李青林吹了吹热奶茶，喝了一小口，品了品道："嗯，还是家乡的奶茶香，就是香。"

见巴文栋有些心不在焉，李青林笑道："焕章，'使君自有妇，罗敷自有夫'。别为过去的事烦恼了，还有大事等着你呢。"

"使君自有妇，罗敷自有夫"出自汉乐府《陌上桑》，诗中的罗敷是个绝代美女，使君是个当官的，当官的想娶罗敷遭到拒绝。李青林引用这两句诗，劝巴文栋振作起来。

巴文栋有点不好意思："松如先生也知道了？"

李青林道："我一回来就打听你，你的一举一动都在我的掌握之中。"说着，李青林哈哈大笑。

巴文雅问："哥，林玉凤为什么要那么做？到底出了什么事？"

巴文栋皱了皱眉，他把巴、林两家的仇怨说了一遍，巴文雅恍然大悟："怪不得阿爸也反对你和林玉凤在一起。"

李青林道："焕章，自古道：杀父之仇，不共戴天。虽然这是上辈子事，可放在谁身上也不会轻易淡忘。这不是林玉凤的错，也不是巴家的错。巴、林两家的仇是因寇五而起。寇五是绥远将军的小舅子，是他仗势欺人，造成了巴、林两家的仇怨，这件事的总后台就是腐败的朝廷！要恨我们就恨这个腐败的朝廷，恨清政府。不把清政府推翻，老百姓永远没有好日子！"

巴文栋深深地点了点头："松如先生一番话，真是醍醐灌顶，醍醐灌顶啊！"

巴文雅激动得"啪啪啪"直拍桌子："李先生说得太对了！"

"噔噔噔"，店小二跑了进来，他战战兢兢地问："二位爷，小姐，你们要点什么？"

巴文雅向店小二扬了扬手："没事，没事，你下去吧。"

店小二疑惑地下去了。

巴文栋很想了解同盟会革命党的情况，店小二上来倒是提醒了他，巴文栋叫妹妹文雅下去结账，他压低声音问李青林："松如先生，现在革命形势怎样了？"

孙中山先生领导的中国同盟会成立之后，在国内组建了东、西、南、北、中五个支部，东部支部负责上海、江苏、浙江、安徽，西部支部负责四川、贵州、甘肃、新疆、西藏，南部支部负责香港、广东、广西、福建、云南，北部支部负责山东、山西、直隶、陕西、内外蒙古、东三省，中部支部负责湖北、湖南、江西、河南。不但国内，国外也有同盟会支部，分别是南洋、欧洲、美洲和檀岛四个支部。

国内各支部积极发展会员，壮大队伍，西部支部、南部支部、中部支部都组织过起义，起义次数最多的是南部支部，沉重地打击了腐败的清王朝。在轰轰烈烈的革命形势下，同盟会北部支部的山西同盟会领导人很着急，他们想在绥远发动起义，策应南方革命军。

绥远是个很特殊的地区，这个地区由山西省和绥远将军衙署共管。绥远将军衙署主要管理境内盟旗的蒙古人事务，山西省主要负责归化城、萨拉齐、托克托、和林格尔、清水河、绥远城、武川、固阳、五原、东胜等十二个厅汉人事务。这就是当时的蒙汉分治。

蒙汉分治也形成了"一城两制"，即便在同一座城，蒙古人管理蒙古人，汉人管理汉人，相互之间互不隶属。这种体制弊端很多，主要是：有利益，绥远将军衙署和山西省双方都争；没利益，双方都推。对于社会治安问题，绥远将军衙署和山西省都可以管，但谁也不想管。同盟会山西领导人李青林、王定新等人看到了这一有利条件，不久前，他们在归化城策划起义，因计划泄露，部分同盟会革命党人被捕，起义流产。

这次李青林回来，是想在包头发动起义，与归化城东西策应。

没想到革命形势发展这么快，巴文栋情绪高涨，刚才与林玉凤见面时的纠结烟消云散了，巴文栋想到了好友王定新："松如先生，定新同志回来了吗？"

李青林道："没有，定新同志在归化城，准备再次起义……"

难得见李青林一次，巴文雅结完账就回来了，一进门，李青林正在说"起义"，巴文雅也没听出个所以然，她开玩笑似的说："你们要造反哪……"

李青林和巴文栋立刻紧张起来，巴文栋使劲儿地向巴文雅摆手，巴文雅这才留意两个人的表情。她退出门看了看，茶馆很静，只有他们三人。巴文雅再次进来，她轻轻地说："没有人。"

巴文栋责备巴文雅："这是能大声喊的事吗？"

巴文雅并不在意，她把脸凑到两个人面前，小声问："哥，李先生，你们真要造反哪？要造反，把我也带上。"

巴文栋瞪了文雅一眼："一个姑娘家，你造什么反？"

巴文雅反驳："姑娘家怎么了？我有枪，我还有一支人马，我还是他们的大当家呢，我绰号叫啸天龙，你忘了……"

巴文栋打断妹妹："行了行了。这不是过家家，这是起义，是拼命，你就不要跟着瞎掺和了。你先到外面站一会儿，我要跟松如先生商量点事。"

文雅嘴一撇："我才不到外面去呢，好事不背人，背人没好事。"

李青林笑了笑，他觉得文雅思想虽然有些幼稚，但是，她是积极的，进步的，李青林对文栋说："焕章，不要小看文雅，我们的同盟会革命党有很多女性，比如秋瑾、唐群英、葛健豪……"

李青林这么一说，文雅更来劲儿了："先生，我也要加入同盟会革命党，跟你一起干！"

李青林看了看文栋，文栋置若罔闻，什么表示也没有，李青林只得含糊地对文雅说："不要着急，以后会有机会的。"

李青林想把包头的同盟会革命党召集起来开个会，传达革命形势，鼓舞革命士气，部署革命任务。

巴文栋热血沸腾，他建议把会议地点定在包头召小学堂，原因有三：第一，包头镇"一城两制"，包头巡检厅和包镇公行只管汉人，蒙古人事务归属沙尔沁章盖衙门。沙尔沁章盖衙门离此三十余里，章盖衙门一般不来包头召；第二，沙尔沁章盖衙门的章盖大人是巴文栋的同族大爷，名叫巴长春，而且，包头召是巴氏家族的家庙，就算发生不测，巴长春也会睁一只眼闭一只眼；第三，包头召清静，白天有人烧香拜佛，晚上只有巴喜喇嘛一人。

李青林同意了文栋的建议。

文栋激动，文雅更激动，她一连好几个晚上没睡好，造反，造朝廷的反；革命，革朝廷的命。太好啦！太刺激啦！文雅常常半夜爬起来，把自己的枪拿出来，擦了又擦，瞄了又瞄。巴文雅又想到云雀岭，我当着李先生的面说过，我是啸天龙，是大当家，李先生好像并不相信。我应该到云雀岭去一趟，要是能把啸天虎、啸天豹他们拉下山跟李先生一起干，李先生一定高兴。

巴文雅骑马来到云雀岭，可到山上一看，一个人也没有。巴文雅纳闷，啸天虎、啸天豹去哪儿了？难道被阿爸打散了？不像啊，如果被阿爸打散，应该有尸骨，怎么一个尸骸也没有？巴文雅山前山后都走遍了，也没发现蛛丝马迹。

巴文雅闷闷不乐地回到家。

晚饭不见哥哥文栋，文雅问奥云："姐吉，我哥呢？"

奥云道："他说有个同学回来了，他们一起吃饭去了。"

巴文雅问："哪儿的同学？"

奥云摇了摇头："我没细问。"

巴文雅一下子想到了李青林，对了，李先生不是说要在包头召开会吗？我也要加入他们的同盟会，我得去看看。

巴文雅放下饭碗就要走，云氏夫人叫住她，问她一整天去哪儿了？为什么才回来？巴文雅含糊地应付几句。云氏夫人唠叨起来，说文雅已经是嫁了人的女人，说不定哪天云恒就来把她接走，叮嘱她好好在家里待着，不能疯疯癫癫到处乱跑。

巴文雅一听云恒头就疼，她说自己不舒服，就回房了。好不容易熬到天黑，文雅悄悄地溜出巴府。

巴文雅进了包头召小学堂，果然，李青林和巴文栋都在，另外，还有四五个人。巴文栋站起身拦住巴文雅："文雅，我们要商量大事，你先回去。"

巴文雅看了看屋里的人："什么大事？我不能听听吗？"

巴文栋低声斥责："一个女孩家，不该听的不能听！"

巴文雅脖子一扬："别以为我不知道，你们都是同盟会革命党。李先生答应过我加入同盟会，李先生，你是不是这么说的？"

第八章

女儿是她的心，是她的魂。女儿要是走了，她可怎么活呀！
到底该不该让文雅跟云恒走？云氏夫人翻来覆去，一夜未眠。

巴文雅强烈要求加入同盟会，李青林虽然觉得巴文雅不成熟，但又不能打消她的积极性，只得勉强同意。

同盟会有严格的规定，凡新入会者，应有两个介绍人，经主盟人同意，入会者举右手宣誓："驱除鞑虏，恢复中华，创立民国，平均地权。"然后，主盟人和介绍人共同签字，此人才能成为新的同盟会革命党人。新会员必须熟知同盟会的接头方式——主动接头者伸出右手，掌心向下，四指弯曲。对方也伸出右手，也是四指弯曲，但掌心向上。两只手接触后，旋转九十度握在一起。

主盟人就是当地同盟会的领导者。

李青林和文栋两个人可以介绍巴文雅入会，但他们无最终决定权。

巴文雅奇怪："李先生，为什么你不能决定？"

李青林道："因为我不是包头的主盟人。"

巴文雅又问："那先生是山西省同盟会的主盟人吧？"

李青林点点头："这倒是。"

在清朝，官大一级压死人，这种思维在巴文雅心中根深蒂固："那先生的官不是更大吗？先生一句话，我不就是同盟会革命党了吗？"

李青林淡然一笑："同盟会有同盟会的制度，谁也不能乱了制度。你加入包头同盟会，必须经包头同盟会主盟人同意。文雅，别急，再等等。"

李青林的意思是包头同盟会主盟人一会儿就到，他让巴文雅稍候片刻。文雅却误解了，她以为李青林说的"再等等"是托辞，不知要等几天，还是几个月，甚至几年。文雅心里不痛快：上次我提出加入同盟会你就推托，现在又让我等。我加入同盟会是为了造朝廷的反，革朝廷的命。我既不吃你们的，也不拿你们的，我骑马打枪样样精通，比你们这些男人毫不逊色，你们居然不想要我！

巴文雅沉着脸问："谁是包头同盟会主盟人？"

正说着，门开了，外面走进一个人，巴文雅回头一看，见来人二十六七岁，头戴瓜皮帽，身着长衫，脚上是三接头的黑皮鞋。

巴文雅一皱眉，这不是郭四少嘛！

今天的会是包头同盟会革命党的大会。包头同盟会革命党人之间，有些人还不熟悉，郭洪霖进门，其他人都在里面坐着，只有巴文雅站在门口。郭洪霖以为巴文雅也是同盟会会员，他伸出手，想按同盟会革命党接头方式与文雅握手。文雅哪懂得同盟会的接头暗号，她还以为郭洪霖存心不良，要占她便宜。好你个郭洪霖，郭四少，当着这么多人的面，还这般放肆！文雅又突然想到了林玉凤，没准郭四少见林玉凤漂亮，就打上了林玉凤的主意，林玉凤才离开哥哥跟了他，害得哥哥文栋大病一场，险些丧命。

巴文雅的火"腾"地就上来了，"啪"的一巴掌打在郭洪霖脸上。

巴文雅的劲儿比一般男人还大，郭洪霖毫无防备，冷不丁挨了一巴掌，被打得眼前金星乱窜，鲜血从嘴角流了下来。文雅还不罢休，她抬起脚，"咣"地踹在郭洪霖前胸，郭洪霖"扑通"摔在地上。

李青林、巴文栋都跑了过来，文栋抱住妹妹："文雅，你干什么？"

巴文雅愤愤地说："哥，你怕他，我不怕。放开我，我打死他！"

巴文栋喝道："胡闹！"

李青林搀起郭洪霖："润生，你怎么样？"

郭洪霖抹了一把嘴角上的血，没有回答。李青林逼视文雅："巴文雅，郭润生是包头同盟会主盟人，你怎么能这样？"

巴文雅愣住了，这么一个轻浮的公子哥竟然是包头的主盟人！文雅对同盟会有点失望。

门又开了，一个身着蒙古袍的男子走了进来。此人宽额大眼，英俊伟岸，巴文雅一看，云恒！

巴文雅心中更为不解，怎么？这个胆小如鼠，没有血性，徒有其表，内心怯懦，把我扔给忽拉盖的二刈子也是同盟会革命党？同盟会这是什么组织？怎么网罗这么一帮人？这不是攒鸡毛凑掸子，乌合之众吗？我怎么能跟他们在一起？

巴文雅身子一晃，推开了哥哥。文雅手指众人："我算看明白了，你们除了无耻之徒，就是怕死的懦夫，什么同盟会？什么革命党？狗屁，姑奶奶不跟你们玩了！"

巴文雅"咣"地踹开门，云恒追了出去："文雅，那天我对不起你，我一直不敢见你，但是，我是有原因的……"

巴文雅大吼："滚！我瞧不起你，我这辈子都不想再见到你！"

云恒呆立在门外，巴文雅大步而去。

可是，回到家里，文雅又后悔了。人说，近朱者赤，近墨者黑，李先生上过国子监，留过东洋，在大庭广众之下发表演说，那么有才干的一个人，怎么可能和一群乌合之众在一起？我是不是太冲动了？唉！我怎么沉不住气伸手打人呢？为什么不听听他们的解释呢？

一连几天，文雅主动跟哥哥搭讪，可文栋根本不理她。

巴文雅又想到了李青林，李先生对我还是不错的，要不我向李先生认个错，求得他的谅解？

巴文雅来到财神庙二道巷李青林家门口，她叩打门环。

门开了，家仆说李青林不在，昨天就回太原了。巴文雅很是懊悔。

路上，巴文雅一边踢着石子，一边漫不经心地走着。

管家乌恩其远远地跑了过来："小姐，小姐，老爷来信了，夫人叫你马上回去。"

巴文雅和乌恩其回到家，见额吉云氏夫人坐在主位，手里拿着大烟袋，对面的椅子上坐着云恒和哥哥文栋，奥云在给云恒倒奶茶。

一见云恒，文雅的火气又上来了："你到我家来干什么？"

云氏夫人脸一沉："文雅，怎么说话呢？他是你的男人。"

文雅鼻子哼了一声。

云恒愧疚不已："文雅，你听我说，那天我……"

巴文雅手一扬："我不想听！知道不？"

云恒的脸跟巴掌打的一样，火辣辣的。

巴文栋对妹妹道："文雅，你让云恒把话说完行不？"

云氏夫人哽咽起来："文雅，你小舅家遭此大难，云恒也是情不得已，你就不能原谅他吗？"

巴文雅这才注意，额吉眼睛红肿，看样子已经哭过多时了。

巴文栋也说："文雅，现在小舅家只剩云恒一个人了……"

云恒少年时在归化城上学，中学毕业后加入了山西同盟会革命党。南方同盟会革命党起义不断，大有向北方蔓延之势。清政府胆战心惊，要求全国各地彻查革命党。绥远将军衙署和山西省在塞外的归化城和绥远城等十二厅联合行动，结果在归化城外的一家铁匠铺里查出了同盟会的宣传册。绥远将军堃岫（kūnxiù）派出大量军兵，或扮成牧民，或扮成货郎，城里城外乱窜。军兵发现几个陌生人出了归化城西门，就跟了过去。

归化城西五十里外有个镇子叫毕克齐，毕克齐是蒙古语，意为先生、文书，是土默特右旗第二甲毕克齐章盖衙门的驻地，云恒的父亲就是这个章盖衙门的章盖。

八国联军攻入北京，清廷与列强签订了《辛丑条约》，赔偿列强白银4.5亿两，分39年还清，本息共计9.8亿两。这笔巨款相当于清政府12年财政收入的总和。

不过，这笔洋债实际支付白银5.76亿两，占赔款总数的58％。除了日本之外，几乎所有国家对赔款都有所减免或退还。最早退还的是美国。1907年12月3日，美国总统在国会正式宣布："我国宜实力援助中国厉行教育，使此繁众之国能渐渐融洽于近世之文化。援助之法，宜将庚子赔款退还一半，使中国政府得遣学生来美留学。"美国这笔退款要求中国在北京建立一座清华学堂，作为中国学生留美预备学校，后来发展为今天的清华大学。1921年，美国把尚未偿付的赔款全部免除。不过，这都是后话了。

清政府既要支付赔款，还要吃饭，于是，大举放垦。放垦，用句通俗的话说，就是卖地，卖蒙古人的牧场。千百年来，蒙古民族绝大多数以放牧为生，清廷放垦，牧场锐减，牲畜食草不足，严重损害了蒙古民族的利益。蒙古民族的抗垦起义此起彼伏，影响较大的有两支：一支是哲里木盟郭尔罗斯前旗陶克陶、绰克达赉领导的抗垦起义，另一支是伊克昭盟准格尔旗台吉丹丕尔领导的抗垦起义。

云恒家的牧场不是太多，但牧场水草丰美，适宜耕种。朝廷成立的垦务局要放垦云恒家的牧场，否则就免去云恒父亲的章盖职务，云恒父亲不得不答应。那年冬天雪大，云恒家没有牧草，牲畜大量饿死，损失惨重。

台吉丹丕尔派人与云恒父亲联络，动员他参加起义。云恒父亲虽然没有参加起义，却暗中资助起义军很多钱财。云恒见父亲思想进步，就向父亲宣传孙中山和同盟会。

云恒父亲对"驱除鞑虏"和"平均地权"也是不理解，云恒就请来李青林、王定新解释这两句话的含义，劝说云恒父亲抛弃清廷。云恒父亲认清了朝廷本质，他与李青林、王定新、云恒一起策划起义。然而，起义资料被清军发现，起义流产，枪支弹药需要马上转移。云恒觉得父亲是章盖，是清廷的从四品武官，家里比较安全，就向李青林和王定新建议把武器藏到自己家。

云恒成亲那天，归化城副都统带人突然闯入云恒家，在云恒家地窖里搜出了枪支弹药，云恒家被抄，云恒父母被带走。

云恒家有个壮汉逃了出来，他担心云恒和新娘巴文雅回家遭捕。在云雀岭，他劝云恒不要回去。可是，云恒牵挂二老双亲，他不但想回家，而且，要快点回家。云恒要主动投案，用自己把阿爸和额吉换回来，没想到山上下来了忽拉盖。一头是父母家人，一头是新婚妻子，云恒心中的天平倾向了父母。

云恒逃离云雀岭，绕路去了归化城。在归化城，云恒遇到了李青林和王定新。两个人坚决不同意云恒投案。两个人认为，云恒投案，不但救不了他的父母，还会把他本人也搭上。一时救不出父母，云恒又想到了文雅。李青林派两个同盟会革命党到云雀岭打探巴文雅的情况，消息很快传了回来，土匪没有对文雅非礼，文雅当天就回了包头，云恒的心这才放下。

文雅没事了，云恒又在想如何救自己的父母家人。此时，云恒不知道巴祯已经回了土默特旗务衙门，更不知道巴祯已经疏通了关系，只等绥远将军堃岫大笔一挥，签了字，用了印，云恒全家就没事了。云恒联络李青林、王定新等同盟会革命党劫狱。革命党打开牢房，放出了云恒的父母，然而，清军杀来，革命党全部牺牲，云恒的父母被抓回大牢。绥远将军堃岫大怒，杀了云恒父母及家人，连夜抓捕云恒。

云恒跳进一个院子没敢出来。眼看天要亮了，街上安静下来。云恒准备翻墙出去，这时，院门开了，走进一个当官的。云恒灵机一动，他想，如果自己换上这个当官的衣服，出城就容易多了。云恒从后面上去，用枪顶住这个人。当官的回过头，两个人都愣了，原来这个当官的正是巴祯。

得知父母家人全部遇难，云恒痛哭失声，懊悔不已。巴祯把云恒藏在自己这里，后来巴文栋病重，云氏夫人写信给巴祯，让他马上回包头。巴祯将云恒扮作自己的随从，帮助云恒混出了归化城。

巴文栋病愈，巴祯返回归化城，他发现云恒又在归化城出现了。巴祯怕云恒再惹事端，他写了一封信，让云恒带给云氏夫人。信的内容是让云恒带文雅离开草原，远走高飞。云恒一想，离开草原也好，我去南方找革命党。

云恒带着这封信来到包头，他先见了郭洪霖，说出自己去南方的打算。郭洪霖告诉云恒，李青林在包头，晚上他们要开一个会。云恒想跟李青林道个别，可是，谁也没想到巴文雅突然闯入，打了郭洪霖，骂了云恒，大闹会场。

云恒送走李青林，这才带着巴祯的信来到巴府。

文雅对小舅一家被害痛心疾首，但自从云雀岭遭遇忽拉盖后，文雅对云恒没有什么好印象，她同情云恒，可让她跟云恒走，坚决不干。文雅把门一摔，回了自己房间。

夜色像水一样凉，月亮眯着细细的眼睛，冷漠地看着人间。

云氏夫人躺在炕上，她想到弟弟、弟媳死于非命，云恒被官府通缉，丈夫让女儿和云恒一起远走高飞……女儿是她的心，是她的魂。女儿要是走了，她可怎么活呀！到底该不该让文雅跟云恒走？云氏夫人翻来覆去，一夜未眠。

第二天早饭，乌恩其匆匆来到上房："夫人，姑老爷不见了。"

一家人来到云恒住的房间，见被子叠得整整齐齐，屋中却空无一人。文雅心中高兴，他走了，还算知趣。

革命形势瞬息万变，1911年10月10日晚上7点，湖北新军工程第八营营长、同盟会革命党人熊秉坤起义。经过一夜激战，革命军攻克了湖广总督府。武昌起义成功，湖北军政府成立，黎元洪被推举为都督。在不到一个月时间里，湖南、广东等十余省宣布独立。

新军就是新式军队。甲午中日战争之前，清军清一色使用弓箭和大刀、长矛。这些老掉牙的武器对付手无寸铁的老百姓威力十足，可要跟使用洋枪洋炮的洋人对决，那就是用脑袋往木桩上撞，不知要几十、几百个脑袋才能撞断一根木桩。清政府为加强军队建设，命袁世凯、张之洞等人编练新式陆军，新式陆军"习洋枪，学西法"，被人们称为新军。

清末的新军建制是镇、协、标、营、队、排、棚，相对应的官职是统制、协统、标统、管带（营长）、队官、排长和正副目。编制为：每镇2协，每协2标，每标3营，每营4队，每队3排，每排3棚。如果把镇比为师，其下设的协、标、营、队、排、棚，就是旅、团、营、连、排、班。

武昌起义成功的消息传到山西，山西新军八十五标标统阎锡山率部起义。10月29日，起义军攻占太原，杀死了山西巡抚陆钟琦。山西军政府成立，阎锡山被推举为都督，阎锡山宣布山西脱离清政府。

归化城、萨拉齐、托克托、和林格尔、清水河、丰镇、宁远（今凉城）、兴和、陶林、武川、五原、东胜等口外十二个厅虽然地处草原，但因为蒙汉分治，十二厅隶属于山西省归绥道。

归绥道的驻地在绥远城，绥远既是一座城的名称，也是一个地区的名称。绥远城与归化城仅隔五里，人们也将两城合称归绥。绥远将军堃岫是满族人，得知阎锡山起义，堃岫迅速控制归绥道，防止十二厅倒向阎锡山。

包头虽然只是镇的建制，但其繁华程度仅次于归化城。绥远将军堃岫一只眼盯着归绥，一只眼注视包头，他想，只要这两个地方不乱，绥远地区就翻不了天。可是，包头离归绥三百五十里，堃岫鞭长莫及。怎么办？堃岫想到一个人，这个人叫樊恩庆，是五原厅的同知，官居五品。

清朝的机构乱，机构驻地也乱。包头镇归属萨拉齐厅，但五原厅的驻地却在包头镇。堃岫授予樊恩庆对包头有"临机处置军政事宜"之权。

包头风雷激荡，马王庙两等学堂和包头召小学堂都停课了，郭洪霖、巴文栋把包头同盟会革命党召集在一起，准备策应阎锡山，发动起义。

清晨，财神庙前卖早点的也不卖了，吃早点的也不吃了，都集中到戏台前议论纷纷。巴文栋挤进人群，见戏台的墙上贴着标语，标语上写着：

革命军不日将至

巴文栋又惊又喜又疑惑，这标语是真是假？如果是真的，那可太好啦！正想着，一队军兵背着枪凶神恶煞似的挤了进来："让开！让开！"

人群往两旁闪，军兵走到戏台，"刺啦""刺啦"把标语撕了。

这时，郭洪霖的身影出现在人群之中。巴文栋与他交换了一下眼色，二人一前一后走到东边的拐角处，巴文栋刚要问郭洪霖，郭洪霖先开了口："焕章，这标语是你贴的吗？"

巴文栋摇了摇头："不知道啊！我还想问你呢，不是你贴的？"

郭洪霖也愣了："不是。"

郭洪霖没贴，巴文栋也没贴，那这标语会是谁贴的呢？

第九章

历史证明，没有永远的当权者，也没有永远的朝廷。自汉朝之后的一千七百年来，没有哪个朝廷能超过三百年。从努尔哈赤建立后金算起，现在大清已经二百九十五年了，大厦将倾，非独木能支。

入夜，包头同盟会十几个骨干聚集在马王庙两等学堂郭洪霖的办公室，郭洪霖认为不管标语上说的是真是假，这都是对腐败清政府的威慑，是唤醒民众的一种方法，是鼓舞同盟会士气的重要手段。

可是，这么一件好事，与会的同盟会革命党人都摇头说不知道谁贴的。人们正奇怪之际，外面传来敲门声——

"梆梆""梆梆梆""梆梆"，敲两下，停一下；敲三下，停一下；再敲两下——这种"二三二"敲门方式是包头同盟会的联络暗号。

巴文栋打开门一看，见是云恒。

云恒带来了山西同盟会的最新指示。山西同盟会已经派人打入绥远将军所属汉八旗新军之中，汉八旗新军将在近期起义。起义爆发之后，绥远将军堃岫一定会派兵镇压。山西同盟会要求包头同盟会积极准备，适时发动起义，东西呼应，使堃岫首尾难顾，然后扩大战果，最终推翻清政府。

郭洪霖连连点头："好！太好啦！"

人们都振奋起来。

巴文栋想到"革命军不日将至"的标语，他询问云恒，云恒也不知道这件事。

众人更奇怪了，包头同盟会没贴标语，云恒也没贴，那标语是谁贴的呢？

巴文栋突然想到了妹妹文雅，文雅胆大主意正，会不会是她？

巴文栋回到家已经是后半夜了，第二天早饭后，文栋来到文雅房间。

见哥哥来了，哥哥不生自己气了，文雅一脸笑容："哥。"

文栋点点头："啊。"文栋问，"文雅，财神庙戏台墙上出现了一条标语，你知道吗？"

文雅也是一头雾水："什么标语？"

文栋反问："你真不知道？"

文雅摇了摇头："不知道。哥，到底是什么标语啊？"

文栋把标语的事告诉给文雅，文雅丹凤眼一转，她笑了："这事呀，我知道。"

文栋满脸惊喜："是谁贴的？"

文雅嘴一抿："哥，我现在不能告诉你。"

文栋看着文雅："为什么？"

文雅一脸调皮："我现在告诉你，你印象不深。"

文栋疑惑不解："那你什么时候告诉我？"

文雅想了想："三天之内。"

启明星升起，四下一片寂静，远处偶尔传来几声狗叫。巴文雅躲在财神庙院内，冷风吹在面上，不时打起寒战。一个黑影由南向北走来。黑影手拎小桶，来到财神庙戏台前。黑影四下望了望，然后，走到台上，从小桶里拿出一把刷子，在墙上刷了几个，又从胸前取出一卷纸，从中抽出一张，贴了上去……

这次黑影在墙上贴了三张，他把小桶一扔，跳下戏台，转身向南走去。

巴文雅把一块黑布系在脸上，她猫腰走上戏台，借着星光，隐约见上面写着"革命军不日将至"七个字，三张标语内容相同。

巴文雅悄悄地跟上那个人，拐了一个弯，黑影进了一条小巷。朦胧中，见此人中等身材，脑后散发披肩，没辫子。巴文雅冲上前，"啪"，一只手搭在黑影的肩上，那黑影猛一回头，巴文雅看清了，这不是包镇公行的武甲头刘彪嘛！

巴文雅就势扣住刘彪的腕子，往后一拧，把刘彪的胳膊拧到背后。文雅喝问："刘彪，你为什么贴这种标语？"

刘彪听背后有点像女声，但又吃不准，女人怎么会有这么大劲儿？刘彪反问："你是谁？凭什么管我？"

文雅道："不凭什么，就是想问问。"

刘彪挺横："你管不着！"

巴文雅手一用劲儿："不说，我就拧断你的胳膊！"

刘彪一阵剧痛，他龇牙咧嘴："行，我告诉你……"

刘彪身为包镇公行武甲头，游手好闲，吃拿卡要。樊恩庆接管包头后，把刘彪分管的社会治安、城防抓捕、民事诉讼、摊派款项等所有事项全都抓到了自己手里。刘彪空有武甲头之名，没事可做，牢骚满腹。

刘彪愤愤地说："樊恩庆不让我好过，我也不让他好过！"

巴文雅又问："你怎么知道革命军要攻打包头？难道你是革命党人？"

刘彪有些得意："我现在还不是，不过，我有内线。"

就在这时，巷子口传来一阵杂乱的脚步——

"在这边，在这边……"

"抓住他，抓住他……"

巴文雅往巷子口一看，见几个人朝这边跑来。巴文雅一推刘彪："快走！"

刘彪翻墙跳进一所院中。

巴文雅朝巷子深处跑去，身后传来一阵枪声。

第二天一早，巴文雅把昨晚的事告诉给哥哥巴文栋，文栋目瞪口呆，妹妹胆子也太大了，竟然一个人夜查此事；更让他没想到的是，贴标语之人居然是刘彪！

因为林玉凤的原因，每次见到郭洪霖巴文栋的心都隐隐作痛，但是，这么大事，巴文栋不能不报告给郭洪霖。

郭洪霖也是一皱眉，革命军起义之后进攻哪里，那是绝密，身为包头同盟会主盟人的郭洪霖都不知道，刘彪怎么知道？他说的到底是真是假？

两个人分析半天，也没理出个头绪来。巴文栋向郭洪霖告辞，郭洪霖送巴文栋，两个人还没出院，就听外面一阵骚乱。两个人来到街上，见刘彪在前面跑，他剪过辫子的头发在空中飞舞，街上的行人纷纷往两旁躲。后面传来乡勇的叫喊声："抓住他，抓住他，别让他跑了……"

刘彪虽然不是同盟会革命党人，但他有反清意识，不管他在革命党中有没有内线，刘彪都不能落入乡勇手中。

街上有家粮店，粮食摆在门外。地上放着五谷杂粮，其中一个口袋里装着黄豆，黄豆里有个升子。升子是一种木制量器，当时十分常用。升子上下都是正方形，上口大，下底小。一升粮食大约四五斤。有人要买三升黄豆，卖粮人用升子舀起黄豆，往买粮人的布袋里倒。

巴文栋灵机一动，他朝卖粮人的升子撞去。升子落在地上，黄豆在街上乱滚。乡勇往前跑，脚踩在黄豆上，一个个相继摔倒。有个乡勇爬起来还想追，可没追几步，又摔倒了。

刘彪趁机跑远了。

郭洪霖掩护巴文栋，两个人闪进人群，拐入一个巷口。两个人并肩而行，郭洪霖对巴文栋投以赞许的目光。巴文栋也觉得自己这事干得挺漂亮，他向郭洪霖微微一笑。就在这时，一个人撞向他们中间，郭洪霖和巴文栋都被这个人撞了个趔趄，两个人扭头一看，见是云恒。

云恒低声说："包头召见。"

云恒匆匆而去。

云恒突然出现，肯定有重要情况，郭洪霖和巴文栋交换一下眼色，二人分头向包头召走去。

也就是一盏奶茶的工夫，三个人都到了，云恒无法抑制脸上的喜色："润生兄，表哥，归绥起义啦！"

郭洪霖和巴文栋一人握住云恒一只手，两个人高兴得几乎要跳起来。

1911 年 12 月 9 日夜，驻防在归化城小校场的新军汉八旗城防营管带周维藩起义，革命军分兵两路，一路由周维藩率领往东与山西的阎锡山会合，另一部由曹富章、张琳率领往西奔赴包头。

云恒带来了山西同盟会的重要指示，他从怀里拿出一个蜡丸。郭洪霖掰开蜡丸，里面有一张小纸条，取出纸条，上面有一行字：

　　配合革命军占领包头

郭洪霖看完，把纸条交给巴文栋。

巴文栋一下子想到了刘彪贴的标语，看来，刘彪的话不是空穴来风，难道他真有内线？如果是这样，那刘彪这个内线可绝非普通人物！可是，刘彪身为武甲头，他在包头镇口碑不是很好，以后他必然要加入同盟会革命党之中，他加入同盟会，会不会引起老百姓对同盟会的不良看法？巴文栋转念一想，不要想那么多，现在最重要的是起义，只要推翻朝廷的腐败统治，一切都会好的。

郭洪霖感到了肩上的压力，他问："曹富章、张琳的革命军离包头还有多远？"

云恒道："已经到了城北黄草洼。"

郭洪霖和巴文栋特别惊讶："什么？革命军已经到了黄草洼？"

黄草洼就在包头城北，离包头城也就四五里。革命军都到了包头城外，包头同盟会居然不知道，郭洪霖很是惭愧。

云恒说："这不能怪你们，归绥起义本来定在下个月，因绥远将军堃岫有所察觉，山西同盟会决定提前起义。现在曹、张所部革命军从归绥一路打到包头，将士疲惫，弹药给养不足，不敢贸然攻城。"

郭洪霖道："好！今天晚上我们就把包头同盟会骨干召集到一起，开个紧急会议，会议的内容就是配合革命军，拿下包头城。"

包头城内悄无声息，月亮时隐时现，无数星星汇成一条璀璨的银河，仿佛要把天空点燃。

马王庙两等学堂郭洪霖的办公室里，同盟会骨干坐在一起，云恒把归绥起义的情况和山西同盟会的指示又说了一遍，众人无不欢欣鼓舞。可是，当提到与城外革命军里应外合拿下包头时，同盟会骨干的眉头都皱了起来。包头同盟会虽然人数不少，但没有枪支弹药，如果与樊恩庆的乡勇发生冲突，无异于以卵击石。

有人提出，能不能夺取樊恩庆的武器库？巴文栋认为，武器库是樊恩庆的命脉，那里一定戒备森严，没有同盟会的人做内应，要夺武器库几乎不可能。

有人又说，樊恩庆是个清官，在包头百姓之中，有很高的威信。要是他能抛弃清廷，献出包头城就好了。

郭洪霖闻听此言，心头一振。

樊恩庆，字筱（xiǎo）山，山东济南人。1900年义和团运动时，樊恩庆任归绥道托克托厅通判，因支持义和团被免。1906年，樊恩庆复出，任五原厅同知。刘彪以包镇公行武甲头身份负责包头治安，但是，刘彪只顾享乐，并不作为，所以，在刘彪任职期间，包头社会抢劫偷盗时有发生，老百姓多有怨言。

樊恩庆思路清晰，精明能干。他主政包头后，常常微服私访，见到一些矛盾纠纷，他现场就给解决了。对于偷盗抢劫者，他不是一味关进大牢，而是针对不同的犯人采取不同的方式方法，比如因贫而盗者，他派人给送去粮食，再给他们找点差事，让他们好好过日子；对于地痞流氓惯犯，樊恩庆毫不手软，坚决打击。在樊恩庆接管包头的两个月时间里，包头治安大大好转。因此，包头城内百姓流传一句顺口溜："除痹症，樊恩庆；要得安，樊筱山。"

是啊，如果樊恩庆能加入革命军之中，那对同盟会和百姓都是巨大的鼓舞。可是，同盟会这些骨干与樊恩庆没有什么交情，谁也跟他说不上话。

郭洪霖说："樊恩庆当年在我父亲手下当过差，我和他见过几面，要不，我去跟他谈谈？"

巴文栋有点担心，他问郭洪霖："郭老太爷有恩于樊恩庆吗？"

巴文栋的意思是，如果郭洪霖的父亲提拔过樊恩庆，或重用过樊恩庆,那樊恩庆可能会给郭洪霖面子。否则,樊恩庆要是翻脸,扣下郭洪霖,那对包头同盟会来说,损失可就太大了。

郭洪霖道:"樊恩庆只是家父部下的一个士卒,没有深交。"

巴文栋不同意郭洪霖去冒险,他说:"要不我去?樊恩庆的官宅是我家的永租地,我阿爸只收了他一半地租,樊恩庆跟我阿爸算是还有交情。"

清初,包头连地名都没有的时候,这里就是蒙古土默特巴氏家族的牧场。当走西口的晋陕汉人逃荒来到巴氏家族的牧场时,巴氏家族以广阔的胸襟接纳了他们。蒙汉双方互惠互利,相濡以沫。

最初,双方没有合同,只是口头约定。后来汉人越来越多,到了乾隆时期,巴家出租土地才开始订立契约。虽然有了契约,可土地的东南西北四界并不十分明确,契约中常常写道——"×××将祖遗××处白地一块租于×××耕种"。至于东西有多宽,南北有多长,是水浇地还是旱地,是平地还是洼地,都没有表述。不但如此,契约上还往往注明"许退不许夺"。就是说,汉人不想租了,可以把土地退给巴家,而巴家却不能强行收回。这充分说明了巴氏家族的质朴、憨厚和大度。

清廷规定蒙古人的牧场不能买卖,但没有规定不能永久出租,汉人来到草原总要有住的地方,他们不习惯住蒙古包,他们要盖房子,于是,汉人就与巴氏家族签订了永久合同,这种方式承租的土地通常叫永租地。

樊恩庆租巴家的地,只能说巴家与樊恩庆有往来,谈不上什么交情。众人商量之后,决定郭洪霖和巴文栋同去见樊恩庆更好一些。

绥远将军堃岫把包头交给樊恩庆,樊恩庆不敢懈怠。虽然他把抢劫偷盗控制住了,可是,城内两次出现"革命军不日将至"的标语,这令樊恩庆寝食难安,他下令全城戒严,昼夜巡逻。

郭洪霖、巴文栋都是包头的名流,两个人来到樊恩庆的官宅,樊恩庆挺客气,他首先问候郭洪霖的父亲"老太爷还硬朗吧",然后问候巴文栋的父亲"巴老爷好吧"。双方寒暄几句,郭洪霖把话题引到当前的形势上,他讲孙中山的革命纲领,讲同盟会的起义,从南方说到北方,从北方说到山西归绥,樊恩庆只是沉吟不语。

巴文栋说:"樊大人,如今,全国十八个省,已经有十五个省宣布独立，清朝摇摇欲坠。历史证明，没有永远的当权者，也没有永远的朝廷。自汉朝之后的一千七百年来，没有哪个朝廷能超过三百年。从努尔哈赤建立后金算起，现在大清已经二百九十五年了，大厦将倾，非独木能支。恕我直言，靠绥远将军堃岫和您樊大人是支撑不起来的。如果大人能够顺应历史潮流，献出包头城，您就是开国功臣，就为中华民族立下不世之功。"

郭洪霖也说："是否做千古功臣，就在大人一念之间，请大人三思。"

樊恩庆站了起来："四少爷，巴少爷，樊某吃朝廷俸禄多年，食君禄不报君恩，恩庆决心难下。这样吧，你们给恩庆三天时间，三天之后樊某给你们一个答复。"

第十章

迎接革命军进城，这对同盟会来说太重要了，巴文栋作为骨干中的骨干，怎么能不参加呢？郭洪霖多次派人到巴府去找巴文栋，可是去的人回来说，巴府大门紧闭，无论怎么敲都没人开门。

巴文栋还没到家，管家乌恩其就远远地跑了过来："少爷，你可回来了，夫人正到处找你呢！"

近几天，包头城这么乱，云氏夫人很不放心自己的两个孩子。文雅虽然是个女儿，但疾恶如仇，有很强的反抗意识；文栋思想活跃，在太原上师范学堂时，就因散发反清传单被关进大牢。云氏夫人把巴文雅叫到上房，让她坐在自己眼前，干什么都可以，就是不能出去。文栋是成了家的人，云氏夫人把儿子交给媳妇奥云，让奥云看着。云氏夫人每次问到文栋时，奥云都打埋伏。今天有人来租地，云氏夫人叫文栋写合同，却发现文栋不在家。

包头召小学堂停课了，文栋会去哪儿呢？云氏夫人问奥云，奥云支吾道："刚才他还在，可能，可能是出去买纸笔去了吧？我听他说，毛笔秃了，纸也快用完了。"

云氏夫人吩咐管家乌恩其马上去找，乌恩其一出门，巴文栋回来了。

乌恩其把巴文栋带进上房，见母亲和妹妹坐在炕上，母女二人手里都拿着佛珠，云氏夫人神态安详，半闭着眼睛捻着佛珠；文雅噘着嘴，一双丹凤眼东张西望，手中的佛珠动也不动。

文栋道："额吉，你找我？"

云氏夫人看了巴文栋一眼："你先去把合同写了，然后再过来。"

文栋那么大学问，写合同跟玩似的，片刻之间就写完了。

文栋问奥云："额吉找我什么事？"

奥云把刚才的经过告诉文栋，然后道："额吉只说让你写合同，没说别的事。"

文栋回到上房，见文雅要下地，云氏夫人把大烟袋横在文雅面前。文雅把哥哥当成了救星，她告状似的说："哥，你看额吉，让我整天蹲在炕上，连地也不让下。"

文栋对母亲一笑："额吉，怎么了？"

云氏夫人没有回答，而是对文栋道："你也脱鞋，上炕。"

文栋注视着云氏夫人："额吉，我又怎么了？"

云氏夫人面无表情："没怎么，你就不能上炕跟额吉说说话吗？"

文栋只得脱了鞋，上了炕，他坐在云氏夫人身边，给母亲装上一袋烟，文栋嬉皮笑脸："额吉，一会儿不见，就想你儿子了？"

云氏夫人没有搭理文栋，而对管家乌恩其说："把文栋和文雅的鞋都收起来，告诉家里的人，没有我的话，谁也不准给他们鞋，听清了吗？"

管家乌恩其道："听清了，夫人。"

文栋和文雅满脸疑惑："为什么？"

云氏夫人道："好好在家待着，哪来那些为什么！"

云氏夫人把文栋和文雅关在上房，整天不让兄妹俩出屋。文栋还好，到了晚上，还能回到奥云身边。文雅就不行了，就连睡觉都不能回到自己的房间。

第二天文雅就受不了了，她眼珠一转："额吉，我在九江口裁缝店定做了一套衣服，我得去取。"

云氏夫人看也不看她："告诉你乌恩其伯伯，叫他派人去取。"

文雅分辩："额吉,我得自己去,我得试啊,要是衣服不合体,我好让他们给改呀!"

云氏夫人捻着佛珠道:"拿回家试不一样吗?"

文雅搂过云氏夫人的脖子:"额吉,我去了就回来,一会儿,就一会儿,额吉,我求你了还不行吗?"

云氏夫人爱抚着文雅的后背,深情地说:"女儿呀,额吉求你了。额吉就你们两个,现在外面这么乱,万一出点事,你让我向你阿爸怎么交代?你也是嫁了人的人,难道就不能多陪陪额吉吗?"

无论文雅找什么理由,或是撒娇耍赖,云氏夫人就是不让她出去。

文雅摇着云氏夫人的胳膊:"额吉,你要把我关多少天哪?"

云氏夫人叹道:"等外面平静了,额吉自然让你出去。"

这天上午,巴府的西洋座钟敲了十下,突然,街上鼓乐宣天,敲的敲,打的打,仿佛跟过年一般。隐约中还传来口号——

"热烈欢迎革命军进城!"

"热烈庆祝包头光复!"

文雅立刻就要下地,云氏夫人喝道:"不许动!"

文雅皱着眉:"额吉,你就让我到外面看看吗?"

云氏夫人绷着脸:"不行!"

文雅软磨硬泡:"额吉,我看一眼就回来,就看一眼,一眼,还不行吗?"

云氏夫人一字一顿地说:"不行!"

文栋的心也跟着了火似的,革命军进城了?包头光复了?这么说,樊恩庆献城了!革命军进城必然清查人口,登记造册,出榜安民……诸般事务千头万绪,我身为包头同盟会革命党的骨干,这正是需要我的时候,我怎么能躲在家里不出去呢?

文栋十分着急,他尽可能把语速放慢:"额吉,我想起一件事……"

文栋等着云氏夫人问"什么事",可云氏夫人捻着佛珠,没有反应。文栋往母亲身边凑了凑,他小声地说:"额吉,你想抱孙子吗?"

云氏夫人眼睛立刻放出一道光:"怎么,奥云有了?"

文栋讪笑："没有，我是想，我和奥云结婚都这么长时间了，也该有了。可是，奥云却没有动静。我想和奥云到家庙烧几炷香，向宗喀巴大师求个孩子，也让您老人家早日抱上孙子。"

云氏夫人眼中的光片刻就消失了，她仿佛看穿了文栋的心："我已经求过了，你就不用操心了。"

文栋道："额吉，心诚则灵。我本人不去，怎么能灵呢？"

云氏夫人拿过烟袋，装上一锅烟，不紧不慢地抽了两口："巴家世代信佛敬佛，神佛一定会保佑巴家的。"

文栋和文雅急得跟火上房了似的，云氏夫人却无动于衷，毫不理会。

时间过得比蜗牛还慢，兄妹俩简直是度日如年！

好不容易又熬过了两天。傍晚，天色灰暗，大地茫茫，雪花在空中飘飘而落。

街上似乎安静下来，文雅要穿鞋上茅房。

云氏夫人看了她一眼，叫下人把便桶拎了进来。

文雅捂着肚子："额吉，我，我要拉屎。"

云氏夫人捻了两下佛珠："再憋一会儿。"

文雅装出一副苦相："额吉，再憋一会儿就要拉裤子了。"

云氏夫人想了想，文雅一天没有方便了，也该去一趟茅房了。她叫管家乌恩其把鞋给文雅拿来，又叫一个使女跟着文雅。文雅出了上房，直奔自己的房间。

使女道："小姐，你不上茅房了？"

文雅道："你在外面等一会儿，我回屋取点东西就来。"

文雅进了屋，打开箱子，从箱子底下摸出一个红布包。文雅把红布包往怀里一掖，出了屋直奔大门，使女忙道："小姐，错了，茅房在这边。"

文雅犹豫一下，拐向茅房。

云氏夫人抽着烟，一锅烟燃尽了，第二锅烟点上了，可还不见巴文雅回来，云氏夫人叫奥云去看看。奥云来到茅房，却见文雅正在拆茅房房顶的天窗呢。清朝时期，富贵人家的茅房房顶都开有天窗。此时，天窗已经被拆了下来，那使女嘴里塞着一块手帕，双手被布条绑着。

一见奥云来了，文雅纵身跳上了房顶，转眼就不见了。

奥云给使女解开布条，两个人跑到上房禀报云氏夫人。云氏夫人当时就急了："快去找，把文雅找回来！"

文栋道："额吉，我知道妹妹去哪儿了，我去把妹妹找回来。"

云氏夫人斥道："闭嘴！都是你把妹妹带坏的。"

包头的冬天不到五点天就黑了，云氏夫人看了看西洋座钟，现在已经六点半了，去找文雅的人一个也没回来。

云氏夫人一锅接一锅地抽烟，屋里烟雾弥漫。

文栋又对云氏夫人说："文雅是个女孩子，万一发生不测，后悔可就晚了。额吉，你就让我去找她吧，我一定把她给找回来。"

云氏夫人放下烟袋，声音颤抖："焕章啊，文雅是额吉的心尖，你也是额吉的心尖，无论你们两个谁有点事，额吉可就活不成了……"云氏夫人声音哽咽了。

巴文栋安慰母亲："额吉，儿子知道，你放心，儿子一定把文雅找回来。"

云氏夫人再三叮嘱文栋早去早回，这才让管家乌恩其把鞋给了他。

巴府在召梁二道巷北口，这是一条南北走向的小巷子，往西与召梁二道巷平行的依次是召梁一道巷和清真寺巷。清真寺巷南头把一条街分成东西两段，东段是召拐街，西段是马号巷。包头召坐落在召拐街北侧，包镇公行坐落在马号巷的南侧，两个大院斜对着。

街上行人稀少，买卖铺户早就关门打烊了，一些富家大门外的灯笼发出猩红的光，这光照在雪地上，仿佛摊摊血迹。

巴文栋刚到家庙包头召大门，迎面走来一个人，此人高声问："是焕章吗？"

巴文栋听出了郭洪霖的声音，他应道："润生兄，我是焕章。"

郭洪霖疾步上前，他紧紧地抓住巴文栋的手："焕章，你可出来了！"

巴文栋急于知道革命军的情况，他问："这几天都发生了什么？"

郭洪霖脸上露出灿烂的笑容："樊恩庆同意反清，革命军进城了，今晚樊大人要宴请革命军首领和同盟会骨干。"

郭洪霖、巴文栋劝樊恩庆献城，樊恩庆承诺三天之内答复。可是，一连两天，郭洪霖都没有见到巴文栋。他想跟巴文栋商量的事很多，郭洪霖到巴府去找文栋，管家乌恩其说云氏夫人收走了文栋的鞋，不让少爷出来，也不让外人进门。

郭洪霖悻悻而去。郭洪霖急于知道樊恩庆的态度，在路过樊恩庆官宅时，他让军兵往里通禀。不一会儿，樊恩庆就迎了出来。还没等郭洪霖开口，樊恩庆就说，他已经想通了，他要献出包头城。

郭洪霖立刻把这惊天喜讯告诉给云恒，云恒马上出城给革命军送信，曹富章、张琳心花怒放。

郭洪霖与城内的同盟会革命党人联络，他要把革命军进城搞得轰轰烈烈。郭洪霖带着几个同盟会骨干到包镇公行来找林永昌。

不仅因为哥嫂被害，还有祖上的原因，林永昌恨透了清政府，得知樊恩庆献城，女婿郭洪霖是包头同盟会革命党的领导人，林永昌大喜过望。林永昌身为包镇公行的文牍，一直从事支应差官、迎来送往。他动员包镇公行各个商号扎纸花，做小旗，把过年扭秧歌唱大戏的锣鼓都找了出来，准备隆重欢迎革命军。

1911年12月22日，农历十一月初三。清早，郭洪霖刚刚起来，樊恩庆的一个乡勇就来敲门。

仆人把这个乡勇让进屋，乡勇单腿打千儿。本来樊恩庆要和郭洪霖一起出城迎接革命军，但昨天晚上，樊恩庆八十岁的老母病情加重。他让乡勇告诉郭洪霖，他不能亲自去接曹富章和张琳了，请郭洪霖见谅。

郭洪霖知道樊恩庆有个老母亲，身体也确实不好，樊恩庆这么早就派人来通知郭洪霖，郭洪霖挺感动。

郭洪霖对这个乡勇客气道："樊大人能把包头城献出来，已经为革命立了大功，既然老夫人病重，就请樊大人安心照顾老人吧。"

乡勇又道："我家大人还说，今天晚上想宴请包头同盟会骨干和革命军各位首领，以示歉意。"

郭洪霖的心一动，宴请？虽然樊恩庆献出包头城，可我们对他并不是特别了解。郭洪霖推辞道："樊老夫人病重，宴请的事以后再说吧。"

乡勇也没勉强："也好，既然这样，我这就去回禀我家大人。"

迎接革命军进城，这对同盟会来说太重要了，巴文栋作为骨干中的骨干，怎么能不参加呢？郭洪霖多次派人到巴府去找巴文栋，可是去的人回来说，巴府大门紧闭，无论怎么敲都没人开门。郭洪霖摇了摇头，那就行动吧。

上午十点，郭洪霖、云恒等同盟会骨干，以及樊恩庆手下数十名军兵和几百民众一起出东门，吹吹打打把曹富章、张琳这支革命军接进城中。

曹富章、张琳的队伍总共不到二百人，但包头城内没有一家客栈能容纳二百驻军。樊恩庆派人找了三家客栈，他让客栈把最好的房间腾出来，把最干净的被褥拿出来，把好酒好肉献出来。曹富章、张琳从归绥一路打到包头，可谓饥寒交迫，樊恩庆安排得如此周到，两个人很是感激。

一晃又是两天，三家客栈对革命军照顾得无微不至，只是不见樊恩庆。曹富章、张琳心生愧意，樊恩庆不但献出包头城，还对革命军这般热情，大家应该去探视一下樊母。

上午，郭洪霖、云恒、曹富章、张琳等人带着重礼来到樊恩庆的官宅。有人把四人请到后院，一股中草药味迎面扑来。几个人进了屋，见樊恩庆正在炉火边熬药，樊恩庆起身相迎。

四个人问及樊恩庆母亲的病情，樊恩庆把他们领到内室，见一个老妇人躺在炕上，脸色蜡黄，两眼微闭。

樊恩庆轻声问使女："老夫人吃了这两服药怎么样？"

使女道："回老爷，好像好了一些，老夫人刚刚入睡。"

郭洪霖等众人悄悄地退了出来。

樊恩庆把几个人请到前厅，他说："家母已经好转，恩庆的心也就踏实了，这几天怠慢了同盟会革命党同志，如果大家不介意的话，恩庆想今天晚上为革命军接风洗尘。"

曹富章道："既然樊大人如此盛情，那就恭敬不如从命了。"

郭洪霖、云恒、张琳三人也都点了点头。

樊恩庆面露笑容："谢谢各位能赏光，我让包镇公行的文牍林永昌安排一下，等安排好了，恩庆再通知各位。"

本来郭洪霖对樊恩庆还有三分怀疑，听樊恩庆说让林永昌安排，郭洪霖的心完全放下了。

樊恩庆给包头同盟会的骨干和革命军各首领每人写了请柬，又派心腹一一送到本人手中。别人的请柬都送到了，只有巴文栋的没有，因为巴府不开门。郭洪霖替巴文栋收下请柬，他准备再去一趟巴府，没想到刚出包镇公行，就遇上了巴文栋。

得知樊恩庆要宴请革命军领袖和包头同盟会革命党骨干，巴文栋一皱眉："润生兄，这不是一场鸿门宴吧？"

第十一章

革命党要驱除鞑虏，恢复中华，建立一个自由、平等、博爱的国家。我郭润生身为包头同盟会主盟人，宁以义死，不求苟生……

1911 年 12 月 24 日，农历十一月初五晚，五原厅同知樊恩庆要在马号巷包镇公行宴请革命军首领和包头同盟会骨干。巴文栋担心这是一场鸿门宴，他和郭洪霖围着包镇公行大院转了两圈，四周十分宁静，什么可疑的情况也没发现。

巴文栋想，难道是我多虑了？

巴文栋本来还想去找妹妹，可是，酒宴马上就要开始了，城内这么安静，妹妹文雅应该不会有事，巴文栋就随郭洪霖一起进了包镇公行宴会厅。

林永昌正在接迎客人，见巴文栋和郭洪霖走了进来，不禁想起自己的哥嫂，对巴家的仇恨涌上心头，他转身进了后厨。

巴文栋望着林永昌的背影，知道他是在躲自己，不由得为巴、林两家的仇恨而难过，林玉凤那娇美的容颜又在脑海中闪现……巴文栋暗中叹了一口气，我这是怎么了，怎么又想起她了……

郭洪霖沉浸在兴奋之中，他没有注意巴文栋的表情。

有人上来引领："郭先生，巴先生，这边请，这边请。"

宴会厅里，七八盏气死风灯高悬，屋内分外明亮。

引领者把郭洪霖和巴文栋带到主桌前，桌边坐着云恒、曹富章、张琳等人。曹富章、张琳身着戎装，肩上斜挎牛皮带，腰间插着手枪，坐得笔直。主位空着，显然是给樊恩庆留的。旁边还有两桌，有五名同曹富章、张琳一样着装的军人分坐两桌，同盟会革命党的骨干王鸿文、郭守义、沈涑生、李士元、王肯堂、孙继汉、富日新、满泰、安祥、李栋城、李雨田等分别相陪。

在郭洪霖的引见下，巴文栋与曹富章、张琳等七位革命军首领一一握手。

众人落座，大家嗑着瓜子，吃着奶食、果条，喝着茶，聊着这几天包头城天翻地覆的变化，畅谈包头的未来。

凉菜和烧酒摆上，一个人从外面来到林永昌身边："林老板，樊大人的轿子到了。"

雪轻轻地、无声地飘着，林永昌出门迎接樊恩庆，一推门，一阵风吹来，林永昌打了个寒战。

一顶大轿落在门前，一个人从轿中探出身子。林永昌疾步上前："樊大人，里面请……"他定睛一看，轿中这个人不是樊恩庆，林永昌愣了一下，"你是……"

林永昌想问，你是谁？樊大人在哪儿？可话还没说出来，林永昌的后脑重重地挨了一下，他眼前一黑，就什么也不知道了。

这时，有人高声道："上菜——"

话音刚落，数十个持枪的乡勇冲进宴会厅，枪声骤起。曹富章、张琳刚要掏枪，数发子弹就打入了他们的胸腔。其他五位革命军首领拔枪还击，枪声"啪啪"作响，子弹"嗖嗖"乱飞。桌子也倒了，凳子也翻了，茶也洒了，盘子也碎了，瓜子、奶食品满地，人们你撞我我碰你，你推我我拥你，挤成一团，乱成一片。

巴文栋正不知所措，"咔嚓"，窗户碎了，"啪啪啪……"几声枪响，屋里的灯全都熄灭。人影一闪，一个人来到巴文栋近前。两个乡勇发现有人破窗而入，举枪向窗户奔来，那人"啪啪"两枪，两个乡勇应声倒下。

一只纤细的手抓住了巴文栋："哥，快走！"

巴文栋听出了妹妹文雅的声音，他又惊又喜。巴文栋随手拉起身边的云恒，两个人相继跳出窗外。接着，李士元、王肯堂、沈涑生等人也跳了出去。

驻在包头城内三家客栈的革命军听到马号巷包镇公行这边传来枪声，三支队伍立刻集合。三支队伍一出门，便遭遇伏击，革命军措手不及。

原来，樊恩庆反清是假，他摆的的确是鸿门宴。他把革命军放进城就是要一网打尽，全部消灭。

然而，革命军是新军，是正规部队。新军是由德国人任教习，按照德国军队方式训练的。当时的德国军队是世界上最有战斗力的军队，这支由洋人训练出来的军队，其战斗力可想而知。樊恩庆手下都是乡勇，无论是武器还是军事素质，都远不及革命军。

虽然革命军有很强的战斗力，可弹药不足，加之毫无防范，又中了樊恩庆的埋伏，三家客栈的革命军，被樊恩庆的乡勇消灭了两家，只有富三元客栈的革命军在顽强抵抗。

富三元客栈是家大客栈，里面住着近百名革命军。樊恩庆的乡勇冲进客栈，可是，没有二十分钟，就被打了出来。一部分革命军爬上房顶，一部分躲在屋内，战斗非常激烈。

革命军的子弹越来越少。为了节约子弹，有效杀伤敌人，革命军只能把乡勇放到二三十米之内开火。

地上躺着无数乡勇尸体，双方僵持。

林永昌醒来，借窗外的雪光，发现自己躺在一个人的怀里。林永昌挣扎着要站起来，可是，头痛欲裂，浑身无力。

"岳父，你怎么样？"

"润生！"

抱着林永昌的人是郭洪霖。

巴文雅打灭气死风灯，巴文栋和云恒等人逃出宴会厅。郭洪霖想逃，可是，他坐在巴文栋的对面，离窗户较远。郭洪霖正想奔窗户而去，朦胧中，两个同盟会骨干相继从窗台倒了下来。郭洪霖一俯身，趴在地上。地上黏糊糊的，都是血。

不多时，屋里的枪声停了，几个乡勇提着灯笼查检尸体。乡勇主要检查曹富章、张琳等七位革命军首领，见七个人都死了，对这几个同盟会骨干，只是用脚踢了踢。当踢到郭洪霖时，见郭洪霖满脸都是血，以为他死了，乡勇便出门而去。

屋里静了下来，郭洪霖摸索着走出宴会厅。外面的风一吹，郭洪霖就觉得脸上皮肤发紧，伸手一摸，血在他脸上已经结成了痂。

前面传来脚踩雪地的"吱吱"声，十几个乡勇跑了回来，其中一个人对其他人说："樊大人有令，把曹富章、张琳等七个叛匪的人头砍下，快！快点！"

郭洪霖闪身进了一间屋，然而，脚被绊了一下，他摔在地上。借窗外的雪光一看，见岳父林永昌躺在地上。

郭洪霖把手放在林永昌鼻孔前试了试，觉得还有气。他把林永昌抱在怀里，食指按压人中穴。

两个乡勇站在宴会厅门前把守，其他人进入宴会厅。工夫不大，十几个乡勇拎着七颗人头走了。

街上的枪声一阵紧似一阵，院里却平静下来。

郭洪霖背起林永昌，出了这间屋来到街上，他哪儿黑走哪儿，哪儿暗走哪儿，遇到乡勇就躲起来。郭洪霖走走停停，等他把林永昌送到家门口时，天都亮了。

昨天晚上，外面枪声大作，林玉凤听着好像是从包镇公行那边传来的。她一下子想到了二叔林永昌。自己从小父母被害，二叔把自己抚养成人，二叔就是自己的父亲，林玉凤披衣要去找林永昌。

老者拦住了她："小姐，你听，枪声不是从包镇公行那边传来的。"

林玉凤听了听，包镇公行方向果然没有枪声。林玉凤想，难道是我听错了？林玉凤在屋中坐立不宁，一直等到天明。

"梆梆梆"，外面传来敲门声，林玉凤往外就跑，老者跟了出去。一主一仆两个人来到门前，老者把林玉凤挡在身后，他轻轻地问："谁呀？"

"我是润生，快开门！"

"姑老爷！"老者惊道。

"润生！"林玉凤惊道。

老者拉开门闩，郭洪霖搀着林永昌走了进来。

林玉凤问："爹，你怎么样？"林玉凤仍叫二叔林永昌为爹。

林永昌有气无力："没事，没事了。"

进了屋，郭洪霖把林永昌放在炕上，林玉凤问林永昌伤在哪里，林永昌说后脑勺挨了一枪托。林玉凤一看，见林永昌头后肿了个鸡蛋大的包。老者取出活血化瘀药，林玉凤给林永昌涂在伤处。

林玉凤又见郭洪霖满脸是血，她关切地问："润生，你也受伤了？"

郭洪霖摇了摇头："我没有。"

林玉凤取来毛巾，用热水投了投，一边擦拭郭洪霖脸上的血迹，一边问："到底发生了什么事？"

郭洪霖把樊恩庆摆鸿门宴，枪杀革命军首领和同盟会骨干的经过说了一遍。得知巴文栋也在现场，林玉凤的心一紧，她想问巴文栋逃出去了没有。可是，话到嘴边，林玉凤没有说出来，她婉转地问："同盟会革命党骨干都跑出来了吗？"

郭洪霖心情沉重："只跑出几个人，其他的都牺牲了。"

"什么？"林玉凤直截了当，"巴焕章怎样？"

郭洪霖点点头："他逃出去了。"

林玉凤悬着的心放了下来。

外面枪声又急促起来，郭洪霖站起："我去看看。"

老者摁住郭洪霖："姑老爷，你不能去，我去。"

林永昌头痛减轻了许多，他也说："是啊，润生，你不能去。"

老者出去半个小时，就回来了："老爷，樊恩庆把革命军包围在富三元客栈，双方打了一夜！"

郭洪霖惊问："另外两家客栈的革命军怎么样了？"

老者摇了摇头："听说，那两家客栈的革命军都被樊恩庆打死了。"

郭洪霖顿足捶胸："樊屠夫，我中了你的诡计！"

郭洪霖站起身就要出门，林永昌叫住他："润生，你去哪儿？"

郭洪霖转过头："岳父，这件事因我而起，是我太轻信樊恩庆了，才使革命军遭受如此损失。我要找樊屠夫，让他放革命军出城，有什么事，我郭洪霖一人扛着！"

林永昌拉住郭洪霖："润生，你怎么这么糊涂？你是包头同盟会革命党的领袖，樊屠夫正要抓你，你去了不是白白送死吗？"

郭洪霖正气凛然："革命总要有人牺牲。如果樊屠夫不放革命军出城，我就跟革命军一起战斗，哪怕流尽最后一滴血！"

林永昌断然道："不！你不能去！要去也是我去。"

樊恩庆在包头镇居住好几年了，他对包镇公行文牍林永昌是认可的，而对武甲头刘彪很有看法，所以，他接管包头镇之后仍然留用林永昌，却把刘彪的权力收了上来。樊恩庆知道林永昌和郭洪霖的关系，这次他把这场鸿门宴安排在包镇公行，并让林永昌操办，就是利用林永昌和郭洪霖的关系来麻痹郭洪霖。林永昌在毫不知情下，成了樊恩庆的帮凶。

林永昌说："我联络包镇公行的各大商号一起出面。我既不是同盟会革命党，也不是革命军，我去找樊恩庆，樊恩庆不会把我怎么样。"

林玉凤也说："润生，爹说得对，你去太危险了。"

郭洪霖望着林永昌："岳父，你的头行吗？"

林永昌道："已经没事了。"

樊恩庆指挥手下乡勇向革命军发起一次又一次进攻。可是，不但没有进展，相反，地上扔下百余具尸体。樊恩庆又气又急，他命人把曹富章、张琳等七位革命军首领的人头提来，挂在高杆之上。樊恩庆想以此瓦解革命军的斗志，哪知，这下更加激怒了革命军，革命军声称要与樊恩庆战斗到最后一人。

樊恩庆黔驴技穷。

"别打了，都别打了。"林永昌和几家商号的老板来到富三元客栈。

买卖人最不想打仗。商人言利，子弹乱飞，到处死人，商号与商号之间有许多拆借，一家商号的老板死了，几个商号的钱就没地方要了。这还是其次，像那两家客栈，革命军与樊恩庆的乡勇交火，把客栈打得乱七八糟，其中的损失找谁赔去？因此，几家商号老板都想早点结束这场战斗。

樊恩庆思索再三，想要全歼革命军几乎不可能，还是就坡下驴，放他们出城得了。

在林永昌等商号的调解下，乡勇后撤，革命军出城。

林永昌一进家门，见林玉凤伏案痛哭，老者在一旁相劝。

林永昌惊问："玉凤，怎么了？"

林玉凤扑上前来："爹，樊恩庆把润生抓走了。"

林永昌惊问："什么时候抓走的？"

林玉凤道："刚刚抓走。"

一种不祥之兆袭上心头。林永昌出了家门，直奔樊恩庆的官宅。樊恩庆官宅大门紧闭，十几个乡勇守在大门左右。林永昌要见樊恩庆，乡勇说樊恩庆不在，林永昌以为乡勇骗他，他好话说了一大堆，但无济于事。

林永昌愤愤地往回走，一群人从西门大街而来，其中有一个人迎上林永昌，他小声说："林老板，你家姑爷郭润生被绑在牛桥街，就要斩首了，你快去看看吧。"

牛桥街是与西门大街平行的小巷，这条街是包头城内的牛马市场。如果是以往，早晨九点以后，就有牛马贩子交易了。可是，今天的牛桥街被乡勇围了起来，看热闹的老百姓站在警戒线之外。

林永昌跑上前，只见郭洪霖被绑在一个木桩上，身后的刽子手怀抱鬼头大刀，跟个凶神相仿。

林永昌要往里闯，几个乡勇拦住他："林老板，你不能进去。"

林永昌喝问："你们为什么杀人？"

樊恩庆从乡勇中走了过来，他冷如冰霜："郭洪霖是包头同盟会的匪首，他勾结乱党，把乱党引进包头城，难道不该死吗？林老板，如果我没记错的话，你女儿林玉凤好像许配给了郭洪霖，虽然他们没有成亲，但你也算是郭犯的岳父，在一定意义上说，你也是匪首的家属。本官念及你的为人，恕你无罪，还不退到一旁！"樊恩庆又高声对围观的老百姓说："本官法外开恩，只杀匪首郭洪霖，余者不究，望尔等引以为戒，安分守己。"

郭洪霖自知难逃一死，他看见了远处寒风中的林永昌，他怕连累岳父，连累自己的未婚妻林玉凤，郭洪霖高呼："同胞们，父老乡亲们，朝廷腐败无能，对外如羊，对内如狼，老百姓在水深火热之中挣扎了几十年。孙先生创立了同盟会革命党，给中国带来了希望。革命党要驱除鞑虏，恢复中华，建立一个自由、平等、博爱的国家。我郭润生身为包头同盟会主盟人，宁以义死，不求苟生……"

樊恩庆哪容郭洪霖多说，他对刽子手吩咐道："行刑！"

刽子手大刀高高举起，"咔嚓"一声，郭洪霖人头落地，一腔热血喷了出来。林永昌眼前一黑，摔倒在地。

这就是辛亥革命时期发生在包头的马号事件。

第十二章

现在的朝廷从上到下穷奢极欲，根本不管老百姓死活，这样的朝廷难道不应该推翻它吗？

寒风怒吼，窗棂呜咽，乌鸦在包头城上空"呱呱"乱叫。街上行人稀少，包头各家商号关门闭户，昔日繁华的九江口，一片萧条。

樊恩庆下令，把郭洪霖的人头示众三日，警示百姓。

三天过后，乡勇撤去，只有郭洪霖的人头悬在高杆之上，他的眼睛瞪着，嘴张着。郭洪霖的身躯躺在地上，鲜血早已流干。一条大黄狗坐在旁边，几条野狗跑来，大黄狗一跃而起，向野狗发出怒吼，几条野狗被大黄狗暴怒的样子吓跑了。大黄狗也不追，又回身坐在郭洪霖遗体前。

林永昌和林玉凤来了，两人身后跟着老者，老者的身后还有一大群人，这群人抬着一口棺材。大黄狗站了起来，它向林永昌和林玉凤摇了摇尾巴。林永昌认出这是郭家的狗，他用手摸了摸这条忠诚的义犬。大黄狗嘴里发出"嗷嗷"之声，眼角两行液体流出。

林玉凤扑到郭洪霖遗体上放声痛哭。她既哭未婚夫郭洪霖，也是哭自己。她从小到大都无忧无虑，十八岁时，与巴文栋相识，巴文栋广博的学识打动了她，两个人在包头召佛前私订终身。但仅仅几天，她就知道了自己的身世，知道了巴家是她不共戴天的仇人。林玉凤毅然放弃自己的诺言，果断与巴文栋分手。当媒婆来到林家时，林玉凤当即答应嫁给郭洪霖。

其实，不管嫁给谁，林玉凤只有一个目的，就是尽快把巴文栋忘掉。她努力去爱郭洪霖，郭洪霖也很喜欢她，两个人渐渐有了感情，他们确定腊月二十六就办亲事。眼看再有一个多月就到了他们成亲的日子，可是，未婚夫郭洪霖却遭此横祸。

老者从高杆之上把郭洪霖的人头放下来。郭洪霖的头颅和躯干冻得很硬，林玉凤用一双纤纤玉手，把郭洪霖的脖子暖化，然后一针一线细细地把郭洪霖的头颅和躯干缝在一起。

当林玉凤缝完最后一针时，她的泪水在脸上已经结成了冰珠。林永昌搀起玉凤，玉凤泣不成声。

老者招呼众人把郭洪霖的遗体放入棺材之中，人们抬着棺材，缓缓地向东走去。

纸钱飞舞，雪花漫天，唢呐哀鸣，大黄狗向苍天发出一声声吠叫。林永昌和林玉凤把郭洪霖安葬在东门外玉皇庙后的山坡上。

林永昌已经数日没有到包镇公行了。这天，林家来了一个人，此人四十多岁，身材不高，上身长，下身短，圆脸，薄嘴皮，眼睛不大，却深不见底。他身着一件黑布长衫，脚上是圆口布鞋。

林永昌惊道："占魁兄！"

这个人叫伊占魁，几年前，英国洋行在包头高价收购皮毛，伊占魁从武川向包头贩运皮毛，沿途遭遇土匪，伊占魁打跑了土匪，他也受了伤，但皮毛没有损失。本指望到包头能卖个高价，可是，实在不巧，英国洋行从那天开始赊账。伊占魁随身带的钱都花光了，枪伤没有痊愈，又没钱回武川。伊占魁到包镇公行来找林永昌，林永昌把他的皮毛收了下来，虽然没有英国人给的价格高，但却付了现款。伊占魁用这笔钱治好了伤，又把剩下的钱带了回去。

事有因果，因果循环。

几个月前，林永昌到天津搭救包镇公行的总领。英国租界地法庭虽然接了这个案子，却迟迟不开庭。林永昌到处疏通关系，也没有结果。有一天，林永昌竟在天津租借地遇到了伊占魁，伊占魁把他拉进一家酒馆。伊占魁提到几年前林永昌收购他那批皮毛的事，言语之中，对林永昌感激不尽。伊占魁问林永昌为什么来天津？林永昌就把英国洋行拖欠货款不还，又抓了包镇公行总领的事说给了伊占魁。伊占魁说，他可以试试。几天后，租界地的法庭开庭了。林永昌救回了包镇公行的总领，还要回了大部分欠款，他对伊占魁十分感激。

"占魁兄，来来来，快坐，快坐。"林永昌把伊占魁让进客厅。

伊占魁神色凝重："永昌兄，有件事我要告诉你。"

林永昌道："什么事一会儿再说，我叫玉凤炒几个菜，咱们兄弟俩喝几盅。"

伊占魁皱了皱眉："喝酒不急，这件事非常重要，樊恩庆要没收郭洪霖的煤矿了！"

包头镇东北五十里外有个地方叫石拐，今天的石拐已经成了包头市的一个区。清朝晚期，石拐发现了煤矿。煤炭是新兴的产业，包头一些商家和富户纷纷投资采煤。林永昌在经营皮毛的同时，也介入其中，林家的煤矿由林永昌的儿子林信经营。郭洪霖的父亲郭向荣在包头为官多年，在回老家安徽之前，给郭洪霖买了个煤矿。樊恩庆在这场鸿门宴中，虽然杀了不少革命军和同盟会骨干，但他手下的乡勇也死了三百多人，樊恩庆想拍卖郭家的煤矿，以抚恤死亡乡勇的家属。

郭洪霖在与林玉凤定亲之前，曾娶过一房夫人，但这房夫人没有生育就去世了。郭洪霖牺牲后，林永昌派人去安徽送信。清朝之前，只要定了亲，女方就是男方家的人，即便女方没过门男人就死了，女方也不得另嫁他人，甚至要终生守寡。没过门就守寡，称望门寡。

现在林玉凤就成了望门寡，在郭家人没有来包头之前，她是郭家财产唯一的继承人。樊恩庆杀了郭洪霖，又要拍卖郭家财产，林永昌义愤填膺。可是，樊恩庆主政包头，有兵有枪，林永昌虽是包镇公行的文牍，但毕竟只是一介商人，胳膊拧不过大腿。

林永昌问："占魁兄，你有什么好办法？"

伊占魁道："大清朝马上就要完了，现在谁有枪谁就是爷，没枪只能任人宰割。"

林永昌眼中闪出复仇的烈焰:"占魁兄能弄到枪吗?"

伊占魁想了想:"我可以试试。"

伊占魁办事从不把话说满,上次天津租界地法庭不开庭,伊占魁帮助林永昌时就是这样。

林永昌激动起来:"占魁兄能不能给我搞一支……不,十支……不不不,一百支怎么样?"

伊占魁沉思一下:"朝廷对枪支控制得非常严,如果要是三十支五十支,还可以想想办法。一百支,恐怕不行。"

林永昌说:"占魁兄,那就五十支,你给我弄五十支。"

伊占魁说:"现在枪可是很贵的。"

林永昌一咬牙:"我给占魁兄一万两银子,占魁兄给我五十支枪,怎么样?"

伊占魁道:"我可以试试。"

林永昌望着樊恩庆官宅的方向骂道:"樊屠夫,我就是倾家荡产也要砸烂你的狗头!"

自从英国洋行撤到天津,包头的皮毛业就进入了萧条期,尤其是这段时间,革命军起义,土匪也趁机作乱,一些商号的皮毛堆积如山,无法出手。幸亏林永昌还有煤矿,包头虽然背倚大青山,但是大青山木柴很少,包头城做饭取暖都以煤为主。现在是隆冬时节,煤的销售进入了旺季,林家的收入还算不错。林永昌把家中积蓄的一万两银子都交给了伊占魁。

巴文栋得知郭洪霖牺牲的消息已经是十天之后了。当天晚上,巴文雅破窗而入,救出哥哥文栋等几名同盟会革命党骨干。乡勇发现有人从窗户跳出,立刻追击。巴文雅隐蔽在包头召前门的拐角处,她打死了三个乡勇,剩下那几个人干咋呼,不敢上前,云恒等人趁机逃走。

此时,巴文雅身边只剩了哥哥文栋,她想杀回包镇公行宴会厅救其他人出来。巴文雅俯身往前没走几步,包头召大门出来一男一女两个人,女人"嘭"地抱住了巴文雅的后腰。

巴文雅双臂一挣,那个女人就摔倒了,一旁的男人要搀女人,巴文雅一回身，枪口顶在男人头上。

巴文栋抓住文雅的枪："住手！这是乌恩其伯伯。"

巴文雅也发现了乌恩其，她怔住了。

管家乌恩其扶起地上的女人，急道："小姐，你把夫人摔倒了！"

文栋和文雅借着雪光一看，倒在地上的果然是母亲。兄妹二人一左一右扶起云氏夫人。

"额吉，你怎么来了？"文栋惊道。

"额吉，你没事吧？我不知道是你。"文雅又悔又恨。

文栋和文雅一边说，一边给云氏夫人拍打身上的雪。

云氏夫人泪眼婆娑："你们两个冤家气死我了，还不跟我走！"

文雅没说话，文栋道："额吉，你老人家别生气，我就是要把妹妹领回家的。"

文雅拆茅房天窗逃走，文栋以找妹妹为由和郭洪霖去了包镇公行。云氏夫人在家里一个劲儿地捻着佛珠，嘴里不停地念着："神佛保佑，宗喀巴大师保佑，列祖列宗保佑……"

突然，马号巷包镇公行方向枪声响起。云氏夫人再也坐不住了，她穿上鞋，非要去找文栋和文雅不可，无论奥云和乌恩其怎么劝，云氏夫人都听不进去。没办法，奥云留下看家，管家乌恩其陪云氏夫人出来了。

包镇公行枪声很紧，乌恩其不敢把云氏夫人往那边领，一主一仆踏着雪，敲开了包头召的门，巴喜喇嘛和云氏夫人、乌恩其三个人躲门里往街上看。巴喜喇嘛见云氏夫人浑身颤抖，穿的衣服比较单薄，他想给云氏夫人取件袍子，于是，返回禅房。

街上枪声不断，几个人在前面跑，有两个人躲在包头召门前，其中一个人不停地向后面追来的人开枪。云氏夫人认出了自己的女儿和儿子，见女儿文雅猫腰向西返，她推开包头召大门，张开双臂，搂住了文雅。事出突然，文雅把母亲摔倒。

云氏夫人一手一个，把女儿文雅和儿子文栋拽进门内。

巴喜喇嘛拿来棉袍披在云氏夫人身上，他插上门闩，几人进了禅房。

这一夜，谁也没睡，好不容易熬到天亮，可是，四周雾气蒙蒙，茫茫一片。街上枪声一会儿缓，一会儿急。

清晨，云氏夫人带着文雅、文栋来到包头召正殿，在宗喀巴佛像前，云氏夫人点上三炷香，然后跪倒，文栋和文雅分别跪在母亲左右。云氏夫人叨叨念念，除了感谢就是感恩。

中午，枪声听不见了，街上平静下来，云氏夫人这才把文雅、文栋带回家。

这回云氏夫人不但收走了文栋、文雅兄妹的鞋，还把他们的外衣也收走了，兄妹二人只穿睡衣睡裤。云氏夫人让管家乌恩其把上房烧得暖暖的，又让奥云给巴文栋拿几本书，给巴文雅拿个绣花的箳箩，说什么也不让两个人出门。

十天之后，巴祯回来了。

这次鸿门宴樊恩庆损失很大，他向绥远将军堃岫要人要枪，以加强包头守备。然而，大清的天下到处暴动，到处都有革命党，堃岫手下的人枪也很紧张。为了鼓励樊恩庆，堃岫命归化城副都统派一支队伍到包头协助樊恩庆。在樊恩庆上报的同盟会名单中，巴文栋的名字赫然在上，归化城副都统想到了巴祯，如果巴祯能把巴文栋拉到朝廷一边，那对瓦解同盟会革命党将起到重要作用。

巴祯带着七八十人进驻包头，他把军兵安顿之后，回到自己家门前。巴祯敲了半天门，管家乌恩其才出来。巴祯来到上房，上房的门反锁着，巴祯又敲了半天，云氏夫人才带着使女开门。

一见丈夫，云氏夫人放声大哭："老爷，你可回来了，这两个冤家，都要把我吓死了……"

文栋放下书，讪讪地说："阿爸，你回来了。"

巴祯沉着脸，"嗯"了一声。

文雅扔下绣花针，搂过巴祯的脖子："阿爸，我都想死你了。"

樊恩庆上报的名单中没有巴文雅。当天夜里，文雅闯进宴会厅前首先打灭了屋里的灯，到现在樊恩庆也不知道踹开窗户的人是巴文雅。

巴祯拍了拍文雅的后背："告诉阿爸，为什么惹额吉生气？"

文雅撒着娇："阿爸，女儿这么乖，怎么可能惹额吉生气呢？额吉，你说是不是？"

云氏夫人嗔道："少跟我要贫嘴！你们两个冤家就差把天捅个窟窿了，还说我不生气？"

云氏夫人把以往的经过详细地说了一遍，巴祯大惊，文栋在太原就坐过大牢，现在又在包头闹事，幸亏樊恩庆只杀乱党会头子郭四少，余者不予追究，否则，文栋必然性命难保！还有文雅，她竟然向乡勇开枪，这不是造反嘛！巴祯知道这两个孩子不安分，可没想到他们如此忤逆！

巴祯心中惊恐，但他还是安慰云氏夫人："现在好了，郭四少已被正法，我奉命回来协助樊恩庆镇守包头。"

巴文栋听说郭洪霖死了，脑袋"嗡"的一声，虽然屋里很热，但还是感到全身发冷。

儿子女儿都已经长大成人，不可能总把他们关在房中不出去。怎么才能让文栋和文雅再也不跟乱党往来呢？

巴祯带着巴文栋、巴文雅到家庙包头召。巴喜喇嘛和管家乌恩其在宗喀巴佛像前换上新的供品。

巴祯点上三炷香，然后跪下，文栋和文雅随父亲跪倒，巴祯对文栋和文雅说："你们兄妹两人向宗喀巴大师发个誓。"

文栋和文雅都转过头看着阿爸："发什么誓？"

巴祯道："就说你们从今天开始，洗心革面，忠于皇上，忠于朝廷，永不与朝廷作对。"

"为什么？"两个人极不情愿。

巴祯尽可能口气和缓："巴氏家族忠厚继世，包容传家。忠就是忠于朝廷，厚就是对朋友宽厚，包就是要有广阔的胸怀，容就是容别人所不能容。大清国是有一些问题，可是大清国太大了，治理这么大的国家怎么可能没有问题？如果国家一出问题，我们就背叛这个国家，那国家能不大乱吗？看看我们吃的、穿的、住的，哪个不是朝廷给的？没有朝廷哪有我们的今天？听阿爸的话，无论朝廷怎么腐败，我们都是皇帝的子民，都不能背叛朝廷。"

文雅站了起来："阿爸，自从庚子赔款以来，朝廷对洋人卑躬屈膝，视老百姓如草芥，恨不能榨出骨髓。土地加税，盐加税，煤加税，土产加税，卖羊毛加税，买羊毛加税，就差吃饭睡觉不加税了。这样的国家让我们怎么忠于它？"

巴桢循循诱导："国家也不想打败仗，可是国家有难，老百姓就应该与朝廷同甘共苦。"

巴文雅说："同甘？共苦？朝廷何时与我们同甘了？何时与我们共苦了？明治天皇发誓要打败大清国。明治天皇每天只吃一顿饭，他把从牙缝里抠出的钱全部用于建设海军。天皇以身作则，日本国内人人捐款。几年后，日本海军强大了，双方交手，北洋舰队全军覆没。人家明治天皇那才叫与老百姓同甘共苦。如果朝廷像明治天皇那样，谁还能反朝廷？可现在的朝廷从上到下穷奢极欲，根本不管老百姓死活，这样的朝廷难道不应该推翻它吗？"

第十三章

历代帝王都把他们的朝廷和祖国混为一谈，他们的朝廷亡了，就说祖国亡了。这是统治者的障眼法，是诱骗老百姓愚忠的手段。有永远的祖国，没有永远的朝廷。

两次鸦片战争，洋人都是从海面攻上陆地，因此，清政府对海洋有切肤之痛。于是，不惜重金，建立了一支强大的海军，这就是北洋舰队。北洋舰队在水师提督丁汝昌、总教习英国人琅威理率领下，于1886年访问日本长崎。访日期间，清兵与日本警察发生冲突，各有死伤。

事件发生后，北洋水师定远、镇远、济远、威远四舰将炮口对准了长崎市区，总教习琅威理主张对日开战。当时日本海军刚刚起步，无法与清朝海军抗衡。但丁汝昌没有同意琅威理的意见，他将此事上报朝廷。李鸿章约见日本驻天津领事波多野说："我兵船泊于贵国，舰体、枪炮坚不可摧，随时可以投入战斗。"定远、镇远排水量7000吨，在当时的亚洲各国中无一可比。

在清朝的重压之下，1887年2月，中日双方签订协议，就各自的死伤者互给抚恤，日本赔偿清朝52500日元，清朝赔偿日本15500日元，长崎医院的医疗救护费2700日元由日方支付。

日本民众对此极为愤慨，日本政府也觉得很屈辱。然而，日本政府化屈辱为动力，大力发展海军，"一定要打败定远、镇远"成为日本海军的目标和口号。

当时的日本很穷，财力严重不足。明治天皇率先垂范，他从自己的私房钱中拿出 30 万日元作为海防费，他的行为收到了极佳效果，仅一个月，日本各地捐款就达到一百多万日元。

1891 年 6 月 26 日，丁汝昌率定远、镇远、致远、靖远、经远、来远 6 舰编队再次访问日本。日本方面想窥视清朝水师的实力，表面上非常热情，甚至天皇还接见了丁汝昌和北洋各舰的管带。丁汝昌为震慑日本，邀请日本官员到舰上参观，重点给日本官员看了 4 门直径 1 尺、长 25 尺的巨炮。

目睹清军的巨炮，日本政府深受刺激，花了那么多钱，居然跟北洋舰队还有如此差距。据说，明治天皇痛心疾首，他把自己餐桌上的四碟八碗全部撤掉，笙管笛箫全部停止，明治天皇由每日三餐减为一餐，甚至连肉也不吃，从牙缝里一分一文地往外抠钱。日本军兵得知天皇每天只吃一顿饭，涕泪横流，哀号痛哭，化悲愤为力量，从士兵到高级将领，无不苦练军事技能。然而，这件事传到清廷，却被大清的高官当成笑柄，挖苦嘲讽日本。

北洋舰队的军官注意到了日本海军的快速发展，他们感到了压力。丁汝昌发现北洋舰队一些舰艇老化，机器运转不良，请求朝廷增加拨款，购置新的战舰。可是，得到的答复是两年内禁止采购军事装备，原因是朝廷要给慈禧太后办六十大寿。

此消彼长，清朝水师一天天弱化，日本海军一天天增强。中日海军在东海一场恶战，北洋舰队全军覆没，连一颗螺丝钉都没剩下。战后，中日双方签订了《马关条约》，清朝割让辽东半岛、台湾及其附属岛屿给日本，赔偿日本白银 2 亿两。当时日本人口大约 4000 万，清朝这笔赔款，相当于给每个日本人发 5 两银子。而同期清朝年人均收入仅 2 钱银子！如果每户按 5 人口计算，一家人 5 年的收入不吃不喝都赔给了日本。

这是甲午战争清朝失败的深层次原因，清政府一直讳莫如深，普通民众知之者甚少。

文雅这番话巴祯闻所未闻，他头上如同响了个炸雷，惊呆了，半晌才问："你听谁说的？"

文栋缓缓而起："阿爸，是我说的。"

巴祯的目光转向文栋："你从哪里知道的？"

文栋郑重地说："从国外留学回来的人都这么说。"

巴祯不敢相信，也不肯相信，他"噌"地站了起来："不可能，不可能！这是道听途说！是别有用心者的煽动！是造谣！是抹黑！是诽谤！是诬陷！是攻击！"巴祯声音都变了，"忠良千载流芳，逆臣万古骂名。我们巴家代代忠于朝廷，难道到了你们这代就要遗臭万年吗？"

相对于巴祯的激动，文栋却很镇定："阿爸，陈胜、吴广遗臭万年了吗？瓦岗寨的程咬金、秦琼遗臭万年了吗？水泊梁山的宋江、卢俊义遗臭万年了吗？"

巴祯吼了起来："忠厚济世，包容传家，这是家法，不能违背！"

文栋细声慢语："阿爸，高祖母从小教我背《孟子》，《孟子》中有这样一段话：君之视臣如手足，则臣视君如腹心；君之视臣如犬马，则臣视君如国人；君之视臣如土芥，则臣视君如寇仇。朝廷早就把我们当成土芥了，难道我们还不把朝廷当成寇仇吗？"

巴文栋的高祖母叫打力扣，打力扣夫人虽是一介女流，但熟读经史。打力扣夫人年轻时丈夫就去世了，她和丈夫生了两个儿子，却只活了一个，名叫卜扣。卜扣娶表姐报德稍。卜扣、报德稍夫妇到了三十岁也没有生育，夫妻两人从同族中过继一个儿子，这就是海宝。海宝生了巴福、巴祯、巴祥、巴喜四个儿子，后来又收养了五子巴丰。这五个曾孙都跟曾祖母打力扣老人读过书。巴福、巴祯、巴祥娶妻生子，兄弟三人给打力扣老人生了五个玄孙，巴文栋是老大。打力扣老人教罢曾孙，又教玄孙。在五个玄孙之中，巴文栋学习最认真。文栋爱学，打力扣老人也爱教。后来，老人谢世，巴文栋才上了私塾。

打力扣老人生前，巴家五世同堂，其乐融融，和和美美，在包头城一度传为佳话。包镇公行出于对巴家的敬仰，专门送上一块"五世同堂"匾。这块匾一直挂在巴家老宅。日本侵占包头后，"五世同堂"匾被砸毁。

此是后话。

文栋想以高祖母打力扣老人来压父亲，巴祯的声音果然低了下来，他有点语无伦次："孟子，孟子……你高祖母怎么教你这个，怎么教这个……"

文栋继续说："阿爸，不说别的，朝廷低价征收我们的牧场，高价卖出，我们的牧场一片片被朝廷卖掉，这是你老人家亲眼目睹的吧？阿爸，还记得哲里木盟郭尔罗斯前旗的陶克陶、绰克达赉的抗垦起义吗？还记得伊克昭盟准格尔旗台吉丹丕尔的抗垦起义吗？如果没有这两次起义，我们的牧场早就被朝廷放垦完了。"

巴祯虽然觉得儿子说得在理，可心中仍难以接受："可是，自古道：没有国，哪有家呀？"

文栋道："阿爸，唐朝时，我们蒙古人就在草原上放牧，从唐到清，一千四百年来，国家一个个灭亡，又一个个兴起，可我们的家不是还在草原吗？怎么能说没有国就没有家呢？"

巴祯摇了摇头："不管怎么说，国家不能乱，国家乱了，倒霉的是我们这些老百姓。"

文栋道："阿爸，成汤伐桀，国家是经历了大乱，可商朝建立，老百姓丰衣足食；武王伐纣，国家也经历了大乱，可周朝建立，老百姓安居乐业；汉高祖起兵除暴秦，国家也经历了大乱，可大汉建立，老百姓休养生息。在朝代更替之时，乱不可避免，这不是人为所能左右的。历史证明，没有大乱就没有大治。今天，孙中山先生领导的同盟会就是要革旧鼎新，推翻专制王朝，建立民国，让老百姓过上好日子。"

巴祯辩不过儿子，火气又上来了："我让你念书是让你报效祖国，没让你跟朝廷作对！"

文栋口若悬河："阿爸，祖国和朝廷不能混为一谈。唐朝是我们的祖国，唐朝灭了，这片土地就不是我们的祖国了吗？元朝是我们的祖国，元朝灭了，这片土地就不是我们的祖国了吗？同样，如果清朝不存在了，难道我们脚下的土地就能变成异国他乡吗？不会，绝对不会！这片土地仍然是我们的祖国。历代帝王都把他们的朝廷和祖国混为一谈，他们的朝廷亡了，就说祖国亡了。这是统治者的障眼法，是诱骗老百姓愚忠的手段。有永远的祖国，没有永远的朝廷。"

"好！说得好！'有永远的祖国，没有永远的朝廷'，醍醐灌顶，醍醐灌顶啊！"大殿走进一个人，此人头戴红色官帽，帽顶镶着青宝石顶珠，身着海蓝色官服，下衬江牙海水，脚上穿着一双高筒马靴，胸前是猛虎补子。一眼就看出此人是四品武官。

巴祯一愣："大哥！"

来人是巴祯的族兄巴长春。

成吉思汗的后代有四个姓氏：孛儿只斤、博尔济吉特、奇渥温和巴拉格特。成吉思汗十五世孙只有达延汗一人，达延汗生了十一个儿子，从此，成吉思汗的后代又兴旺起来。达延汗的三子叫巴尔斯博罗特，巴氏家族就是巴尔斯博罗特后代中的一支。

蒙古文化与汉族文化融合之后，许多蒙古家族简化为单姓，孛儿只斤氏和博尔济吉特氏姓包或白，奇渥温氏姓奇，巴拉格特氏姓巴。巴长春、巴祯都是巴拉格特氏，两家也都是巴氏家族十五户的分支。巴长春是土默特第六甲沙尔沁章盖衙门的世袭章盖，沙尔沁章盖衙门设在包头东三十里的沙尔沁。沙尔沁、包头一带的蒙古事务都由巴长春负责。

巴长春鼓起掌来："不愧是土默川的才子，有学问！好口才！"

巴祯愣住了。

巴文栋脸红了。

巴文雅笑了。

巴长春对巴祯说："二弟，巴氏家族忠厚继世，包容传家，这不错。可是，忠于祖国是大忠，忠于朝廷是小忠；容忍别人的过失是德操，容忍朝廷的暴虐就是自我毁灭！"

巴长春对清朝的不满由来已久。巴氏家族的祖先游牧于土默特领地时，土默特是北元蒙古帝国实力最强的部落联盟，号称十二部土默特。说是十二个部落，其实，有二十多个部落，北元蒙古帝国当时总共有四十四个部落。土默特部鼎盛时期，控制着东到山海关，西达青海湖，南抵榆林，北接外蒙古，其势力曾一度达到新疆和西藏。

阿拉坦汗是土默特部的第一位可汗，阿拉坦汗在《明史》中译为俺答汗，他是成吉思汗的十七世孙。阿拉坦汗四传后，努尔哈赤建立后金，后改为清。有清以来，清朝对土默特部防之又防，担心土默特部东山再起。

在北元蒙古帝国中，最先投降清朝的是科尔沁四部，清廷在科尔沁四部中各设一个世袭王爷。后来，凡是主动投降的蒙古各部都依此例。1636年，清廷认为归化城土默特部不是"带地投诚"，因此不设世袭王爷，而是设世袭都统。然而，仅世袭三任，就降为世袭章盖了。

清代的王爷分四等：亲王、郡王、贝勒、贝子。以王爷中最低一等的贝子为例，世袭王爷主要有以下特殊待遇——

其一是俸禄。清初，正一品文官的年俸是一百八十两银子，正一品武官是六百零九两，而贝子的年俸是一千三百两。

其二是选子入宫。清廷每隔一段时间，就在蒙古王公子弟中选八到十五岁聪明俊秀、有培养前途的男孩，招他们和皇子一起习文练武，对他们进行特殊培养，以备其长大之后委以重任。晚清著名蒙古族将领僧格林沁就是这样培养出来的。

其三是"备指额驸"。清廷选十五岁以上、二十岁以下才貌双全的未婚蒙古族男子作为驸马的候选人。据史料记载，清朝先后有三十二位公主嫁到蒙古各部，其中包括康熙帝的两个亲生女儿。当然，嫁到清廷的蒙古贵族少女也很多，尤其是科尔沁，科尔沁四部与清廷的姻亲关系尤为紧密，顺治皇帝的生母、康熙皇帝的祖母孝庄太后就是科尔沁人。

土默特两旗因为不封王，这些好事都与他们无关。可见，土默特部蒙古在蒙古诸部中的地位。

即便这样，土默特部对朝廷也没有二心。但是，在赴山东平定捻军起义时，令土默特人伤透了心。巴长春的祖父沙津率九百土默特右旗蒙古军把捻军主力吸引在一座山上，试图聚而歼之。可是，清朝的巡抚、知府见死不救，除了沙津的九弟巴鲁一人侥幸生还，其他人全部战死，土默特右旗几乎成了寡妇旗。

近年来，朝廷放垦草原，巴长春家的牧场大部被征收。放垦中，朝廷官员贪赃枉法，中饱私囊，巴长春敢怒不敢言，这使他更加痛恨这个朝廷。

巴长春觉得这个朝廷无药可救，灭亡是早晚的事。

巴祯一回到包头，巴长春就知道了。巴长春带着几个随从来到家庙包头召，一方面拜佛祭祖，另一方面就是想开导巴祯。巴长春刚到包头召大殿，就听到巴祯、巴文栋父子争辩。巴文栋的话句句打动巴长春，巴长春越听越佩服，当听到巴文栋说"有永远的祖国，没有永远的朝廷"时，巴长春激动得不能自制，他迈步走进大殿。

巴长春动情地对巴祯说："恕大哥直言，该教训的人不是焕章，而是你呀！"

在打捻军时，巴祯的父亲海宝尚在童年，海宝这支巴家没有人阵亡，因此，巴祯没有切肤之痛。

巴祯正想辩驳，突然，"啪啪"，庙外传来枪声。巴祯环顾左右，发现文雅不见了。巴祯问文栋："文雅呢？"

枪声是从清真寺巷传来的。文雅出了庙门，跑到召拐街和清真寺巷交叉口，见一个人由北向南跑来，几个乡勇一边追，一边开枪。

跑在前面的人有二十六七岁，头戴一顶羊皮帽子，身着一件黑色羊皮袄，腰间系着宽布带子，好像马贩子一样。那人跑出十字路口，左右张望，正不知往马号巷跑，还是往召拐街跑，文雅一把拉过男人的皮袄，那个男人刚要反抗，文栋出现了。

文栋定睛一看，这"马贩子"不是王定新嘛！

文栋惊道："柄章！"

王定新，字柄章，是山西同盟会的领导人之一，巴文栋从小就在王定新家读私塾。在山西优级师范学堂时，王定新比巴文栋高一届，巴文栋参加同盟会革命党，王定新是介绍人之一。

王定新很激动："焕章！"

这时，几个乡勇从清真寺巷北面跑来，文雅一推王定新："快，进庙。"

三个人进了包头召，巴文栋随手关上庙门，插上门闩。

"梆梆梆"，庙外传来急促的敲门声，文栋向文雅打了个手势，文雅点了点头，文栋带着王定新奔向后院。

文雅下意识地往腰里摸了一下，身上没带枪。

"开门！开门！"敲门声更急了。

文雅想寻找应手的家伙，可庙门两侧什么也没有。

"咣咣咣"，外面不是敲门，而是砸门了。

文雅跑回大殿，从刀枪架上拿起一把大刀，巴祯喝道："文雅，放下！你要干什么？"

文雅道："阿爸，那帮乡勇要往庙里闯。"

巴祯夺过大刀，狠狠地瞪了文雅一眼。

巴长春道："我去看看。"

巴长春在前，巴祯、巴喜喇嘛、巴文雅、乌恩其四人跟在后面，巴长春的几个随从也跟了过来。

"开门！开门！"外门仍在砸门。

巴长春向身后的随从一挥手，有个随从拔开门闩。门一开，乡勇往里就闯。巴文雅怒不可遏，照着最前面的乡勇就是两记耳光。

那乡勇大怒，举枪要向巴文雅开火。

巴祯见文雅有危险，他挡在女儿身前，对乡勇喝道："我是包头镇的协防巴祯，不得放肆！"

与此同时，巴长春的几个随从把枪口对准乡勇，双方一触即发。

第十四章

　　林玉凤神经高度紧张，所有注意力都集中在身后，她的心一个劲儿打鼓，王定新虽然是同盟会革命党，可对他的为人我并不熟悉。如果他挨我怎么办？他搂我怎么办？对我非礼怎么办？……

　　巴长春身着四品官服，巴祯身着六品官服，两个人怒目横眉，乡勇的气焰一下子被压了下去。几个乡勇你看看我，我看看你，各自手中的枪口都奔拉下来。其中有个长着黄眼珠的人，他反应挺快。

　　黄眼珠向巴长春打了个千儿："大人，刚才有个同盟会乱党打死了我们的队长，他跑到这儿就不见了，我们担心乱党狗急跳墙，危及大人安全。"

　　巴长春用大拇指往后指了指自己的随从，冷冷地说："难道他们不能保护本官的安全吗？"

　　黄眼珠连声道："能，能。"

　　巴长春问："你们是什么人？"

　　黄眼珠道："回大人，我们是五原厅同知樊大人的属下。"

　　巴长春哼了一声："樊恩庆好像是管汉人的官吧？"

　　黄眼珠道："是，大人。"

巴长春训斥道："蒙汉分治，你们知道吗？"

黄眼珠毕恭毕敬："知道，大人。"

巴长春提高声音："这是蒙古巴氏家族的家庙，你们知道吗？"

黄眼珠点头哈腰："知道，大人……"

巴长春的声音更高了："难道你们要插手蒙古事务不成？"

黄眼珠"扑通"就跪下了："大人，小人知罪，小人知罪。"

巴文雅上前就是一脚："知罪还不快滚！"

黄眼珠被踹倒在地，他爬了起来："是是是……"

黄眼珠带着乡勇跑了。

马号事件，包头革命遭到重创，云恒等一些同盟会革命党纷纷逃往山西阎锡山营中，请求阎锡山发兵攻取包头，为牺牲的同盟会骨干和革命军报仇。

阎锡山出生于山西省五台县河边村（今定襄县河边镇）一个殷实的家庭，后来家道败落。阎锡山 1902 年考上了山西武备学堂，1903 年被清廷送到日本士官学校，1905 年 10 月加入同盟会，曾参与孙中山制定同盟会"南响北应"的战略决策，即南方同盟会起义，北方同盟会积极呼应。阎锡山也一直在执行这个决策。

山西离北京很近，阎锡山起义，朝廷非常惊恐，急调直隶省驻保定新军第六镇统制吴禄贞率部镇压。吴禄贞是清朝第一期留日士官生，是阎锡山日本士官学校的校友，也是阎锡山的学长。在日本学习期间，吴禄贞和阎锡山就是好朋友，两个人都是孙中山赏识的同盟会骨干。

1911 年 11 月 4 日，吴禄贞和阎锡山在娘子关秘密会晤，双方商定组建燕晋联军，吴禄贞被推举为大都督兼燕晋联军总司令，阎锡山任副都督兼副总司令。

武昌起义之后，清廷调集最为精锐的北洋军南下镇压革命。但是，北洋军只听袁世凯的，别人谁也指挥不动，而此时，袁世凯受清廷排挤，被逼下野，在河南项城老家赋闲。武昌的北洋军对清政府施压，请求袁世凯出山，他们今天向朝廷要钱，明天向朝廷要枪；今天高兴了，就向革命军放两枪；明天不高兴，就紧闭营门，坚守不出。清政府无可奈何，一方面向武汉运送军火钱粮安抚他们，另一方面重新起用袁世凯，任命他为内阁总理大臣，重新指挥北洋军。

阎锡山和吴禄贞切断京汉铁路，截获了一批军火，两个人准备挥师进京，给清廷以致命一击，同时，阻止袁世凯进京上任。袁世凯以二万两银子收买了吴禄贞部下的几个军官，11月7日凌晨，吴禄贞正在熟睡之时遭枪击身亡，年仅三十一岁。民国政府成立后，孙中山颁布的第一号抚恤令就是追任吴禄贞为大将军，并亲笔写下"盖世之杰"四个字，缅怀这位青年才俊。不过，这是后话。

吴禄贞遇害，他的部队落入袁世凯之手，燕晋联军进攻北京流产。1911年11月15日，清政府命曹锟的第三镇新军进攻阎锡山。敌众我寡，娘子关失守，阎锡山大败。

马号事件发生后，云恒找到阎锡山，说明包头情况。得知包头只有樊恩庆的一支乡勇时，阎锡山很是激动，他厉兵秣马。可是，部队还没出发，忽然得报包头增兵了。阎锡山不知包头增了多少兵，他派王定新先行进入包头，打探情报。

王定新化装成马贩子，他牵着几匹马进了包头城，可是，牛桥街交易牲畜的市场空无一人。

王定新正在左顾右盼，忽听到西门大街人声鼎沸，吵吵嚷嚷，他牵着马来到西门大街。

"民主啦！共和啦！阎大都督要打到包头啦……"

"革命啦，剪辫子啦，迎接阎大都督啦……"

刘彪和十几个剪了辫子的人在街上叫嚷，他们每个人手里拿着一把大剪刀，看到过往行人有留辫子的，不容分说，上前就剪，不想剪辫子的人四处躲藏。

王定新纳闷，刘彪怎么知道阎锡山要攻打包头？他这样大张旗鼓地乱喊乱叫，又剪人辫子，这不是打草惊蛇吗？可转念一想，这种流言一出，必然会给樊恩庆造成心里恐慌，乡勇一定会人心浮动，我们正好乱中取胜。

王定新正看着，一队乡勇向刘彪那群人冲去。枪声响起，刘彪拔枪还击。乡勇人多势众，刘彪见势不好，撒腿就跑。可是，一颗炸弹落在王定新的马前，几匹马惊了，挣脱缰绳狂奔不止。王定新向马追去，乡勇以为他跟刘彪是一伙的，就把他抓了起来。

乡勇把王定新押到乡勇队长面前，队长先是愣了一下，继而哈哈大笑：“王定新！你可是一条大鱼，来人，把他绑了！”

樊恩庆的公文中有许多山西同盟会革命党人的名字，王定新赫然在上。这个队长早年在王定新家上过私塾，因他不好好读书，而且总是在外面偷东西，王定新父亲把他开除了。

队长认出了王定新，王定新也认出了这个队长。王定新急中生智，他说：“我不是王定新，我是马贩子，我有归绥道开具的贩马证明，不信我拿给你看。”

王定新手往怀里一摸，把枪掏了出来，“啪”的一枪把队长撂倒了，接着又是几枪，乡勇一乱，王定新逃脱了。

王定新慌不择路，跑到包头召，正好遇上了巴文雅、巴文栋。

文栋得知王定新的来意，心花怒放：“柄章兄，你来得太及时了。”

文栋把父亲巴祯回包头协助樊恩庆守城的事说了一遍，王定新一喜：“焕章，要是能把你阿爸拉到咱们这边，里应外合，包头城就唾手可得了！”

巴文栋道：“好，我做做阿爸的工作。”

巴长春喝退乡勇，又与巴祯进行了一番长谈，眼看天色将晚，巴长春方才离去。

当天夜里，一颗炸弹扔进了樊恩庆的官宅，虽然没有伤到人，但樊恩庆家的两条狼狗被送上了天。樊恩庆惶恐不安，一夜未眠。第二天清晨，巴祯来到樊恩庆的官宅，得知此事，巴祯十分震惊。樊恩庆和巴祯召开紧急会议，对樊恩庆的官宅和包头的城防做了严密部署。

包头召小学堂停课多日了，巴文栋把他的办公室收拾干净，让王定新住了下来。听说樊恩庆家两条狼狗被炸死，王定新喜形于色：“我以为遭受马号事件，包头同盟会革命党会一蹶不振，没想到，你们还干出了这么大动静。”

巴文栋叹道："柄章，马号事件后，包头同盟会革命党走的走，逃的逃，牺牲的牺牲，城内就剩我一个人，城外只有云恒，这件事应该和包头同盟会无关。"

王定新一愣："那是谁扔的炸弹？"

巴文栋道："我想，可能是刘彪。"

王定新问："刘彪没有加入包头同盟会吗？"

巴文栋说："润生生前，我们讨论过吸收刘彪加入同盟会的事，因为他任包镇公行武甲头期间巧取豪夺，大家都不同意。"

王定新点点头，看来，这个刘彪还很复杂，目前发展他加入同盟会确实不是时候。可是，当巴文栋说到刘彪张贴革命军进城标语，散布阎锡山进攻包头，以及刘彪曾说的革命军中有他的内线时，王定新惊诧不已。看来，刘彪所言非虚。那么，他的内线是谁呢？谁有这么大能耐给刘彪提供这么重要的机密呢？

王定新百思不解，巴文栋就更想不明白了。

几天之后，巴文栋把包头驻军布防的情况全部摸清了，樊恩庆原有七八百人，马号事件被革命军消灭了三百多人，现在也就是四百多人，加上巴祯带回的七八十个蒙古兵，总共不到五百人。这五百人分别把守包头的五个城门，每个门也就百人左右。

王定新问："焕章，你阿爸守哪个门？"

巴文栋道："阿爸守东门。"

王定新又问："你阿爸愿意跟我们一起反清吗？"

巴文栋的眉头皱了两皱："阿爸的愚忠思想根深蒂固，无法说服。"巴文栋又压低声音说，"不过，阎大都督进攻包头时，我们可以把我阿爸引开……"

巴文栋在王定新耳边说了几句，王定新大喜："好！"

巴文栋在城外给王定新准备好了马匹和行李，王定新换了一套破衣烂衫，扮作要饭的混出城，两个人挥手告别。

王定新出城也就是几里，迎面一辆轿车急驰而来。王定新本来走在路中间，见这辆车跟飞了一般，他急忙往旁边闪。赶车人面露惊恐，这辆车

"嗖"地就过去了。王定新回头看了看，心说，赶车人怎么跟遇到鬼了似的？

忽然，耳边传来哭骂声，王定新转过头一看，见前面是玉皇庙，庙旁有个新坟，坟前一男一女拉拉扯扯，那女子头戴麻冠，身披重孝，边哭边骂。

郭洪霖牺牲后，他的未婚妻林玉凤和岳父林永昌把他安葬在玉皇庙的山坡上。王定新的心一动，难道这个女子就是林玉凤？

王定新纵马而来，见那男人却是刘彪。

刘彪嬉皮笑脸："玉凤姑娘，你就依了我吧，我在外面给你买一处宅子。我会对你好的，我还为你报仇了呢。前几天，我往樊屠夫的官宅里扔了炸弹，差点没炸死他，你知道不……"

刘彪抱住林玉凤，要亲林玉凤的脸，林玉凤在刘彪脸上连抓带挠："卑鄙！下流！"

刘彪一摸脸，看到了血，他勃然大怒："贱妇，你敢挠老子，老子毙了你！"

刘彪拔出枪就要行凶，王定新飞起一脚，刘彪的枪落在地上。王定新暗道，刘彪不但巧取豪夺，还调戏妇女，这个人的品质太差了，看来，包头同盟会不发展他入会是非常正确的。

王定新的枪对准刘彪的心窝，喝道："滚！"

刘彪吓坏了，撒腿就跑。

林玉凤向王定新致谢："多谢先生相救。"

王定新问："这是郭润生的墓吧？"说着捡起了刘彪的枪。

林玉凤眼中含泪："是。"

王定新走到墓前，恭恭敬敬地鞠了三个躬："润生，安息吧！你的血不会白流，我们一定让樊屠夫血债血还！"

王定新和林玉凤简单地交谈几句，他了解到，玉凤是被刚才那辆轿车送来的。玉凤给郭洪霖上坟，刘彪突然出现，刘彪用枪指着赶车人，赶车人撒腿就跑，把林玉凤一个人扔在山坡上。

本来郭洪霖和林玉凤就要结婚了，可马号事件使他们阴阳相隔。如果按照传统观念，林玉凤就成了望门寡。同盟会反对女人裹脚，反对女人为男人守节，王定新对林玉凤十分同情。

王定新想送林玉凤回去，可自己只有一匹马；不送林玉凤，又担心刘彪再来骚扰。王定新一拍自己的脑袋，我这个人怎么回事？同盟会革命党要打破几千年的旧世俗观念，现在清朝马上就要完蛋了，我脑子里居然还存在男女授受不亲的思想。

王定新道："玉凤姑娘，上马吧，我送你回城。"

林玉凤犹豫不决，我上马，王定新怎么办？人家救了我，总不能我骑马，让人家走路吧？可是，我不上马，这么远，我怎么回去？

王定新看出了林玉凤的心思："玉凤姑娘，你的安全要紧。"

林玉凤只得上马，王定新随后也跳上坐骑。林玉凤在前，王定新在后，林玉凤骑在马鞍上，尽可能往前。林玉凤神经高度紧张，所有注意力都集中在身后，她的心一个劲儿打鼓，王定新虽然是同盟会革命党，可对他的为人我并不熟悉。如果他挨我怎么办？他搂我怎么办？对我非礼怎么办？……

然而，林玉凤的想法是多余的，王定新骑在马的后胯上，始终跟林玉凤保持一拳的距离。

两个人肌肉绷得很紧，骑马的姿势很僵硬，生怕接触到对方的身体，引起对方的误会。在离东门不到一里路的时候，王定新担心乡勇认出自己，他从马上跳了下来："玉凤姑娘，我只能送到这儿了。"

林玉凤下了马，对王定新再三致谢。

见林玉凤走进城门，王定新拨转马头，奔山西而去。

这天傍晚，云恒出现在包头东门，他骑马跑到蒙古兵营面见巴祯。巴祯一直关心文雅和云恒的婚事，两个孩子都成亲半年多了，到现在也没有圆房。巴祯刚要提这件事，云恒就慌慌张张地说，一股土匪正在进攻沙尔沁章盖衙门，他奉章盖大人巴长春之命，请巴祯火速增援。

巴祯问："忽拉盖进攻沙尔沁章盖衙门，你是怎么知道的？"

云恒道："回岳父大人，我现在是沙尔沁章盖衙门的笔帖式，在巴长春大人手下当差，是大人派来的。"

笔帖式是清朝时期负责处理公文的下级官员。

巴长春是巴祯的族兄，土匪攻打他的章盖衙门，巴祯哪有不去救援的道理？巴祯飞马来到樊恩庆的官宅，向樊恩庆说明情况。樊恩庆也担心土匪攻下沙尔沁，威胁包头城，他派自己手下一支卫队暂时把守东门，叮嘱巴祯速战速决，早去早回。

云恒带路，巴祯率领自己的蒙古兵向沙尔沁急驰而去。

天已经很黑了，沙尔沁东西南北，到处都是枪声。

巴祯和云恒直奔沙尔沁章盖衙门，然而，章盖衙门前只有两个军兵站岗，似乎没有战斗中的紧张。云恒把巴祯请进衙门，见屋里有个火炉，火炉上有个铜锅，铜锅里熬着奶茶，巴长春坐在炉边悠闲地喝着奶茶。

巴祯以手抚胸："大哥，有多少忽拉盖？我怎么听着到处都是枪声？"

巴长春微微一笑："先别管忽拉盖，来，我们兄弟喝奶茶。云恒，给你岳父盛上。"

云恒答应一声，给巴长春和巴祯盛奶茶。

巴祯狐疑，我是来帮你打忽拉盖的，怎么让我先别管？巴祯道："大哥，我先把忽拉盖赶走，回来再喝奶茶不迟。"

巴长春向巴祯摆了摆手："二弟呀，坐下，坐下。"

巴祯犹犹豫豫地坐下了，可他还是觉得不踏实："那忽拉盖……"

巴长春一笑："二弟，实话实说，我这儿一个忽拉盖也没有。"

巴祯大惑不解，没有忽拉盖，你派云恒叫来我增援？巴祯不禁把目光转向云恒。云恒默不作声，他低头搅动铜锅里的奶茶。

巴祯听了听，外面的枪声仍然很急，巴祯问："大哥，没有忽拉盖这枪声是怎么回事？"

巴长春淡然道："这是爆竹。"

巴祯一下子站了起来："放爆竹？放爆竹让我来干什么？"

第十五章

两个人心照不宣，巴祯把课本翻了又翻，用只有他们夫妻俩能听到的声音说："按照书上说，文雅和云恒不算近亲……"

原来这是巴文栋和王定新定的妙计。阎锡山要攻打包头，但因为巴文栋的关系，不能与巴祯的蒙古兵发生冲突。于是，巴文栋到沙尔沁，他首先说服了巴长春，巴长春派云恒把巴祯诓到沙尔沁，给樊恩庆一个釜底抽薪。

巴祯急了："大哥，你吃着朝廷的俸禄，怎么能这么干？"

巴长春平静地说："二弟，上次家庙里焕章的话你难道没往心里去吗？如果你真想为这个腐败的朝廷殉葬，那好，请你把我绑起来献给堃岫。"说着，巴长春双手并拢，举到巴祯面前。

巴祯左右为难，不知所措。

巴长春道："二弟，大哥这是在救你，也是救你手下那七八十个蒙古弟兄。你想想，阎锡山毕业于日本士官学校，他的手下都是新军，武器精良，战斗力强。你跟他打，怎么可能取胜呢？"

事已至此，巴祯无话可说。

1912 年 1 月 12 日夜，包头天寒地冻，万籁无声。东城门外突然传来狗叫，不一会儿，十几个身着蒙古袍的军兵抬着担架来到城下。

这些人一起向城上喊："开城！开城！快开城！骁骑校巴大人伤势严重，快开城！"

城上的乡勇道："你们等着，我们去禀报樊大人。"

下面的蒙古兵催促："东门是由我们防守，因为出城打忽拉盖让你们临时替代一下。现在巴大人身受重伤，需要马上治疗，等你们禀报樊大人，黄花菜都凉了。开城！赶紧开城！"

守城的乡勇一想，可也是，东门本来就不是我们负责，我们是被樊恩庆抓差来的。这死冷寒天的，谁愿意在城上受冻？现在他们回来，赶紧放他们进来，我们也好交班回家睡大觉。

城门一开，蒙古兵涌入，他们把担架一扔，举枪就向乡勇射击，乡勇顿时乱作一团。

有个乡勇骂道："你们混蛋！怎么向自己人开枪？"

蒙古兵把蒙古袍一脱："谁是自己人？我们是阎大都督部下的革命军！"

就在这时，城外杀声大作，无数人马潮水般冲向城门。乡勇大骇，调头就跑，阎锡山率部进城。

一支小分队包围了樊恩庆的官宅，他们架起机枪，向官宅喊话，让樊恩庆出来投降。可喊了半天，院里只出来几个仆人。革命军进去一问，几个仆人说，樊恩庆得知东门失守，他带着家眷和身边的卫队连夜逃向归绥了。

第二天，巴文栋来到沙尔沁章盖衙门，他从怀里掏出阎锡山的两封信，一封是写给巴长春的，信中对巴长春支持革命表示高度赞扬和感谢，并动员他加入革命队伍。另一封是给巴祯的，阎锡山说，中华民国已经成立，孙中山先生在南京就任了临时大总统，他劝巴祯顺应历史潮流，与革命军一起推翻清王朝。

巴祯扼腕长叹，是因为我的离去，包头城方才失守，现在，我就是跳进黄河也洗不清了。巴祯不想加入革命军，他解散了自己的这支队伍，回到家中，闭门不出。

包镇公行门前贴着大红标语，上面写着：

欢迎包头各界为革命军捐款捐粮

　　捐款捐粮的人出出入入，巴文栋、巴文雅、林永昌、林玉凤等人登记粮款数量，人们忙得热火朝天。

　　突然，有人惊道："伊老板，您捐白银五千两？"

　　人们回过头，见伊占魁站在屋中，他讪笑道："伊某别无长物，只能为革命军尽点绵薄之力。"

　　大家纷纷议论——

　　"五千两！这还是绵薄之力？"

　　"伊老板出手好大方。"

　　"伊老板对革命太支持了。"

　　林永昌走到伊占魁面前，握着伊占魁的双手："占魁兄，谢谢，谢谢啦！"

　　伊占魁望着林永昌默默无语，林永昌一愣："占魁兄，怎么了？"

　　伊占魁低声道："永昌兄，你交给我的事办砸了。"

　　林永昌知道伊占魁说的是买枪的事，他的心一沉："出什么事了？"

　　伊占魁道："本来这批枪支已经从直隶运了回来，可在归绥被绥远将军堃岫给扣了，还伤了我三个弟兄。"

　　林永昌呆了半晌才说："占魁兄已经尽力了，不怪占魁兄。"

　　伊占魁惋惜道："那一万两银子……这样吧，我过段时间想办法还给你。"

　　林永昌一摆手："占魁兄，说这话你可太不把永昌当朋友了。现在有阎大都督，这笔账我们跟堃岫算。"

　　伊占魁点点头："是啊，中华民国已经诞生，堃岫兔子尾巴，长不了了。"

　　阎锡山占领包头的前半个月，也就是 1911 年 12 月 29 日，清朝的二十二个省已有十七个宣布独立。十七省每省一票，选举孙中山为中华民国临时大总统。1912 年 1 月 1 日，孙中山宣誓就职，亚洲第一个民主共和国——中华民国诞生，定都南京。

时局变化太快了——

1912 年 2 月 12 日，隆裕太后宣诏清帝退位。

2 月 15 日，孙中山宣布辞去中华民国临时大总统职务，并提议，由袁世凯接替。

3 月 10 日，袁世凯在北京宣誓就职临时大总统。

4 月 1 日，孙中山正式辞职，袁世凯将中华民国首都由南京改为北京。

孙中山为什么要辞去临时大总统呢？这实在是无奈之举。

中华民国革命势力主要集中在南方几个省，虽然有十七个省宣布独立，但他们拥兵自重，各自为政，孙中山手中没兵没钱，他的号令很难在十七省执行。而身为清朝内阁总理大臣的袁世凯控制北洋军，北洋军人数众多，武器精良，训练有素。如果袁世凯的北洋军全力镇压革命，各省的革命军极有可能被各个击破。鉴于这种局势，孙中山向袁世凯做出妥协，他承诺，如果袁世凯能使清帝退位，推行共和，他就辞去临时大总统，由袁世凯接任。袁世凯做到了，孙中山兑现了自己的诺言。

民国初期，全国经济迅速发展，民主气氛空前高涨。然而，这种冒似"开业大吉"的局面很快就破灭了。

孙中山虽然辞去了临时大总统，但他对袁世凯很不放心，孙中山主持制订了《中华民国临时约法》，临时约法规定国家实行内阁制。如此一来，总统权力缩水，内阁总理权力提升。因为袁世凯是临时大总统，因此，总统和总理都要进行重新选举。有孙中山的承诺，加之袁世凯手握北洋军，袁世凯当选总统没有悬念，但总理一职的竞争十分激烈。

1912 年 8 月 7 日，在宋教仁的组织协调下，同盟会、统一共和党、国民公党等七八个组织合并为中国国民党，孙中山当选为理事长，但他想兴办实业，无心参与政事。孙中山委托宋教仁代理国民党理事长，主持国民党日常工作。

竞选总统、总理之前，首先要选举国会议员，然后由国会议员选举总统、总理。在国会议员选举中，国民党大获全胜，控制着三分之二的议席。如此一来，宋教仁成了内阁总理的不二人选。袁世凯很想让北洋系的人出任总理，使总理成为总统的附庸，为此，他指使人在上海沪宁火车站行刺宋教仁，宋教仁重伤身亡。

孙中山悲愤至极，随即宣布讨袁，二次革命爆发。但是，二次革命不到两个月就在北洋军的镇压下失败了。

10月6日，国会选举袁世凯为中华民国第一任大总统。10月14日，由国民党议员主导起草的《天坛宪法草案》脱稿，进一步限制总统权力，袁世凯不满，强令修改，国民党议员不予理睬，准备于11月3日提交宪法会议公布实行。

袁世凯又来一招绝的，他称国民党叛乱，下令解散国民党，查封国民党总部。

1914年1月10日，袁世凯宣布解散国会。2月28日，袁世凯下令解散各省议会。至此，袁世凯的权力达到顶峰。

从袁世凯继任中华民国临时大总统，到1928年6月8日国民革命军进入北京，北洋控制中华民国十六年，这十六年的中华民国政府称北洋政府。

清朝灭亡，绥远将军堃岫被驱逐，口外十二厅全部改县，土默特左右两旗合并为土默特总管旗，简称土默特旗或土旗。绥远将军衙署改为绥远特别行政区公署，原来主管土默特左右两旗的归化城副都统衙门并入绥远特别行政区公署，绥远将军改为绥远特别行政区都统。绥远特别行政区统辖十二县中的八个县和土默特旗，以及乌兰察布盟六旗、伊克昭盟七旗。但是，特别行政区内，仍然是蒙汉分治，包头镇还是"一城两制"，即城内的蒙古事务归属沙尔沁章盖衙门，沙尔沁章盖衙门隶属土默特旗；汉人事务归属包头镇，包头镇隶属萨拉齐县。

巴府也像过山车一样起伏不定。绥远特别行政区公署多次请巴祯为官，都被他谢绝了。巴文栋虽然当了土默特旗副官处长，但仅仅几个月，就因反对袁世凯被解职。巴文栋想兴办教育，开启民智，把包头召小学堂恢复起来。

巴文栋和奥云成亲快四年了，奥云一直没有怀孕。云氏夫人看到自己的同龄人早就抱了孙子或外孙，她羡慕得不得了。云氏夫人总是悄悄地问文栋："你媳妇有反应没有？"

文栋只是摇摇头，并不说话。云氏夫人猜想，儿子是不是还在想林玉凤？有时，云氏夫人也想，要是焕章当初娶了林玉凤，自己会不会早有孙子了呢？

云氏夫人背地里对丈夫巴祯说："你看看焕章的书本，是不是像他说的那样，近亲结婚不能生养。"

趁文栋不在，巴祯偷偷地翻开他山西优级师范学堂的课本，里面果然有近亲结婚的内容。上面大意是说，近亲结婚容易造成不孕，后代感染先天疾病率高，孩子出现智力缺陷可能性大。

巴祯大吃一惊，不由得想起自己的祖先。巴祯的六世祖叫八拜，八拜只有一个儿子叫朝旺，朝旺虽然生了四个儿子，但四兄弟只留下一根独苗叫补印。补印娶妻打力扣夫人，小夫妻生了两个儿子，长子卜扣，次子叫达印。可是，次子达印不到六岁就夭折了。卜扣长大后娶表姐报德稍夫人，但是，他们没有生育，从巴氏同族中过继一个儿子，叫海宝，海宝就是巴祯的父亲。

从八拜到卜扣，四代单传，他们都是近亲结婚，亲上加亲。如果不从同族中过继海宝，这支巴家就断了香火。

海宝娶了报德稍夫人的侄女云姑娘，名义上云姑娘是海宝的表姐，但两个人没有血缘关系，小夫妻生了四个儿子。此时包头已经建城，海宝一家住在城内，广泛接触汉文化，海宝取祖先的巴拉格特氏中的"巴"字为姓，长子起名巴福，次子巴祯，三子巴祥，四子巴喜，后来又收养了五子巴丰。

原来近亲结婚有这么大的危害！以前文栋不想娶奥云，巴祯还以为是儿子的托辞，现在他全明白了。

云氏夫人也紧张起来，她马上想到了文雅，文雅和云恒至今没有圆房，她问丈夫巴祯："那你说，文雅和云恒会不会像文栋和奥云这样？"

两个人心照不宣，巴祯把课本翻了又翻，用只有他们夫妻俩能听到的声音说："按照书上说，文雅和云恒不算近亲，应该没事。"

云氏夫人急道："那就赶紧给他们圆房啊！"

巴祯也着急："这事还得你当额吉的说，我当阿爸的只能在一旁敲边鼓。"

可是，云氏夫人刚一开口，文雅就说："额吉，是不是不想让我在家待呀？"

云氏夫人赔着笑："傻丫头，女儿是额吉的贴心小棉袄，额吉怎么会不想让你在家待呢？额吉和你阿爸商量了，你哥不是要恢复包头召小学堂吗？让你乌恩其伯伯到沙尔沁章盖衙门跟你大爷说一声，把云恒接回来，叫他到包头召小学堂当教习。你们俩在咱们家圆房，以后就住在咱们家，你在额吉身边一辈子，行不？"

文雅长叹一声："唉，凭啥让他住在咱们家？"

云氏夫人心头一喜，文雅这一声长叹就是默许了。云氏夫人爱抚地将着文雅的头发："云恒已经没有家了，额吉是他的亲姑姑，额吉不照顾他，谁照顾他？你说是不？"

文雅道："随便吧。"

章盖大人巴长春也为云恒的婚事着急，如果不是因为云恒和文雅的关系，他早就给云恒另娶媳妇了。尽管巴长春舍不得云恒走，但想到云恒和文雅都这么大年龄了，他还是把云恒送出了衙门。

管家乌恩其把东厢房收拾出三间，当天晚上巴祯和云氏夫人就要给他们圆房。

巴文雅一副吃惊的样子："额吉，没有新被褥，没有新衣服，这，这哪是圆房啊？还不如填房呢！"

巴祯和云氏夫人觉得文雅说得有道理，以前是清朝，现在是民国，当年的嫁衣都旧了，款式也老了，不时兴了。云恒家中遇难，一无所有，怎么也得给两个孩子买几件新衣服，做几套新被褥。云氏夫人给文雅一些钱，让她和云恒一起上街。

云恒在前面走，文雅跟在后面，两个人相距三四步。云恒停下脚步等她，可文雅并不上前。云恒几次跟文雅说话，文雅爱搭不理。

九江口附近开了一家共和茶园。当时的茶园是唱戏的地方。共和茶园档次很高，社会名流经常出入。云恒和文雅路过共和茶园，云恒走着走着，觉得文雅好像没跟上来，他回过头，见文雅站在共和茶园墙边看海报。云恒只得转回来，他站在文雅身边，见墙上写着：

二人台开山祖师老双羊先生精彩演出，欢迎观看。

二人台是土默川这片土地孕育出的一支艺术之花，其创始人是近代蒙古族民间艺人云双羊，云双羊从艺多年，广受戏迷欢迎，戏迷尊其为老双羊。老双羊把草原民歌和陕北小调兼收并蓄，形成一个新的剧种——二人台。时至今日，二人台在蒙古、晋、陕、冀交界一带仍有大批人传唱。

一个手提铜锣的人从共和茶园走了出来，见云恒和文雅在看海报，他先跟云恒打招呼："这位爷，老双羊先生的精彩演出，好看极了，进去看看？"

云恒摇了摇头："今天有事，改天吧。"

一旁的文雅瞅也不瞅云恒："看看，这么好的演出哪能错过？"文雅仿佛在跟云恒赌气，她迈步进了茶园门。

见文雅走了进去，云恒只得买两张票，随文雅进了茶园。前面三排都坐满了，文雅坐在第四排的一张小桌前，小桌边除了文雅坐的那把椅子，就再也没有椅子了。云恒从旁边拉过一把，坐在巴文雅身边。

演出开始，最先出场的是云双羊的几个弟子。这几个弟子演技也不错，文雅听着唱腔，不时鼓掌叫好。文雅和云恒前排一胖一瘦两个男人一边看，一边品头论足，说话声音还挺高，文雅用脚踢了一下前面的椅子腿："哎哎哎，我们花钱进来是听戏的，不是听你们说话的！"

云恒听文雅口中的"我们"，心里升起一股暖意。

胖男人还了一句："你们是花钱进来的，谁不是花钱进来的？"

文雅"噌"就站了起来，云恒拉住她的手："算了算了。"

文雅甩开云恒，向云恒吼道："什么算了？人家都欺负到我头上了，你不跟他们打，不跟他们骂，还说我？我算看透了，你就是个没有血性的二刘子！"

云恒觉得二刘子这个词特别刺耳，顿时怒火燃起，云恒对两个人斥道："说话出去说！"

两个男人也站了起来，胖男人道："我们就在这儿说，你能怎么样？"

文雅火上加油："他们不讲理，你还不教训教训他们？"

云恒一拳打向胖男人，胖男人一捂脸："哎哟，你敢打我！"

瘦男人见胖男人吃了亏，"啪"，就给云恒一记耳光，云恒半边脸当时就出了五个手指印。

文雅高兴了，她叫嚷："打！打！打！"

也不知她是让那两个男人打云恒，还是让云恒打那两个男人。云恒照瘦男人当胸就是一拳，瘦男人"噔噔"后退两步，"稀里哗啦"撞翻了一张桌子。胖男人迎面一拳，云恒左手一挡，右拳打在胖男人脸上。胖男人往后一仰，又撞翻了一张桌子，云恒拉起文雅就往外跑。

两个人跑到西河槽，河槽里的水不是很清澈，岸边有棵柳树，柳树虽生在水边，但柳叶打着卷，像是得了佝偻病似的，枝不繁，叶不茂。

西河槽上有座木桥，文雅坐在桥栏杆下的石台上，她跷起二郎腿，看着河水，悠闲地晃着脚。

云恒站在文雅身边，他张了几次嘴才说："我们啥时候买东西去呀？"

云恒话音刚落，"哎哟！"文雅惊叫一声。

第十六章

　　小脚夫人的眼睛只是扫了一下文雅大腿上的伤，目光马上转向文雅的小腿。见巴文雅的右小腿上也有两道牙痕，小脚夫人神色大变。

　　云恒一看，文雅晃着那只脚的鞋落入水中。鞋漂在水上，向南流去。

　　云恒急忙下桥，沿着河槽往南追。鞋漂了过来，云恒脱了靴子，挽起裤脚下水，河水很快没到了云恒的胸口。时值春夏之交，水冰一般的凉。等云恒到了河中心，鞋又漂远了。云恒只得上岸，再追，再下水。然而，这只鞋好像故意难为云恒似的，云恒好不容易接近这只鞋，鞋却沉入水下。云恒潜入水底，摸了一次又一次，满头满脸都是水，终于把鞋捞了上来。

　　云恒上岸，微风一吹，上下牙打起架来。他把鞋里的水甩了甩，又捏了捏水，递给文雅。

　　文雅脸一沉：“这么湿，让我怎么穿？”

　　云恒浑身颤抖：“要不，我拢堆火，给你烤烤？”

　　文雅伸手抓起这只湿鞋，一抖手，扔进河里，怒道：“你没长脑子吗？等你烤干了，我的脚就冻掉了！去，给我买双鞋回来。”

　　云恒穿上自己的靴子，带着满身湿漉漉的泥水走向一家店铺。

不一会儿，云恒把一双鞋放在文雅脚下。

文雅低头一看，见是一双普通黑布绣花鞋，她斥道："你拿这种破鞋给我穿，打发要饭的呢？"

云恒忍不住回了一句："什么叫破鞋？这是新的。"

巴文雅急了："破鞋！破鞋！就是破鞋！"她抓起这双鞋，"嗖"撒进水中。

云恒给文雅又买回一双粉红色圆口绣花鞋，文雅接在手中，看也没看，把鞋又扔进了河里。

云恒急道："你！你这是干什么？"

文雅蛮横道："天这么冷，风这么大，你给我穿这么薄的鞋，你要冻死我呀？"

云恒反驳："我身上全是水也没冻死，你怎么能冻死？"

文雅很不耐烦："你是男人不？男人还怕冷？"她白了云恒一眼，骂道，"二刈子。"

云恒火气虽大，但并不想离开文雅，见过往行人都看着他们，云恒把火压了压："你到底想买什么鞋？"

巴文雅又骂："你缺心眼儿呀？天这么冷你说我买什么鞋？你脚上穿什么鞋你不知道啊？"

云恒看了看自己的靴子，转身离去。

过了好一会儿，云恒抱着一双靴子走了过来。不知云恒是气的，还是冻的，身子抖成一团，脸色发白，嘴唇发紫。

文雅数落道："你是买靴子还是做靴子去了，嗯？你看看太阳都照到哪儿了？你咋不明天回来呢？"

云恒忍气吞声，把靴子放在文雅脚前。

文雅抬起脚，脖一扬。云恒只得蹲下，给文雅穿上靴子。

文雅脸上露出几分快感，她站起身，伸了伸懒腰，又打了个哈欠："回家。"

文雅往回走，云恒在后面问："不买东西了？"

文雅挖苦道："我怕把你冻着……"

突然，一匹马从两人身后飞驰而来，这匹马奔文雅就撞了过去，云恒反应极快，他像鹰一样，猛地扑向文雅，两个人双双跌在路边，那匹马旋风般地过去了。

文雅站起身对云恒大骂："你遇上鬼了？"

云恒一脸委屈："我不扑过去，那匹马就撞上你了……"

文雅丹凤眼一瞪："撞了一下能怎么着？撞一下结实！胆小鬼，二刘子……"

文雅专门骂云恒最不爱听的话，云恒道："那我撞你你就不结实了吗？"

文雅一时语塞："你，你，你那是撞吗？你那是扑……"

云恒嘟囔着："刁蛮，不讲理！……"

文雅更来劲儿了："我就刁蛮！我就不讲理！怎么了？你嫌我刁蛮，嫌我不讲理，你找别人去，我也没拦着你。"

那骑马之人把马圈了回来。云恒终于有出气的地方了，他向骑马人骂道："你是抢孝帽子，还是急着投胎？你怎么骑的马？你差点把人撞着，你知道不？"

那人没有理云恒，而是跳下马，径直走向文雅："小姐！"

文雅见这个人脸上有一块淤青，身上沾着土，还有斑斑血迹，她惊问："温都尔，你怎么回来了？"

温都尔带着哭腔说："小姐，有人强占咱们家的牧场，我们不同意，被人家打了。"

温都尔是巴府的仆人。巴府在包头城外石拐一带有片牧场，温都尔和十几个牧人常年在那里放牧。

早在清廷放垦之前，巴家的地特别多。说到土地就得从巴祯的六世祖八拜讲起。八拜只有一个儿子叫朝旺，朝旺生了四个儿子。当时，清朝计口授田，按人分地。八拜家三代人生活在一起，人口多，分的牧场也多。可是，朝旺这四个儿子只留下一根独苗叫补印，所以，长辈们的土地都由补印一人继承了。

补印、打力扣夫妻生了两个儿子，次子早亡，长子卜扣长大成人，娶表姐报德稍，因没有生育，收养了海宝。海宝的父母也是巴氏十五户中的一支。海宝出生时，有好几个亲兄弟。可是，海宝过继给卜扣、报德稍夫妻后，几个兄弟相继离世，而且都没留下后代。如此一来，海宝不但继承了八拜家族的土地，又继承了亲生父母家族的土地。不过，那时草原上的土地不值钱，海宝地虽多，却不算富裕。

卜扣三十多岁就去世了，打力扣和报德稍既是婆媳，又是姑母侄女，二人守着海宝过日子。几年后，包头建城，朝廷征用海宝家的牧场，海宝发了财。包头城竣工，海宝全家居住在城中，城内土地进一步升值，海宝出租城内土地，家道更加殷实。

老辈人相继辞世，海宝的几个儿子巴福、巴祯、巴祥兄弟分家，巴家的土地兄弟三人平分。老大巴福和老三巴祥住在海宝生前的老宅，就是今天包头市东河区东门大街12号大院。巴祯身居官位，条件好于两兄弟，他在召梁二道巷北口盖起一所四合院。

清朝对蒙古族官兵实行"官无俸，兵无饷"政策，只是按其职级高低给一片牧场，这种牧场也就是官俸地。巴祯的官俸地在石拐河柳滩，数年前，石拐发现煤田，河柳滩两侧的山梁也是煤田的一部分。

清朝灭亡，民国延续了清朝对蒙古民族的制度，比如蒙古王公的爵位，世袭的章盖，土地所属，等等。巴祯为官时，有商贾就要租巴祯的官俸地挖煤，但因放垦，巴祯城外只剩下这么一片牧场，蒙古人习惯吃牛羊肉，喝牛奶，酿奶酒，巴祯没有出租。现在巴祯成了普通老百姓，却发生了这样的事。

巴文雅冲冲大怒："强占咱们家的牧场？是谁？"

温都尔道："是刘彪，听说他老丈人在绥远特别行政区公署当了大官，他靠着老丈人当上了包头警务分局局长。"

刘彪被任命为包头警务分局局长，高兴得他常常在梦里乐醒，这可比自己以前的什么包镇公行武甲头实惠多了，威风多了。没想到我刘彪还有今天，要人有人，要枪有枪，在包头城东头一走，西头乱颤。刘彪如同驾云一样，他忘乎所以了。

近来煤价上涨，刘彪想投资煤炭生意，他带二十多个警察来到河柳滩，强行驱赶巴府牧场上的牲畜，温都尔上前阻拦。刘彪用大拇指一指自己的胸膛："知道我是谁吗？我是包头警务分局局长，这片地警务分局征用了，知道不？去去去，告诉你家主人巴祯，明天到警务分局领取征地款。"

温都尔觉得不对，就说："你是包头警务分局的局长，是管汉人的局长；我家老爷是蒙古人，我们归沙尔沁章盖衙门管，沙尔沁章盖衙门上面还有土默特旗，虽然清朝变成了民国，可蒙汉分治没变。"

刘彪见没蒙住温都尔，又说："你说的是老皇历了，现在虽然也叫蒙汉分治，可无论是萨拉齐县，还是土默特旗，都归绥远特别行政区都统潘榘楹（jǔyíng）管，知道不？鄙人就是奉潘都统口谕前来征用这片牧场的。"

温都尔根本不相信，他反唇相讥："你奉潘都统的口谕，我们可是奉的袁大总统圣谕，这片地是袁大总统批的。"

刘彪眼睛一翻："你敢拿大总统压我？"

温都尔反问："难道大总统压不住你吗？"

刘彪气得直翻白眼："我，我刘彪是革命的功臣，是中华民国的元勋，知道不？我，我就代表袁大总统！"

温都尔冷笑："你凭什么是革命的功臣？凭什么成为中华民国的元勋？马号事件你在哪儿？阎大都督夜袭包头你出过力吗？马号事件的时候，我家少爷、小姐那可都跟樊屠夫真刀真枪地干过；阎大都督夜袭包头，那是我家少爷献的妙计。"

刘彪眼睛一瞪："我凭什么是革命的功臣？凭什么成为中华民国的元勋？当年'革命军不日将至'的标语是谁贴的？是谁组织老百姓上街宣传阎大都督要攻打包头的？樊屠夫家的炸弹是谁扔的？你知道吗？你家少爷巴文栋上任土默特总旗副官处长几天就被撸了，你知道为什么吗？因为巴文栋反对袁大总统！知道不？"刘彪傲气冲天，"现在是民国了，要是放在前清，巴文栋就是反对皇上，是杀头之罪！我不抓他已经是便宜他了。知道不？就凭你这几句话，你也不用回去告诉巴祯领征地款了，这片地充公，你们赶紧卷铺盖走人！"

温都尔当然不走，刘彪一挥手，警察如狼似虎地冲了上来，温都尔等十几个牧人跟警察发生了冲突。警察开枪，牧人一死三伤。温都尔见势不好，骑马跑了回来。

巴文雅怒火中烧，她一把夺过温都尔的马，飞身跳上坐骑。巴文雅刚要催马，云恒拉住马的缰绳："文雅，要去也得先禀报岳父大人。"

巴文雅一脚踢开云恒的手，"嗒嗒嗒"就没影了。

刘彪打跑了巴府的牧人，就在这时，巴文雅飞马赶到。

巴文雅马到刘彪近前，柳叶眉倒竖，丹凤眼圆睁，左手一带马的丝缰，右手鞭子就举了起来，"啪"地抽在刘彪脸上，刘彪"嗷"的一声。

刘彪拔出手枪，可枪还没举起来，"啪"，巴文雅第二鞭子抽在刘彪持枪的腕子上，枪掉在地上。

"我的娘啊……"刘彪一声惊叫。

巴文雅第三鞭子举了起来，"啪"，这鞭子抽在刘彪脖子上，巴文雅往回一带，刘彪一个跟头摔在地上。

刘彪反应还挺快，他爬起来就跑。

刘彪一跑，那些警察也跟着跑。

巴文雅追出十几步，见几个牧人躺在地上，她跳下马，捡起刘彪的枪，把受伤的牧人扶进蒙古包为他们包扎。

刘彪跑了没多远，一想不对，我是警务分局局长，是管老百姓的，是收拾老百姓的。在他们面前我是爷，他们是孙子，我跑什么？

刘彪停住脚步，他吆喝警察："站住！站住！都他娘的给我站住！"

警察都站住了，刘彪骂道："饭桶！废物！走，跟我回去，把那娘儿们给崩了！"

警察在蒙古包二百步之外，枪就响了。蒙古包里的巴文雅听到枪声，她也把枪拽了出来。

巴文雅怕伤到蒙古包里的牧人，她就地一滚，出了蒙古包，文雅持枪和警察对射。

巴文雅枪法精准，"啪"的一枪，最前面的警察就倒下了，其他警察都趴下向巴文雅还击。

刘彪躲在洼地里大叫："打，打死她！"

巴文雅开了几枪，再举枪时，枪没响。

巴文雅手里的这支枪是刘彪的，刘彪知道里面有几颗子弹，他大叫："她没子弹了，上！给我上，抓活的！"

警察一步步逼向巴文雅，巴文雅左右看了看，地上什么应手的东西都没有，她只得后退。几个牧人见巴文雅有危险，都冲出来救文雅，"啪啪"，两声枪响，两个牧人应声倒地。

巴文雅大怒，她想与刘彪近距离搏斗。可是，还没到刘彪近前，对方乱枪齐发，一颗子弹打中了巴文雅的右臂，巴文雅身子一歪，接着，右腿一麻，就站不住了，"扑通"摔倒，鲜血汩汩而出。

刘彪对警察一挥手："停！不要打了。"

刘彪从警察手中拿过一支枪，他走到巴文雅面前，用枪顶着巴文雅的头："你敢用鞭子抽老子，老子打死你……"

巴文雅扬起头，一双丹凤眼狠狠地看着刘彪，恨不能眼睛里射出两把刀。

刘彪一看巴文雅的脸，眼睛就不够使了，巴府这小姐怎么那么像林家小姐林玉凤？太漂亮啦，简直比天仙还漂亮！以前我怎么没有注意呢？

刘彪皮笑肉不笑，他蹲了下来，伸手摸向巴文雅的脸。巴文雅怒火冲天而起，她忍着剧痛，在地上一个大转身，那条没有受伤的腿猛地踢出，这脚正踢在刘彪脸上，刘彪滚出四五步。

两个警察过去扶起刘彪，刘彪"嗷嗷"怪叫："打死她！乱枪打死她！"

几个警察举起枪，眼看巴文雅命悬一线。突然，远处跑来一匹马，这匹马旋风般来到刘彪近前。马背上是一个中年男子，此人身材不高，圆脸，薄嘴皮，眼睛不大，却深不见底。中年男子头戴大檐帽，身着灰色军装，胸前斜挎武装带，腰间左插短枪，右挂马刀。

中年男子拔出手枪，一抬手，"啪"，刘彪的帽子就飞了。刘彪一捂脑袋："我的娘……"

刘彪刚要下令还击，一阵马蹄声音传来，中年男子后面跑来三十多匹战马，战马上的士兵和中年男子都穿着同样颜色的军装，战马之中还有一辆轿车。

刘彪见来了这么多当兵的，他的心"突突"乱颤，好汉不吃眼前亏，三十六计走为上，他带着警察一溜烟跑了。

中年男子跳下马来到巴文雅近前，惊道："文雅姑娘，是你！"

巴文雅也认出中年男子："伊占魁……伊老板……"文雅心中狐疑，几年不见，伊占魁竟当了军官！文雅一时不知怎么称呼他。

伊占魁身边的人道："这是伊司令，是新任包头城防司令。"

巴文雅礼貌地说："伊司令，谢谢您救了我。"

后面的轿车停在巴文雅近前，车上走下两个中年女人，一个是大脚，一个是小脚。大脚女人身着粗布衣裳，小脚女人衣着华丽，项挂佛珠，手里捻着佛珠，虽然四十多岁，但面容娇媚，风韵十足。大脚女人搀着小脚女人走近巴文雅，小脚女人俯下身惊道："姑娘，你受伤了！"

巴文雅忍痛道："没事，夫人。"

小脚夫人对士兵吩咐："快！把我的药箱拿来。"

士兵答应一声跳上轿车，小脚夫人左右看了看，又对大脚女人道："孙妈，把姑娘扶进蒙古包。"

"是，夫人。"孙妈搀起巴文雅走进蒙古包，蒙古包中几个受伤的牧人都出去了。

小脚夫人对伊占魁说："当家的，我给这位姑娘看看。"

伊占魁点点头，小脚夫人走进蒙古包。

士兵把药箱送了进来，蒙古包中只有三个女人。大脚孙妈打开药箱，取出托盘、刀子、剪子、纱布和药瓶等。小脚夫人解开巴文雅的衣服，把受伤的袖子脱下来，露出嫩藕一般的右臂。

奇怪的事发生了，巴文雅的枪伤在大臂，小脚夫人却盯着巴文雅的小臂，而且眼中居然闪出晶莹的泪花。

大脚孙妈往文雅小臂上一看，见她光滑白皙的肌肤上有两道上下对合的伤痕，好像是被牙咬过似的。大脚孙妈提醒道："夫人，枪伤还在流血呢。"

"哦！"小脚夫人抹了一把眼泪，她忙拿起镊子，夹起药棉给文雅擦拭伤口上的血。

子弹从文雅的大臂穿透，但没有伤及筋骨。小脚夫人手脚麻利地给文雅消了毒，上了药，包扎伤口，然后她又对大脚孙妈说："孙妈，把姑娘的裤子脱下来。"

孙妈要解文雅的裤子，巴文雅下意识地用左手护住自己的腰带。

小脚夫人如慈母一般："孩子，不要怕，我和孙妈都是女人。你腿上的子弹必须取出来，要不，一旦化脓，你这条腿就保不住了。"

巴文雅望着蒙古包的门，大脚孙妈明白了文雅的意思，她走到帐门口，把蒙古包门插上。

小脚夫人对巴文雅说："孩子，取子弹很疼的，你能挺得住吗？"

巴文雅回答得很干脆："能！"

大脚孙妈脱下文雅的裤子，依次露出巴文雅的右大腿、右小腿。小脚夫人的眼睛只是扫了一下文雅大腿上的伤，目光马上转向文雅的小腿。见巴文雅的右小腿上也有两道牙痕，小脚夫人神色大变。

第十七章

生下来一看，却是个女孩。妻子非常失望。妻子把心一横，让伙计把孩子放在路边，孩子要是命大，就被好心人捡去；要是命小，就让她重新投胎……

小脚夫人稳了稳心神，她给巴文雅一块纱布，让她咬在嘴里，又让大脚孙妈把巴文雅放平躺下，她再三叮嘱孙妈，一定要摁住文雅。

巴文雅闭上眼睛，就觉得腿上枪伤剧痛无比，她死死地咬着纱布，豆大的汗珠颗颗滚落。然而，文雅一声不吭，一动不动。蒙古包里出奇地安静，三个人仿佛都听到了自己的心跳。

时间一分一秒地过去，"当啷"，一粒弹头掉入托盘。

小脚夫人用袖子抹了一下额头，她长出一口气："好了。"

小脚夫人给文雅取出口中的纱布，大脚孙妈给文雅穿上裤子。

小脚夫人问文雅："姑娘贵姓啊？"

文雅睁开眼睛："我姓巴。"

小脚夫人眉毛一动："你姓巴？你父亲叫什么名字？"

文雅道："阿爸叫巴祯。"

小脚夫人的身子一颤："巴祯？你是巴祯的女儿？"

文雅发觉小脚夫人反应异常，她问："夫人认识我阿爸？"

小脚夫人没有回答，又问："我见你右小臂有牙印，这是什么时候留下的？"

文雅摇了摇头："不知道，我刚记事时就有。"

小脚夫人再问："那你右小腿上的牙印呢？"

巴文雅还是摇头。

正说着，外面传来一阵急促的马蹄声，巴文栋、云恒、温都尔带着好几十人来到牧场。这些人手里拿着棍棒，一个个都做出了拼命的样子。伊占魁手下的军兵正在清理地上的尸体，见一群人气势汹汹，军兵都把枪举了起来。

众牧人喜道："少爷来了！少爷来了！"

伊占魁一摆手，军兵放下枪，他迎上巴文栋："巴少爷，久违了。"

巴文栋、云恒都见过伊占魁，两个人心中疑惑，不是刘彪带警察强占巴府的牧场吗？伊占魁怎么在这里？文栋和云恒都转脸看温都尔，温都尔问伊占魁："你们是什么人？刘彪那帮黑狗子警察呢？"

伊占魁道："已经被我打跑了。"

众牧人围拢过来："是啊，是啊，多亏了伊司令。"

文栋心存感激，他问："伊司令，我妹妹在哪儿？"

伊占魁一指蒙古包："在那里，贱内正在给巴小姐治伤。"

巴文栋、云恒跳下马跑到蒙古包，一推门，里面插着。"梆梆梆"，文栋敲门："文雅，我是哥哥，你在吗？"

云恒张了张嘴，没有出声。

文雅听出了文栋的声音，但她还不能起身。大脚孙妈打开帐门，文栋和云恒疾步而入，文栋惊问："文雅，你怎么了？"

云恒仿佛伤在自己身上一般："文雅，你受伤了？伤得重不重？"

文雅看也不看云恒，她对文栋说："哥，我没事。伊夫人和孙妈已经给我取出弹头，没事了。"

巴文栋向小脚夫人和大脚孙妈作揖："谢谢夫人，谢谢孙妈……"

蒙古包外又来了两匹马，众牧人一看，见是巴祯和云氏夫人，他们都迎了过去。一见地上的尸体，云氏夫人目瞪口呆，她惊呼："我女儿呢？

我女儿在哪儿？我女儿在哪儿？……"

巴祯也是高声呼唤："文雅？文雅？你在哪儿？"

牧人向巴祯和云氏夫人讲述刘彪强占草场，伊占魁出手相救的经过。

伊占魁走上前："巴老爷、巴夫人，令爱和令郎都在蒙古包。"

文栋从蒙古包中走了出来，他兴高采烈地说："阿爸，刘彪要霸占咱家这片牧场，伊司令从这儿经过，把他打跑了。"

巴祯万分感激，他以手抚胸，鞠了一个九十度的躬："多谢伊司令，多谢！多谢！"

云氏夫人跑进蒙古包，她拉着文雅的左手："我的孩子，我的心肝宝贝，刘彪怎么把你打成这样……"

巴祯也进了蒙古包，见文雅虽然胳膊和腿上都缠着纱布，但已经坐了起来，巴祯的心平静了许多。巴祯和云氏夫人正要向小脚夫人致谢，可是，小脚夫人已经不见了。巴祯和云氏夫人出了蒙古包，见伊占魁和他手下的军兵护送着轿车走远了。

包头城防司令部在南龙王庙附近的一所大院里。南龙王庙毗邻东城墙，庙旁有一条南北小巷，巷子北口与东门大街相连。

南龙王庙是巴氏族人牵头，由包镇公行及百姓捐资修建的。南龙王庙位于包头城内东南方，按照八卦方位来讲，东南为巽位，巽主风，南龙王庙建在这里，寄托着老百姓祈盼风调雨顺之意。

南龙王庙东侧城墙内有百余亩土地，清初时，这片地也是巴氏家族的牧场。这里东倚博托河，旱时可以灌溉，涝时能够排水。海宝少年时，母亲报德稍夫人病重，祖母打力扣夫人请了两名蒙古人、两名汉人，由他们作证，把这片地永久租给了乔致庸。乔家把这片地全部种了蔬菜，因为乔家在包头的商号都有个"复"字，这里就被命名为复盛园。1949 年后，复盛园改为解放菜园。今天，由于城市扩建，当年的菜园已经无迹可寻了。

说起乔致庸，许多人都知道。乔家三代人在包头做生意，赚了钱回到老家山西祁县乔家堡建了一所豪宅，这就是著名的乔家大院。乔家和巴家有很深的渊源。乔致庸的祖父乔贵发原是贫苦农民，乾隆元年，即公元1736 年，因生活所迫，与结义兄弟秦某走西口来到萨拉齐老官营村，在一家吴姓的当铺里当了伙计。十年后，两人有了点积蓄，他们来到包头城外的西脑包，乔贵发和秦某租下巴家一片地，开了个草料铺，同时经营豆腐、豆芽、烧饼、切面以及各种杂货，生意日益兴隆。后来，乔贵发与秦某分开独闯。1755年，包头大丰收，粮价很低，乔贵发大量买进黄豆，第二年豆价暴涨，乔贵发大赚一笔。有了钱，乔贵发又永久地租下了巴家许多土地，并买下了一些店铺，挂出广盛公商号的牌子，乔家生意越做越大。到了乔致庸时期，乔家的经营项目包括粮食、布匹、绸缎、烟酒、蔬菜、皮毛、铁器、洗染、旅馆、当铺、票号，等等。乔家鼎盛时，南到广州，北到哈尔滨，东到上海，西到兰州，商号遍及全国，乔家全部资产折合白银达几千万两，天下闻名。

大脚孙妈从复盛园买菜回来，刚到南龙王庙，就见巴祯站在营房门口，士兵问他找谁，巴祯说有事想求见伊司令，士兵往里通禀。

孙妈进了营门，回到上房，一边洗菜，一边跟小脚夫人聊复盛园的菜怎么怎么好，品种怎么怎么多。说完了菜，又说到了巴祯。小脚夫人眉毛一动，她对大脚孙妈说："孙妈，你去，听听巴祯和当家的说什么呢？"

伊占魁亲自出门把巴祯接进营房，对这种礼遇，巴祯很是意外。两个人相对而坐，巴祯对伊占魁救了自己女儿文雅再三致谢，然后说要把石拐的河柳滩牧场献给城防司令部。

伊占魁连连摇头："不行不行，巴老爷，这可使不得，大丈夫急人之困，解人之难，天经地义，我怎么能收你这么重的厚礼呢？"

巴祯郑重地说："伊司令，这件事说感谢也可以，说是嫁祸伊司令也不为过。说感谢，伊司令和尊夫人救了我的女儿；说嫁祸，因为刘彪盯上了这片牧场。河柳滩本是我在前清时的官俸地，我现在不是官了，那片地上交也是应该的。也许伊司令还不清楚，我那片官俸地下面是煤矿，出产优质煤炭，不然，刘彪也不会强征。如果河柳滩在我手，刘彪肯定不会罢休；要是归了城防司令部，刘彪也就不敢来了，巴某也就解脱了。"

伊占魁顾虑重重："我这不是有乘人之危的嫌疑吗？"

巴祯诚恳地说："哪里哪里，是巴某主动找上门来的，巴某已经写了一份文书，还请伊司令笑纳。"

说着，巴祯把文书递给伊占魁，伊占魁看了看，他把文书放在桌上，一拍胸脯："既然这样，我就不叫你巴老爷了，我叫你巴兄。巴兄如此盛情，占魁就恭敬不如从命了。说实在话，包头城防司令部刚刚组建，经费缺口很大，巴兄雪中送炭，占魁不胜感激。以后巴兄有需要占魁和城防司令部的事，敬请吩咐。"

大脚孙妈把巴祯和伊占魁的对话转述给小脚夫人，小脚夫人半晌没有说话。

近段时间，小脚夫人总是愁眉苦脸，茶饭不思，半夜里常常惊醒。伊占魁问她怎么了，她只说自己胸口疼，伊占魁要给小脚夫人请大夫。小脚夫人僵硬地笑了一下："当家的，你怎么忘了，我也算是大夫啊！"

伊占魁道："你虽然也算是大夫，可你只能治外伤。"

小脚夫人道："当家的，你就忙你的吧，我的身体我知道，我到喇嘛庙里烧几炷香就会好的。"

绿柳拂风，阳光和煦。包头召门前，嘛呢杆高悬，经幡招展。天王殿屋檐下，一只燕子啄来春泥，正在精心地筑着它心灵上的栖息地。

大脚孙妈陪小脚夫人来到包头召，小脚夫人虔诚地跪在宗喀巴佛像前，烧香、上供、祷告。拜完佛，小脚夫人对大脚孙妈说："巴小姐的伤应该好了，你去趟巴府，把巴小姐请来，我想见见她。"

大脚孙妈对包头还不太熟，街上有个老者，孙妈上前打听，老者非常热情："你找巴府啊，走，我带你去。"

老者很健谈："你是外地人吧？"

大脚孙妈道："我是从武川县来的。"

老者一边走一边说："怪不得呢。提起巴家，包头城没人不竖大拇指的。巴家忠厚济世，包容传家，几代人积德行善，对穷苦人冬舍棉，夏舍单，遇到荒年还开粥棚。有一年，包头发生了瘟疫，我烧得昏迷不醒，官府以为我活不了了，就把我扔到城外乱坟岗子，准备把我烧掉。当时，还有十几个人，其中有个小伙子，他们都跟我一样。正巧，巴家老太爷海宝和二爷巴祯从归化城回来，见我和那小伙子还有气，说啥也不让点火。巴老太爷和巴二爷在城外支起几顶蒙古包，把我们安置在里面，又熬了几锅药，给我们连喝了七天，我们十几个人才死里逃生……"

不知不觉，老者把大脚孙妈带到了召梁二道巷北口巴府门前，老者跟大脚孙妈道了别就走了。

大脚孙妈上前敲门，管家乌恩其开门："请问，你找谁?"

大脚孙妈道："我是包头城防司令家的女仆，想求见你家小姐。"

巴府上下都知道伊占魁夫妻救了小姐，因此，对大脚孙妈相当客气，乌恩其忙道："里面请，里面请。"

大脚孙妈穿过大门，走进大院，来到东厢房。文雅正拿着手枪在屋里瞄准，见窗下人影闪动，忙把枪藏了起来。听说小脚夫人想见自己，文雅跟额吉打了招呼就随大脚孙妈出了家门。

小脚夫人跪在宗喀巴佛前双手合十，眼中含泪，嘴唇嗫动。听到身后传来脚步声，她忙用袖子擦去泪水。小脚夫人站起身，转过脸，一见文雅，眼睛里立刻放出两道光，那目光像海一样深沉。

文雅把小脚夫人领进一间房，小脚夫人打发孙妈买绣花的针线去了，殿里只剩下小脚夫人和文雅。小脚夫人满脸是笑，笑得比花儿还要鲜艳，比太阳还要灿烂。

文雅在河柳滩牧场时就觉得小脚夫人看自己的眼神异常，现在仍是那般，文雅有些尴尬："伊夫人，您叫我来有事吗?"

小脚夫人有点语无伦次："没有，没有……可能是……佛家讲的是缘，可能是我和小姐有缘吧。"

小脚夫人直盯盯地看着文雅，张着嘴，不说话。文雅仿佛身上长刺了一般，但小脚夫人毕竟救过自己，她恭敬地说："要是伊夫人没事，我就走了。"

小脚夫人仿佛怕文雅飞了似的，她连忙拉住文雅的手："别，别忙，我有事，我有事……"小脚夫人问，"你，你，你母亲对你好吗?"

文雅心中道，小脚夫人不但人怪，问的话也怪，哪有母亲对自己孩子不好的? 文雅点点头："额吉也不是后娘，对我当然好了。"

小脚夫人的目光黯淡下来，刚才的笑容像云一样散去。小脚夫人想了想说："巴小姐，我给你讲个故事你听吗?"

文雅点点头："嗯，夫人请讲。"

小脚夫人瞳孔犹如隧道一般幽深："二十多年前，有个富商在归化城开了家皮毛店，生意做得十分红火。可是，有个恶霸看上了富商家的商铺，非要强买不可。富商不卖，这个恶霸就三天两头来闹事。富商把恶霸告上了归化厅官府，哪知大堂之上，恶霸反咬一口，说富商欠恶霸十万两银子。狗官与恶霸串通一气，要富商三日之内还钱，如果还不上，就让恶霸去收富商的店铺。"

文雅眼睛一瞪，她手往腰里摸，可什么也没摸出来，文雅大怒："这狗官该杀！"

小脚夫人哀怨地说："唉，前清的狗官哪个不该杀？"

文雅急于知道下文："夫人，那后来呢？"

小脚夫人道："……当时，富商的妻子身怀六甲，富商叫伙计套上车，想去包头避难，可又咽不下这口气。出了归化城，富商说，家里还有三百两银子没拿，他要回家去取，让伙计赶车拉妻子先走。富商回到店铺，他想一把火烧了店铺，什么也不给恶霸留下。可是，那天风大，富商怕点着自己的房子殃及左右店铺。就在他犹豫不决的时候，恶霸带着几个打手来了。富商躲在院门内，当恶霸走进大门时，富商手起刀落，把恶霸劈死了。"

文雅拍手喝彩："劈得好！"

小脚夫人摇了摇头："富商出了城，刚刚和妻子相见，清军就追了上来。富商为了保护妻子和妻子肚子里的孩子，在一个岔道口，富商让伙计照顾他的妻子，富商向另一个方向跑去。妻子和伙计跑了一段路，妻子牵挂丈夫，说什么也要让伙计赶车带她去追丈夫。哪知，没追多远，妻子就早产了。"

文雅直搓手："这，这，孩子可怎么办？"

小脚夫人尽可能使自己平静："妻子一心想给丈夫生个男孩，顶门立户，报仇雪恨。可是，生下来一看，却是个女孩。妻子非常失望。妻子把心一横，让伙计把孩子放在路边，孩子要是命大，就被好心人捡去；要是命小，就让她重新投胎……伙计把孩子抱下车，那女孩的哭声揪着妻子的心，妻子又让伙计把孩子抱了回来。"

文雅忍不住地问："那妻子把孩子带走了吗？"

小脚夫人摇了摇头："妻子接过孩子，在女儿的右小腿上咬了一口……"

文雅惊诧道："她为什么咬孩子？"

小脚夫人说："妻子是想在孩子身上留下印记，不然，就是日后见了面，母女之间也难以相认啊……"

文雅痴痴地看着小脚夫人。

小脚夫人接着说："可是，妻子又一想，女孩的腿不是轻易能被人看到的，她又在女儿右小臂的暄肉上咬了一口。然后，把女孩包好，再次让伙计把孩子放在路边。伙计本来就不忍心，见妻子咬了那女孩两口，就更不忍心了，他劝那女人把女孩带上。妻子想了想，她让伙计抱着孩子先去包头等她，妻子自己赶着车，追丈夫去了。"

文雅叹了口气："唉，真是个痴情女子！那女人追上丈夫了吗？"

小脚夫人道："追上了，可是，丈夫已经被清军砍得血肉模糊……"

说着这儿，小脚夫人泣不成声。

文雅明白，这一定是小脚夫人自己的故事。她劝小脚夫人："伊夫人，这都是过去的事了，过去的事就让它过去吧。现在革命了，清朝也完蛋了。你给我治过伤，你要是想念女儿，就拿我当你的女儿好了。"

闻听此言，小脚夫人立刻止住哭声，她抬起头，叫道："女儿……"

小脚夫人把文雅搂在怀里。

巴文雅不过是安慰小脚夫人，可小脚夫人却当真了。文雅正不知所措，大殿的门开了，云氏夫人闯了进来，她惊问："你们在干什么？"

第十八章

不不不，他是仇人的儿子，我不能对他存有任何幻想，何况他已经成了有妇之夫。然而，林玉凤既没管住自己的心，也没管住自己的嘴。

小脚夫人放开文雅，她表情很不自然："巴，巴夫人……"

文雅向母亲解释："额吉，那天伊司令救了我，伊夫人给我治好了枪伤，我在听伊夫人讲她的故事。"

云氏夫人笑道："啊，是伊夫人哪！救命之恩，永生难忘，我们巴家永远也不会忘记伊司令和伊夫人的大恩大德。文雅的伤刚刚痊愈，我怕她再生事端，就过来了。伊夫人，要不到家中坐坐？"

小脚夫人讪笑了一下："啊，不了。"小脚夫人既羡慕又无奈，她怆然道，"巴小姐是个好孩子，巴夫人真有福气。"

两个人正在寒暄之际，大脚孙妈拿着针线回来了，小脚夫人向云氏夫人和巴文雅告辞。

云氏夫人给宗喀巴佛像上了三炷香，她心中祷告，求宗喀巴大师早点让云恒回来，让他们早日圆房，早生孩子，自己早当姥姥。

河柳滩事件，文雅负伤，云恒照顾文雅，可文雅一见他就烦，处处刁难他，常常恶语相加，云恒一气之下去了归绥。

二次革命之后，一些有识之士纷纷办报纸抨击袁世凯。王定新创办了《归绥日报》，云恒成了报纸的主笔。一年后，王定新改《归绥日报》为《一报》。该报最初是一张四开小报，石印刊行，报社地址在今天的呼和浩特市旧城小东街。后来，王定新从太原购回铅印机，报纸篇幅增大，内容增多，报社也搬到了小召头道巷。《一报》除了刊载一般的街头巷尾新闻之外，主要宣扬民主共和思想，揭露专制统治的黑暗，深入生活，针砭时弊，深受读者好评。

王定新的反袁主张得到林永昌的大力支持，报社经费不足，林永昌经常解囊相助。因此，王定新每次回包头，都要登门拜见林永昌。王定新救过林玉凤，他一到林家，林玉凤就炒几个菜，听林永昌与王定新促膝交谈。在他们的谈话中，林玉凤渐渐地从失去郭洪霖的痛苦中解脱出来。

然而，一件事却让王定新非常愤怒。

1914年下半年，德国挑起了第一次世界大战，日本对德宣战，派兵强行接收德国在山东胶州湾的租界地和胶济铁路。1915年2月2日，日本趁欧美各国陷于战火，向中国提出了《二十一条》，逼迫北洋政府承认日本取代德国在华的一切特权，全国掀起声势浩大的反日浪潮。

国民党发动归绥、包头社会各界示威游行。王定新和云恒回到包头，他们和巴文栋联络后，带领包头的工人、农民、牧民、青年学生等，举着小旗，喊着口号，从东门大街一路向西，来到财神庙前集会。

王定新站在高台上，手里拿着一个喇叭筒，向围观的人们演讲："同胞们，父老乡亲们，兄弟姐妹们，世界大战在欧洲爆发，德国与世界各国为敌，日本以抗德为名，派兵强行登陆我胶州湾，占领德国在山东的租界地龙口、莱州半岛和胶济铁路。我国政府一再忍让，并宣布潍县车站以东为日德交战区，以西为中立地带。然而，日本方面置之不理，强行向西推进，占领了胶济铁路全线和沿途各矿山，驱逐中国员工。中国方面照会日本公使，敦促他们撤兵，可日本鬼子却向我国提出二十一条无理要求，逼迫我政府承认日本取代德国在山东的一切特权，承认日本人有在南满和内蒙古东部居住、往来、经商及开矿特权。不但如此，日本方面还要求在中国政府内，必须聘用日本人为政治、军事、财政顾问……大家想一想，如果我国政府答应这二十一条，中国就成了日本的殖民地，就沦为日本的附属国，中国老百姓将遭受比庚子赔款更为惨重的磨难，中国也将陷入万劫不复的深渊！"

巴文栋振臂："坚决反对《二十一条》！"

云恒挥拳："坚决维护中华民国主权完整！"

林玉凤举着小旗："与日本鬼子斗争到底！"

口号声一浪高过一浪，人们的怒吼声直冲天际，响彻云霄。

突然，一群人冲了进来，这些人有的拎着斧子，有的举着棍棒。其中一个短腿汉子跳上高台，来到王定新近前举斧子就砍。王定新本能地往旁一闪，这斧子砍在了他的左肩上。一股热流从胸前流到腰间，王定新身子一栽。短腿汉子横着又一斧子，王定新往后一仰，斧子在他胸前划过，王定新摔在地上。

云恒冲上前，抓住短腿汉子的斧子："流氓！你们为什么砍人？"

短腿汉子一拳打在云恒头上，云恒没松手，短腿汉子一抬腿，膝盖顶在云恒小腹上，云恒"哼"了一声，身子软了下去。

林玉凤跑上前，她抱住王定新："王先生，王先生，你怎么样？"

短腿汉子再次举起斧子，照王定新头顶就劈，王定新强忍剧痛，一把推开林玉凤，就地一滚，躲开了这斧子。短腿汉子往前一近身，斧子又劈了下来。

巴文栋斜刺里冲来，一脚端在短腿汉子的髋骨上，短腿汉子滚出五六步，斧子落地。巴文栋捡起斧子，正要砍短腿汉子，短腿汉子鲤鱼打挺站起，一个扫堂腿踢在巴文栋的踝骨上，巴文栋"扑通"摔倒。短腿汉子抬脚就往下跺，巴文栋抢斧子向短腿汉子的小腿砍了下去。"咣""咔嚓"，短腿汉子的脚也跺到了巴文栋胸口，巴文栋手中的斧子也砍上了短腿汉子的小腿。

"啊！"短腿汉子惨叫一声，坐到地上。

巴文栋就觉得胸中跟炸了一样，他强忍剧痛爬起。一个黑衣汉子冲来，巴文栋头上重重地挨了一棍，他眼前一黑，手中的斧子落地。黑衣汉子棍子一扔，抓起地上的斧子，照巴文栋的头就劈。就在斧子往下一落之际，人影一闪，一个身着蒙古袍的女子落在黑衣汉子面前，她飞起一脚，黑衣汉子仰面摔倒，鼻子、眼睛、嘴都是血，他连拱了三拱，也没起来。

蒙古袍女子扑到巴文栋近前："哥！哥！"

巴文栋听出妹妹文雅的声音，他想睁开眼睛，可眼皮仿佛有千斤重，怎么也睁不开。

随着一阵急促的哨声，枪声响起，刘彪带着警察冲向人群，他一眼看见了巴文雅："是你！"

刘彪一挥手，两个警察一左一右来抓巴文雅，巴文雅双臂弯曲，猛地往上一顶，两个警察的下巴脱臼了，他们坐在地上"啊啊啊……"说不出话来。

刘彪见巴文雅拒捕，他大叫："乱枪打死她！"

警察举起枪，向巴文雅射击，巴文雅"咕噜咕噜"滚到财神庙，凭借院墙掩护，"啪啪啪"向警察开枪。刘彪打了个手势，一个警察攀上墙，从墙头上举枪瞄准文雅。巴文雅全力对付前面的警察，对墙上这个人毫无所知。

眼看巴文雅命悬一线，突然，一声枪响，墙上的警察像一袋沙子跌落在地。巴文雅回头一看，见财神庙里跑出几个人，这些人手持短枪，为首的是个中年男子，此人细眼高颧，肩宽背厚，四肢粗壮。

巴文雅惊道："啸天虎！"

啸天虎等人一同向警察射击，警察往后一退，啸天虎拉起巴文雅："大当家的，我们走！"

几年前，巴文雅与云恒成亲路过云雀岭，遭啸天虎、啸天豹劫掠，巴文雅艺高胆大，她居然想到山上做大当家的。文雅与啸天虎比枪法，文雅取胜。啸天虎、啸天豹摆酒，承认文雅为大当家的。后来，李青林在包头发动革命，巴文雅多次去云雀岭，但山上人去屋空，一个人也没有。没想到，啸天虎在这里出现了，而且还没有忘记巴文雅是他们的大当家。

巴文雅高兴的心情简直无法形容，她随啸天虎穿过财神庙向后跑去。

警察怕巴文雅和啸天虎等人在庙里打冷枪，不敢进入财神庙。他们战战兢兢，走三步，退两步，等进了财神庙再一看，巴文雅和啸天虎等人连影子都没了。

牢房里屎味、尿味、霉烂味呛得人透不过气来，一扇铁门把这狭小的空间与外界隔开。在南面的墙上，有个一尺见方的小窗，一缕光线从窗口照了进来。

巴文栋和王定新昏迷不醒，巴文栋头上的血已经凝固了，可王定新肩上和前胸仍血流不止。云恒和林玉凤非常着急，王定新的血再流下去，非流干不可。云恒脱下外衣，"刺啦刺啦"把衣服撕成布条，林玉凤拿过布条给王定新包扎。

然而，云恒一件衣服用完了，王定新的血还在往外渗。云恒又把自己的背心撕了，缠在王定新的伤口上，但血仍止不住。

林玉凤脱下自己的外衣，身上只剩了一件小褂，一块玉佛从玉凤的项下露了出来。

这块玉佛有一寸多高，七分多宽，上红，中白，下绿，红如朝霞，白如祥云，绿如青草，温润如脂，晶莹剔透。玉佛笑容慈祥，肚子凸起，雕刻得十分精致。

林玉凤要撕自己的衣服，云恒想，玉凤毕竟是没有出嫁的女子，他伸手阻拦，玉凤急了："再不包扎，王先生就会没命的！"

云恒看了看自己，自己身上除了裤子之外，没有任何东西可为王定新包扎了。云恒无语了。

王定新的血终于不流了，玉凤的衣服还剩了一只袖子。林玉凤又把这只袖子撕开，包在巴文栋头上。

文栋慢慢地睁开眼睛，林玉凤惊道："焕章……"

巴文栋眼前觉得好像有层雾在飘，这雾渐渐地凝聚在一起，形成水滴降落下来。巴文栋张开嘴，想喝这水，可是，够不着，喝不到。巴文栋想坐起来，身子一动，胸中仿佛有几把锥子在扎自己的肺腑，文栋无力地躺下了。

文栋痛苦的表情仿佛在揪玉凤的心，她情不自禁地问："焕章……你怎么样？"

"玉凤……"巴文栋胸中憋闷，每呼一口气，每吐一个字，都要忍受巨大的痛苦。

玉凤用复杂的眼神看着文栋，这是她初恋的男人，也是她不共戴天的仇人。当初，她不爱郭洪霖，却答应嫁给郭洪霖，她的目的是想用郭洪霖的影子把文栋彻底覆盖。可是，初恋是人的一生中最为刻骨铭心的记忆，越想忘越忘不掉。玉凤努力培养她与郭洪霖之间的感情，终于，她和郭洪霖的爱情萌芽了，她很快就要成为郭洪霖的新娘了。可是，马号事件发生，郭洪霖身遭不幸。郭洪霖牺牲的前半年，林玉凤大门不出，二门不迈，她整天对着墙发呆。如今，郭洪霖在她心中变淡了，模糊了，巴文栋却在她面前清晰了。

不不不，他是仇人的儿子，我不能对他存有任何幻想，何况他已经成了有妇之夫。然而，林玉凤既没管住自己的心，也没管住自己的嘴："巴先生……你，你没事吧？"

一声"焕章"，饱含着无尽的关怀，无尽的爱恋；一声"巴先生"，却在两个人之间竖起一道高墙。

文栋知道玉凤还在恨自己的父亲和五伯伯，他是理解的，放在谁身上谁也不能释怀，文栋声音很弱："我没事。"

文栋的头左右摆动，仿佛要寻找什么。

林玉凤又问："巴先生，你找什么？"

巴文栋张着嘴，他渴望喝到那雾凝成的水："水，水……"

云恒走到牢门前高叫："来人哪！来人哪！"

云恒喊了半天，牢头才走来："喊什么？怎么了？"

云恒说："我们的人伤势非常严重，请给点水喝吧！"

牢头斥道："你想喝水就喝水？你以为这是客栈吗？"

说着，转身要走。

"牢头大哥，等一等。"一个甜美的声音传来。

牢头回过头，见林玉凤面如桃花，眼如丹凤，眉如弯月，唇如樱桃，美丽清纯，优雅大方。

林玉凤摘下项上的玉佛，她看了看这块精美的饰物，二叔林永昌曾告诉玉凤，这是她娘留下的唯一遗物，玉凤从小到大一直戴在身上。玉凤回头看一眼巴文栋，见巴文栋在舔干裂的嘴唇。

林玉凤心一横，从铁门里把玉佛递了出去。

牢头接过玉佛："这是什么？"

林玉凤说："这是玉佛，能值两千大洋。"

牢头眼睛瞪得跟牛眼一样："值多少钱？"

林玉凤重复道："两千大洋。"

牢头双手捧着这块玉佛，老天爷！我一个月收入六七块大洋，包头城里一套最好的四合院也不到二百大洋，这两千大洋的玉佛能换多少房子！

牢头把这块玉佛攥在手里，心怦怦地跳个不停，他对外面喊："张二狗？张二狗？"

一个狱警跑来，立正，敬礼："赵头。"

牢头吩咐道："你去，拎一桶水来，要干净的，能喝的。"

"是，赵头。"狱警转身就走。

牢头又补充一句："再拿两个碗来。"

狱警又答应一声。

牢头换成一副笑脸："林小姐，我姓赵，我叫赵登科，他们都管我叫赵头。以后您有什么事只管说，只管吩咐。"

林玉凤点点头："谢谢赵头。"

不一会儿，张二狗提来半桶清水，赵头打开铁门，让张二狗把水桶拎到巴文栋身边。玉凤舀了一碗，端到文栋嘴边，云恒想扶文栋坐起来，可文栋的后背刚刚离地，脸上一阵抽搐，胸内犹如刀剜一般。

见文栋这般痛苦，云恒不敢再动了。

玉凤问："巴先生，你哪里不舒服？"

文栋的声音很低，仿佛是从井底发出来的："我的胸，胸疼……"

云恒迅速解开文栋的衣服，见文栋胸前有大片大片的淤血，颜色跟茄子皮差不多。云恒和林玉凤对视一下，两个人猜想：一定是文栋的肋骨断了，很可能还不止一根。

断了肋骨是不能轻易坐起来的，一旦肋骨扎在内脏上，就有生命危险。

云恒只得把巴文栋的头抬高一点儿，玉凤把水送到文栋嘴边。

文栋每咽一口水，胸中就疼一下，文栋只喝了几口，就摇头不要了。

巴文栋连水都难以下咽，王定新到现在也没睁眼。云恒和林玉凤非常着急，必须马上请大夫为两个人医治。

玉凤放下碗来到牢房门前："来人！来人哪！"

赵头走来，他的态度明显好转："林小姐，什么事？"

玉凤道："我们的人一个昏迷不醒，一个连水都咽不下去。赵头，赵大哥，我求你了，你能不能放我们出去。"

赵头一咧嘴："林小姐，你要是找什么人，给什么人传个话，我都可以帮忙。放人，我，我真不敢。"

正说着，两个警察走了过来，两个人一个长着绿豆眼，一个长着蛤蟆眼。

"赵头？"

赵头转过身跟两个警察打招呼："二位，今天怎么有空到这儿来了？"

绿豆眼警察坏笑："局长大人要提审林玉凤林小姐，开门吧。"

赵头打开牢门，两个警察进入大牢，赵头也跟了进来。

突然，一个低沉的声音传来："刘彪没安好心，不能让他们带走玉凤！"

第十九章

　　林玉凤想到父母的惨死，她暗中向巴祯咬牙，可是，巴文栋
伤得那么严重，她心中的恨又消失了大半，她希望巴祯快点把巴
文栋赎出大牢，快点诊治。

　　王定新刚刚醒来，就听到绿豆眼、蛤蟆眼两个警察要带走林玉凤，他
虽身不能动，思维却是清醒的，脑海中立刻浮现出，在郭洪霖坟前刘彪调
戏林玉凤的情景，王定新使出全身的力气才说出这句话。

　　闻听此言，巴文栋心都要碎了，不能！绝不能让警察把玉凤带走！他
要保护玉凤，可身子一动，胸中剧痛无比。

　　云恒挡在两个警察面前，不知用什么办法才能阻止他们，云恒一着急
说：“我们三人都是山西省议员，我们严正警告你们，不能带走林玉凤！”

　　民国之初，王定新、巴文栋、云恒三人确实是山西省议员，但二次革
命之后，袁世凯就把国会和省议会都解散了。

　　绿豆眼警察讥笑道：“省议员？官还不小嘛！”

　　云恒不想揪扯议员这个话题，他道：“中华民国公民有示威游行集会
的自由，有人破坏游行集会，用斧子砍伤我们，你们不去抓他们，反把我
们关进监狱，你们讲不讲道理？”

　　蛤蟆眼警察道：“谁说我们没抓他们，他们都在狱里关着呢。”

云恒问："我怎么没看见？"

绿豆眼警察挖苦道："听你的口气，你不是议员吧？倒像是都统。是不是我们干什么都要向你请示汇报啊？"

蛤蟆眼警察绕过云恒去抓林玉凤，云恒拉住蛤蟆眼："要审审我，不能带走林姑娘……"

云恒转身阻止蛤蟆眼警察，绿豆眼警察举起警棍，照云恒的后脑就打。人体最脆弱的是太阳穴，其次就是后脑。云恒一下子瘫了下去。

林玉凤推开绿豆眼警察大叫："别打了，别打了！我跟你们走，我跟你们走！"

绿豆眼和蛤蟆眼两个警察一边架着林玉凤一条胳膊，把她拖出监牢。

"玉凤……"王定新想把林玉凤抢回来，刚一起身，两眼一黑，昏了过去。

地上躺着的巴文栋眼睛都要瞪裂了，玉凤，冰清玉洁的玉凤，她不能受辱，不能啊！巴文栋猛地站了起来，他想追上去，可刚到牢门，胸中就像有无数根针扎在自己的心上，文栋两腿发软，瘫在地上。

赵头闪身要出牢房，巴文栋一把拽住赵头的衣襟，仰起脸，强忍胸中剧痛："赵头，求你，求你给包镇公行的文牍林永昌送个信……"

巴文栋话没说完，头无力地靠在墙上。

刘彪的办公室在二层小楼的楼上。刘彪头戴黑色大檐帽，身着黑色警服，坐在一张宽大的办公桌前。桌子上放着一支盒子枪、一盏茶、一包烟和一盒火柴。绿豆眼、蛤蟆眼两个警察把林玉凤押了进来，刘彪挥了挥手，他们出去了。

屋里只剩刘彪和林玉凤二人。刘彪见林玉凤上身没穿外衣，只有一件白色小褂，长长的脖子，嫩嫩的肌肤，仿佛一捏就能出水似的；下身是黑色的过膝裙子，脚上是一双平底皮鞋。高挑的身材，绰约的风姿，看起来娇媚无比。刘彪心想，这姑娘是怎么长的？怎么这么漂亮？都说月里的嫦娥美貌无双，我看了好多好多嫦娥画，哪一张都比不上林玉凤。刘彪又想到沉鱼落雁闭月羞花的四大美女，那些美女图他也看过不少，刘彪还是摇头，四大美女也比不上这个林玉凤。猛然间，刘彪脑海中闪过一个人：巴文雅！对了，林玉凤跟巴文雅挺像，像！这两个女子那才叫天生丽质，美貌无双。可惜呀可惜，让巴文雅跑了，要是把她也抓来，让她们两个陪我，那该多好……

刘彪看着看着，一股液体从嘴角滑了下来，刘彪一摸，见是涎水，咽了口唾沫，干咳了一下："下面何人？"

林玉凤不看刘彪，也不回答。

刘彪又问："下面何人？"

林玉凤仍不看刘彪，也不回答。

刘彪并不发火："林玉凤，本局长在问你话，知道不？你怎么不回答呀？"

林玉凤白了他一眼："你既然知道我的名字还明知故问？"

刘彪嘿嘿一笑："这不是例行公事嘛。"

刘彪起身来到玉凤左边，玉凤把脸扭到右边；他到玉凤右边，玉凤把头扭到左边。

刘彪没笑挤笑："林小姐，想家了吧？"

林玉凤怒视刘彪："当然想家。我没有犯法，你们为什么把我抓进大牢？"

刘彪脸一沉："你没犯法，那几个人是谁砍的？难道是他们自己砍的吗？"

这是一句听起来有道理，却一点道理也没有的混账话，也是一些不会审案又故作聪明者的口头禅。这样的问话常常使对方难以回答，无法辩驳。就像有人摔倒了，你把他扶起来，他一口咬定是你把他撞倒的。你说不是，他反问，不是你，我是怎么倒的？执法者要想给人安罪名，这是最为通用的一句话。

林玉凤反驳："难道不是你砍的吗？"

刘彪一愣："怎么会是我？"

林玉凤以其人之道，还治其人之身："不是你是谁？难道是他们自己砍的吗？"

刘彪笑了："好一副伶牙俐齿。林小姐，你想给本局长安个什么罪名啊?"

林玉凤怒道:"日本拟定了要灭亡中国的二十一条,逼迫民国政府签字,全国人民无不愤慨,各地民众纷纷游行集会。作为中国人,你不但不维护游行秩序,抓捕寻衅滋事者,反拘捕爱国同胞,你到底是中国人,还是日本人的走狗?"

刘彪眼睛一瞪:"大胆,你敢骂我是日本人的走狗!我刘彪也是辛亥革命的元勋,推翻清廷也有我姓刘的一份功劳!知道不?"

林玉凤斥道:"那我们集会时,一伙暴徒冲入人群,他们见人就砍,你为什么不抓他们,反抓我们?"

刘彪装横:"你们是集会吗?你们是聚众闹事!聚众斗殴!知道不?尤其是那个王定新,他编了一张破报纸,天天骂袁大总统。袁大总统是什么,知道不?那就是当今的皇上!这是民国了,如果是前清,你们有多少脑袋也不够砍,知道不?"

林玉凤据理力争:"就是因为现在是民国,是中华民国,中华民国是公民当家做主,不是袁大总统一个人说了算,他不能像皇上那样作威作福!批评总统的错误是公民的权利,袁大总统知错不改就该骂!"

刘彪勃然大怒:"你敢骂袁大总统,反了你!来人!"绿豆眼、蛤蟆眼两个警察走了进来,刘彪道,"把她拉出去,枪毙!"

绿豆眼、蛤蟆眼两个警察推林玉凤就走,林玉凤向刘彪啐了一口,昂首挺胸,正气凛然。两个警察把林玉凤推出门外,刘彪怕绿豆眼和蛤蟆眼真把林玉凤毙了,他忙把二人叫了回来。刘彪对林玉凤垂涎已久,怎么可能要毙了她?见没有吓住林玉凤,刘彪搬了把椅子,让林玉凤坐下,林玉凤不坐,也不看他。

刘彪嬉皮笑脸:"玉凤姑娘,你太幼稚了,国家虽然规定公民有示威游行集会的自由,也有批评大总统的权利,可那不过是说说而已。这就叫政治,知道不?你还年轻,人只有一颗脑袋,人来到这个世界不容易,你小小年纪就死了,太可惜,知道不?按说,我和你爹林永昌是有交情的,前清时,我们同在包镇公行,我们一个是文牍,一个是武甲头,要是看在这层关系上,我应该放你。知道不?可是你爹太不仗义,他在樊恩庆面前说我坏话，让樊恩庆把我给撤了，知道不？不过，这都是过去的事了，不提了。我知道，你还没有成亲，还没有真正了解男人，还没有感受到男女之间的快乐，知道不？你要是答应我，我和你爹之间的恩怨就一笔勾销，玉凤姑娘，你看行不……"

说着，刘彪扑向玉凤，一把抱住玉凤的腰："玉凤姑娘，我想死你了，我真的想死你了，你从了我吧！"

林玉凤的手在刘彪脸上乱抓乱打："畜生！放开我！放开我！"

刘彪死死地抱住林玉凤："玉凤姑娘，从了我吧，你要什么我都满足你，我让你过上公主皇后一样的生活……"

"啪啪啪"，门外三声枪响，刘彪大惊，忙放开林玉凤。林玉凤趁机往外跑，可是，门外锁着，林玉凤连拽了好几下也没拽开。

随着"哗啦"一声响，门开了。林玉凤刚要跑，见面前站着两个人，一个是林永昌，另一个是伊占魁，伊占魁后面还有七八个全副武装的城防士兵。

林玉凤一下子扑到林永昌怀里："爹……"她泣不成声。

林玉凤为了给巴文栋找水喝，她把母亲生前留下的遗物玉佛给了牢头赵登科，赵头得了这个宝贝激动不已。他还算有点良心，在巴文栋的乞求下，赵头出了大牢，来到包镇公行。可是，林永昌不在，几天前就去了石拐煤矿。赵头又跑到林家，老者得知林玉凤被关进大牢急坏了，他立刻骑马奔向石拐。刚到包头城东门，见林永昌和伊占魁站在路边说话。原来，夏天已至，城防司令部的士兵还穿着棉衣，伊占魁巡查城防时见林永昌从石拐归来。林永昌的皮毛店下有几个加工皮服的店铺，伊占魁想请林永昌给加工一批军装。

老者把林玉凤的遭遇一说，伊占魁带着士兵和林永昌一起来到包头警务分局。

林永昌见林玉凤身上只有一件小褂，他以为是刘彪干的，大骂："刘彪，你这个畜生！"

伊占魁上前就给刘彪一记耳光，刘彪半边脸当时就肿了起来，伊占魁骂道："混蛋！"

刘彪对伊占魁恨之入骨,在石拐河柳滩时,你伊占魁就坏我好事,今天居然跑到我的警务分局撒野,我崩了你!刘彪回身要拿桌子上的盒子枪,一个城防士兵上前按住刘彪的手,其他城防士兵把枪口都对准了刘彪。

"不许动!"

"不许动!"

刘彪见伊占魁的士兵个个高大威武,他心里发虚,只得把手缩了回来:"伊占魁,你是城防司令,我是警务分局的局长,咱们井水不犯河水,你带人擅闯我的警务分局,打我的脸,干涉我断案,我要告你!"

伊占魁神色木然:"你可以告我,但要先把人放了。"伊占魁又补充道,"林姑娘,还有你牢中的王定新、巴文栋、云恒四个人。"

刘彪气哼哼地说:"你凭什么让我放人?你以为你是绥远都统吗?"

伊占魁冷冷地说:"说吧,你想要多少钱?"

刘彪挠了挠脑袋,城防司令部人多势众,训练有素,警务分局对付手无寸铁的老百姓绰绰有余,可要跟城防司令部发生冲突,那就是拿鸡蛋往石头上撞。既然伊占魁提到钱,那我就狠狠地敲他一笔。

刘彪仰起脖:"他们聚众斗殴,砍伤了对方好几个人,我带人维护秩序,他们又打死了我的几个弟兄。这样吧,我也不多要,五千大洋,你可以把人带走。"

伊占魁以为是五千大洋放四个人。哪知刘彪已经打定主意,巴、林两家财大气粗,云恒是巴府的女婿,巴文栋是巴府的少爷;林玉凤是林永昌的女儿,王定新办报纸林永昌资助他不少钱,此时不敲诈他们什么时候敲诈?

刘彪脑袋一晃,他左手伸出一个指头,右手伸出五个指头:"一个人,五千大洋;四个人,必须两万大洋。知道不?"

伊占魁眉头一皱:"你这是敲诈!"

刘彪拿起桌子上那包烟,他取出一支,点上火,漫不经心地抽了两口:"我也不想敲诈,可警务分局死了那么多人,总得有个交代吧?那么多兄弟,总得吃饭吧?"

伊占魁还了个价："三千大洋赎一个人。"

刘彪往桌子后面的椅子上一坐，两只脚放在桌子上，悠闲地晃着腿："五千大洋，少一个子儿也别想把人带走。"

伊占魁转脸看林永昌，林永昌近来手头上也不宽裕，如今草原上常有土匪出没，不但抢掠钱财，还杀人灭口。近来，林永昌虽然收了几笔货款，可是，他准备用这笔钱和几家商号购置蒸汽机船在黄河上跑运输。刘彪口气咬得这么死，看来不答应是不行了，林永昌只得把购置蒸汽机船的钱撤出来。

刘彪知道，王定新家不算穷，但要拿五千大洋是绝对不可能的。你林永昌不是能资助王定新吗？我就从你身上榨油。刘彪把双脚从桌上放下来，对林永昌说："人人都知道王定新跟林老板关系不错，相信你林老板是讲义气的，对王定新不会见死不救。"刘彪又威胁林永昌，"不过，王定新死活也无所谓，他要是死了，一张芦苇席警务分局还是出得起的。"

林玉凤一惊，王定新伤得那么重，随时都有生命危险，刘彪说的不是谎言。林玉凤也想到了巴文栋的伤，文栋似乎比王先生轻一些，可他连水都喝不进去，还能坚持多久？先救出王定新，然后再设法告诉巴府搭救巴文栋吧。

林玉凤低声对林永昌说："爹，王先生伤势十分严重，如果不出来，今天夜里可能都熬不过去……"

林永昌点了点头，他对刘彪说："玉凤和王定新两个人，一万大洋。"

刘彪吐了一口烟："好，痛快！那巴文栋和云恒林老板就不管了吧？"

林永昌冷冷地说："巴府的事与林某何干？"

伊占魁开口道："把巴文栋和云恒都放了，这一万大洋我出。"

刘彪把烟头往地上一摔："好，伊司令仗义！"

林永昌愣了，林玉凤却喜出望外。

这时，门外传来杂乱的脚步声，两个人闯了进来，刘彪一看，见是巴祯和巴府的管家乌恩其。

巴府在包头城有很高的威信，巴文栋、巴文雅出事之后，马上有人跑到巴府送信，管家乌恩其急忙来到上房："老爷、夫人……"

云氏夫人见乌恩其神色惊慌，不由得心头一紧："乌恩其，出什么事了？"

云氏夫人近来身体不好，乌恩其心有顾虑，他看着巴祯。巴祯也很着急："到底是怎么回事？你倒是说呀？"

乌恩其只得把巴文栋、云恒游行集会被捕入狱的事简单地说了一遍。

云氏夫人惊问："那文雅呢？文雅在哪儿？"

乌恩其嗫嚅道："小姐下落不明。"

云氏夫人"哎呀"一声，人事不知。

使女上来，又是抚前胸，又是捶后背，好半天云氏夫人才醒过来。巴祯吩咐使女照顾云氏夫人，他带着管家乌恩其来到警务分局。

林永昌一见巴祯，不由得想起巴、林两家的仇恨，两个人谁也不理谁。林玉凤想到父母的惨死，她暗中向巴祯咬牙，可是，巴文栋伤得那么严重，她心中的恨又消失了大半，她希望巴祯快点把巴文栋赎出大牢，快点诊治。

乌恩其见了林永昌，却低下了头，不知他在想什么。

巴祯牵挂儿子女婿，他的心跟着了火一般："刘彪，绥远蒙汉分治，你凭什么抓我的儿子和女婿？"

刘彪一拍桌子："蒙汉分治怎么了？蒙汉分治蒙古人就可以杀人放火吗？蒙汉分治蒙古人就可以寻衅滋事吗？蒙汉分治蒙古人就可以诋毁袁大总统吗？"

巴祯分辩道："蒙古人自有蒙古人的衙门，你无权关押我的儿子女婿！"

刘彪眼睛一翻："不让我关押你的儿子女婿可以呀，绥远特别行政区公署的大牢还空着，我明天就把他们送往归化城，这行吧？"

巴祯道："包头的蒙古人归沙尔沁章盖衙门，为什么要把人送到归化城？"

刘彪不阴不阳地说："对不起，我跟沙尔沁章盖衙门没有上下级关系。"

伊占魁悄悄地对巴祯说："巴兄，令郎伤势严重，我已经答应了刘彪，给他一万大洋，他马上放了令郎和令婿。"

巴祯一听一万大洋，心头一紧，巴府虽有积蓄，可要拿这么多钱，还是很棘手的。巴祯口气缓和下来："刘局长，我一时凑不到这么多现大洋，我用我的地租合同做抵押行不行？"

伊占魁说："巴兄，这笔钱我出。"

虽然巴祯把自己的官俸地献给了城防司令部，可也不能让伊占魁出钱为自己赎儿子女婿呀！

巴祯不同意，伊占魁执意要出，两个人争执不下，刘彪不耐烦了："这是警务分局，不是你们吵闹的地方。不管是谁，一手交钱，一手放人，别的免谈。"他手一挥，"送客！"

第二十章

云恒恨不能再遭遇一次土匪，如果再遭遇一次土匪，哪怕是天塌地陷、天崩地裂、粉身碎骨，他也要保护她，守着她，与她同舟共济，生死相随。

巴祯不知道文栋伤到什么程度，他急于把儿子女婿接出来，可临时抓一万大洋不知要跑多少地方才能凑齐，巴祯只得答应伊占魁先为自己垫付。

巴祯在中国银行包头分号大门前等着，伊占魁回到城防司令部，取来中国银行的存款凭证，他和巴祯进了银行，几个城防士兵跟在后面。

中国银行的前身是大清银行，1912 年 1 月 24 日，经孙中山先生批准，改为中国银行，同年 2 月 5 日在上海正式成立，此后一直是民国政府的中央银行。1914 年 10 月，中国银行在包头设立了分号。

一万大洋整整装了四箱子，伊占魁的士兵把四箱子大洋抬进刘彪的办公室时，林永昌已经提着钱先到了。

八箱子大洋摆在屋中，刘彪验了钱，把王定新、巴文栋、云恒和林玉凤四人放了。

刘彪一个月的薪水还不到五十块大洋，抓了四个人，就得了两万大洋，他乐得都找不到北了。按他当下的薪水，两万大洋就是四百年的收入！四百年哪！这么多钱我怎么花？要不要给警务分局的警察分点？不行不行，我是凭自己的聪明才智挣来的，怎么能给那帮奴才！要不给萨拉齐县的县长大人送点？他可是我的顶头上司。不行不行，县长算什么东西，他也得听我老丈人的。对了，我的官是老丈人给的，我应该孝敬老丈人点儿。给老丈人多少呢？一万？不行不行，太多了！给五千？还是多。给一千？一千刘彪也舍不得。还是算了，老丈夫有的是钱，这两万大洋都是我的，我谁也不给！

刘彪拿出一卷大洋，掰开，取出一块，吹了一口气，放在耳边听了听，好听！太好听了！大洋的声音就是好听。刘彪又掰开一卷，再取出一块，再吹一口气，再听……

刘彪把八箱大洋一卷一卷地往外拿，一卷一百块，每箱子二十五卷，八箱子，总共二百卷。刘彪拿出来，再放回进去，数了一遍，又数一遍。刘彪万分高兴，万分开心，万分幸福，有钱的感觉太美啦！

如今，包头警务分局已经有了电灯。天黑了，刘彪拉一下灯绳，灯泡像得了红眼病似的，发出昏暗的光，刘彪接着数大洋。

刘彪家的老妈子早把饭做好了，刘彪老婆打发使女到前面找刘彪。刘彪办公室外面没锁，里面却是插着的。使女敲了几下，里面没有回应，使女就回后院了。刘彪老婆听使女一说，她的火一下子撞了上来，这个不要脸的东西，一定是把哪个野女人领到办公室了！

刘彪老婆在门外连喊带叫，又是踢，又是砸。

刘彪听出老婆的声音，他把门开了一道缝，"吭"，他老婆踹开门："王八蛋，你又把哪个狐狸精领来了？"

刘彪老婆叫大胖，大胖的脑袋特别大，警务分局最大号的大檐帽扣在她头上都戴不进去。大胖的脸肥嘟嘟的，就像两个馒头长在腮上。大胖的门牙超大，别人一笑露出十几颗牙，大胖一笑只露四颗门牙。不仅如此，这两颗牙还跟闹分家似的，使着劲儿地往外翘，以至嘴唇都关不住。

大胖一眼看见了地上的大洋，惊道："大洋！"

大胖蚊子见血一般，几步蹿到箱子前，捧起一把大洋端详起来，刚才的怒气早就抛到九霄云外去了，她问："当家的，哪来这么多大洋？"

刘彪把敲诈巴、林两家的过程说了一遍，大胖在他的脸上亲了又亲，啃了又啃，她夸刘彪聪明，夸刘彪能干，夸刘彪会捞钱……她把天下最好听的话都说了出来，最后都找不到词儿了。

刘彪躺在地上，让大胖往他身上埋大洋。大胖看到这么多钱，也忘了饿，她把一卷卷大洋拆开，往刘彪身上撒。可是，只埋三箱子，刘彪就喘不动气了。但刘彪高兴，愣是挺着。

刘彪想睡在大洋里，可是大洋又凉又硬，刘彪翻身都很吃力，不一会儿，两腿发麻，两手发木，刘彪不情愿地从钱堆里站了起来。大胖也想学刘彪的样子，她躺在地上，让刘彪往她身上埋钱。

突然，门外有人大叫："不好啦，着火了！"

刘彪没当回事，大胖也没当回事。刘彪继续往大胖身上埋钱。过了一会儿，又传来呼喊声："着火了，快救火呀！"

大胖无动于衷，仍躺在钱堆里，她闭着眼睛享受钱给她带来的无限快感。

刘彪来到窗前，见外面火光冲天，照得如同白昼一般，几个警察远远地站着，并不上前。刘彪大惊，那不是自己的家吗？

"着了！咱家着了！"

刘彪朝大胖叫了两声，大胖睁了一下眼睛又闭上了："你去看看，我在大洋里再躺一会儿。"

刘彪推门跑了出去，可刚跑没几步，他又回来了。刘彪怕有人闯进办公室，他在外面把门锁上了。

刘彪吹起哨子，警察全都出来救火。前后折腾了近一个小时，大火总算是被扑灭了。

刘彪惦记着那八箱子大洋，他又奔办公室来了。绿豆眼、蛤蟆眼两个警察跟着刘彪，刘彪一瞪眼："你们跟着我干什么？还不回去睡觉！"

绿豆眼、蛤蟆眼两个警察谄媚地说："我们，我们是怕局长您老人家想不开。"

刘彪骂道："放屁！烧了两间破房子我就想不开，那我还当什么局长！"

绿豆眼、蛤蟆眼两个警察讪讪地走了。

刘彪上了二楼，来到办公室门外，见办公室的门还锁着，他拿出钥匙，打开门。屋里的电灯却关了。刘彪想，可能是大胖困了，躺在大洋里睡着了。

这时，墙角处传来"哼哼"之声，刘彪纳闷，警务分局没养狗啊，怎么听着好像是狗哼哼？

刘彪摸到灯绳，他拉开灯，眼前的情景令他大惊失色——地上一块大洋也没有了，八个箱子不翼而飞，大胖被绑在办公桌腿上，嘴里塞着抹布。刘彪当时就见汗了，他揪出大胖嘴里的抹布，解开绳子。

大胖站起身，双手叉腰，破口大骂："你个挨千刀的，你假装救火，派人把我绑上，还塞我的嘴。你说，你把八箱子大洋搬到哪个狐狸精家去了？"

刘彪一听就急了："你放狗屁！我什么时候派人来了？"

大胖更来劲儿了："你放驴屁，放王八屁，放猪马牛羊屁！我还不知道你，你一翘尾巴，我就知道你拉几个粪蛋……"

刘彪火冒三丈，他把手高高举起，要打大胖。大胖大脑袋一伸："还想打我，给你打，给你打，你打我一下试试？"

刘彪想到有权有势的老丈人，手慢慢放下了，他吼道："姑奶奶！我的亲奶奶！我都要急死了，你快说，到底是怎么回事？那两万大洋哪儿去了？"

刘彪出去救火，大胖在大洋里躺着。人胖觉多，没多久，她的困劲儿就上来了。大胖正迷迷糊糊之际，办公室门开了，大胖以为刘彪回来了，她眼睛也没睁。突然，听到大洋的碰撞声，大胖一下子睁开眼睛，见四个身着警服的人在往箱子里装大洋。

大胖坐了起来："你们干什么？"

一个人道："夫人，我们奉局长之命来取这些大洋。"

大胖很生气，她想说话，又一个警察上前，拿起抹布就把她的嘴塞上了，另外两个警察把大胖从大洋堆里拖到办公桌前，像捆粽子一样把她绑在桌子腿上。

大胖想喊喊不出来，想骂骂不出来，眼睁睁着四个警察把大洋装进箱子抬走了。

刘彪气坏了，谁这么大胆子，居然打着我的旗号把大洋给抢走了？我非剥他的皮不可！刘彪把所有的警察都集合起来，让大胖一一辨认。大胖看了两圈，都摇头，这其中根本没有那四个警察。

刘彪恍然大悟，明白了，这是调虎离山，是一场有预谋的打劫！打劫者先放火把我引开，然后，假扮警察抬走了大洋。

大胖一屁股坐在地上，放声大哭。

刘彪命令警察全部出动，立刻到包头城东门、南门、西门、西北门、东北门五个门查问。

城门归城防司令部管，城防司令部和警务分局谁看谁都不顺眼。警察问城防士兵，城防士兵要么爱搭不理，要么一问三不知。眼看天光大亮，一点消息也没有。

大洋从到手到被劫，前后只有几个小时。刘彪想，包头城除了伊占魁有这么大能量，别人都不可能。这一定是伊占魁这个狗杂种，他假装替巴祯出钱赎人，然后又到我家放火，趁我救火之机，派人假扮警察，劫走大洋。

刘彪眼睛都红了，他带着警察包围城防司令部，让伊占魁出来答话。伊占魁没出来，机关枪却出来了，城防军兵对着天一通扫射，警察吓得纷纷后退，刘彪也胆怯了。

刘彪手指城防司令部大骂："伊占魁，你给老子听着，我要是饶了你，我就是婊子养的！"

云恒和巴文栋被送进医院。云恒只是皮肉伤，没几天就出院了。

如果巴祯只赎文栋，不需要抵押租地合同，但要赎云恒，家里的钱就不够了。巴祯把一些合同低价抵押出去，还了伊占魁的钱。云恒过意不去，他来到巴府，跪在巴祯和云氏夫人面前。

近来，巴祯和云氏夫人的烦心事不断，文栋重伤住院，文雅下落不明，奥云好不容易怀了孕，还流产了。

见云恒跪在地上，巴祯把他搀了起来："孩子，钱财都是身外之物，有钱多花，没钱少花。我和你岳母只盼你和文雅早日圆房，我们早点抱上外孙子。"

说到文雅，云氏夫人的眼泪又掉了下来。时至今日，文雅一点消息也没有。一个如花似玉的大姑娘，就算是被人救走，谁知道救她的那些人怀什么心。云氏夫人每天都去包头召拜佛，为文雅祈祷，为文栋祈祷。

"噔噔噔"，管家乌恩其跑了进来，他一脸惊喜："老爷、夫人，小姐回来了。"

云氏夫人急忙往外跑，一推门，见文雅满面笑容地向云氏夫人走来："额吉。"

云氏夫人一把把文雅搂在怀里："额吉的心肝，额吉的宝贝，你可想死额吉了……"云氏夫人放声大哭。

文雅在云氏夫人怀里撒着娇："额吉，女儿也想你……"

文雅对云恒一直冷若冰霜，无论云恒怎么讨好她，文雅都拒之千里。云恒恨不能再遭遇一次土匪，如果再遭遇一次土匪，哪怕是天塌地陷、天崩地裂、粉身碎骨，他也要保护她，守着她，与她同舟共济，生死相随。云恒渴望得到文雅的爱，得到她的原谅。一见巴文雅回来了，他主动搭讪："文雅，你回来了。"

文雅置若罔闻，仿佛没有听见。

巴祯试图为云恒的尴尬遮掩，他对云氏夫人道："快让女儿进屋，有话进屋说。"

进了屋，云恒才发现，文雅身后还跟着一个中年男子。云恒定睛一看，他的心顿时狂跳起来，是他！怎么会是他？这不是云雀岭忽拉盖的大当家啸天虎嘛！

云恒这些年遭文雅冷遇，全都是因为这个忽拉盖，好啊！我正找你不着，寻你不到，你却送上门了，今天我非要你的命！

云恒溜进厨房，拎出一把菜刀，来到啸天虎背后，举刀就砍。

巴祯、云氏夫人和女儿文雅互诉别情，啸天虎两眼出神地望着。文雅忽然发现云恒举刀砍向啸天虎，她手疾眼快，飞起一脚，云恒的菜刀出手，"当啷"掉在地上。

云恒捡起菜刀，又冲向啸天虎，文雅又是一脚，这脚踢在云恒的髋骨上，云恒身子一歪，摔倒在地，巴祯趁机夺过菜刀。

巴祯斥责云恒："云恒，你要干什么？"

云恒爬起来大叫："岳父，他是云雀岭的忽拉盖，是大当家的。就是他劫了我和文雅。如果不是他，我和文雅早就圆房了，没准孩子都会跑了。"云恒又对文雅道："文雅，这一切难道你都忘了吗？你为什么不让我杀了他！"

文雅丹凤眼一瞪："你给我滚！滚出去！"

云恒目眦尽裂："文雅，这个忽拉盖把我们害苦了……"

文雅手指云恒吼道："我让你滚，滚出巴府！"

云氏夫人向文雅喝道："冤家，你闭嘴！"

巴祯也呵斥文雅，文雅气哼哼地坐在炕沿儿上。

巴祯和云氏夫人这才留意啸天虎，见啸天虎黑脸膛，细眼高颧，肩宽背厚，身材高大，有明显的蒙古人特征。巴祯和云氏夫人盯着啸天虎，啸天虎也看着巴祯和云氏夫人，六只眼睛越睁越大，巴祯不禁叫了一声："巴丰？五弟！"

中年人"扑通"跪在巴祯和云氏夫人面前："二哥！二姐吉！"

二十多年来，巴祯一直认为巴丰死了，他做梦也没想到巴丰会出现在自己面前。

一旁的云恒瞠目结舌。

巴丰的祖父叫巴鲁，也是巴氏家族十五户的一支。太平天国后期，捻军兴起，八旗兵退化为老爷兵，除了打仗不会什么都会，尤其擅长欺压老百姓。清政府只得征调蒙古骑兵剿捻。沙尔沁章盖巴长春的祖父沙津被认命为从三品参领，沙津率领土默特右旗九百多将士奔赴山东。

土默特蒙古人把剿捻称为打南阵。打南阵时，沙津经常以少胜多，出奇制胜，令捻军吃尽了苦头。一日，沙津乘胜追剿一支捻军残部，这支捻军的首领叫麻政和，麻政和劝沙津加入捻军，共同推翻腐败的清王朝，沙津断然拒绝。麻政和把沙津这支队伍引到一座小山下，捻军主力杀出，把沙津这支人马团团包围。

沙津觉得这是消灭捻军难得的机会,只要他把捻军的主力吸引在这座山上,清军大队人马一到,里应外合,捻军就灭了,沙津就可以带着这支土默特右旗子弟兵回家团圆了。沙津派同族弟弟巴鲁去济南找山东巡抚搬兵,巡抚大人派兵护送妓女,却不出一兵一卒,而且,还把巴鲁打得几次发昏。巴鲁带着伤又到泰安和东昌两府搬兵,仍是毫无结果,致使沙津全军覆没。

这件事让巴鲁对清朝彻底失望。他回到家乡借酒消愁,后来离家出走当了土匪。巴鲁专门与官府作对,在一次打劫官府时被清军包围,巴鲁的百余兄弟死伤惨重,眼看就支持不住了,麻政和带人杀来,救出了巴鲁。两个昔日的敌人拜了把子,成了异姓兄弟。

麻政和很欣赏巴鲁,他把自己的一个远房妹妹嫁给了巴鲁。巴鲁和这位夫人生了一个儿子,这个孩子叫海青。海青成人,娶妻生了个男婴,男婴满月时,清军平山灭寨,巴鲁、麻政和以及海青分散突围。海青为保护媳妇和儿子被杀,海青媳妇中箭负伤逃到一户农家,她求这户农家把男婴送到包头城海宝家。说完,海青媳妇也咽气了。

男婴到海宝家之前,海宝夫妻已经生了四个儿子。因为住在城中,广泛接触汉文化,海宝取祖先的巴拉格特氏中的"巴"字为姓,长子巴福,次子巴祯,三子巴祥,四子巴喜,男婴被海宝当成五子,起名巴丰。

从那以后,一直没有巴鲁、麻政和的消息。

1900 年,义和团运动爆发。义和团杀洋人,灭洋教,见洋人就杀,见教堂就烧,就连中国的信教群众也不放过。不久,义和团进攻北京东交民巷英、美、法、德、意、日、俄、西、比、荷、奥匈十一国使馆和西什库教堂,包括德国公使克林德在内的一些外国领事人员和信教群众被打死。

这十一国中的八个国家即英、美、法、德、意、日、俄、奥匈组成联军,史称八国联军。八国联军总计不到 26000 人,竟然打进北京城,解除了义和团对东交民巷外国使馆区的包围。自称"刀枪不入"的义和团一败涂地,就连义和团的首领也被刀枪"入"了。

当时,包头的义和团也是轰轰烈烈,巴长春的两个伯伯巴图尔和巴音孟克牵连其中。逃到西安的慈禧答应向十一国赔款，八国联军要求清朝彻底剿灭义和团，巴图尔和族弟巴音孟克被押到包头城外砍头，巴鲁、麻政和突然杀出，巴图尔和巴音孟克被救，巴鲁、麻政和却双双遇难。

第二十一章

　　四年前，也是一个飘雪的日子，玉凤和父亲林永昌安葬了郭洪霖；四年后的今天，父亲林永昌又陪她来安葬王定新。

　　这样一来，海宝有五个儿子。按照清朝"三出一，五出二"当喇嘛的规定，海宝应该有两个儿子出家。因为巴家五代单传，长子巴福、次子巴祯、三子巴祥早早地定了亲，要出家，只能是四子巴喜和五子巴丰。

　　巴丰六岁时被送进庙，可是，一到庙，巴丰就生病。海宝几次把巴丰抱进庙，又几次抱了回来。海宝的祖母打力扣老人说，神佛不收巴丰，就不要把他送到庙上了。

　　海宝疏通关系，巴丰没有出家。海宝请师父教巴丰打拳踢腿，以图强身健体。

　　不练不知道，一练发现了，巴丰这孩子对练武有很高的悟性。见巴丰是个练武的苗子，海宝就把他送到归化城一个武师家中。巴丰十八岁那年，土默特左右两旗比武，巴丰以纯熟的刀马功夫赢得了绥远将军的赏识，绥远将军将他留在身边，几年后提拔他当了前锋校。

　　前锋校和骁骑校都是从六品武官。当时，海宝家里已经很富裕了，但也只是普通百姓人家。普通百姓人家能出个六品官实属不易。不但如此，前锋校主管前锋营，前锋营是绥远将军的侍卫营，专门负责绥远将军的安全，是绥远将军的心腹。

时逢归化城副都统上任，得知巴丰是绥远将军身边的红人，为了掌握绥远将军的喜好，以便把绥远将军的马屁拍得更舒服一些，归化城副都统经常请巴丰喝酒，还把巴丰的二哥巴祯安置到土默特旗务衙门当了个九品官。

然而，在绥远将军身边时间一长，巴丰发现这个绥远将军贪污腐化，鱼肉百姓，奢侈无度。曾祖母打力扣老人从小教巴丰"四书""五经"、礼义廉耻、温良恭谨让，尽管绥远将军有恩于巴丰，可巴丰还是想辞职。海宝大惊，六品顶戴，这是何等荣耀，你不但不珍惜，还要辞职？海宝狠狠地把巴丰训斥一顿。巴丰迫于海宝的压力，重新回到绥远将军衙署。

海宝临终前把巴丰的身世告诉了他，巴丰得知自己祖父、父亲都死在清军之手，又亲眼看到清朝官员的腐败，他更加痛恨清政府。也就是海宝去世那年，发生了绥远将军小舅子寇五强占林永盛店铺的事，林永盛杀了寇五，巴丰奉绥远将军之命追捕林永盛，归化城副都统派巴祯配合。

追到岔道时，巴丰兵分两路，巴丰追向林永盛，巴祯追向林永盛的妻子李二改。可是，巴祯追了一程觉得不对，杀人的是林永盛，他妻子是个妇道人家，一人做事一人当，追她干什么？巴祯又返回岔道口，奔林永盛逃走的那条路而去。

在一个山脚下，巴祯发现两具尸体，两具尸体身边各有一把刀。两具尸体的脸都被刀砍得血肉模糊，无法辨认，一个身着六品官服，另一个是买卖人打扮。巴祯身边的清兵都认为身着六品官服者是巴丰，那个买卖人是林永盛。他们分析认为，可能是巴丰在追捕林永盛时，两个人发生了激烈的搏斗，在搏斗中两败俱亡。

巴祯和大家的看法一样，他万分悲痛，巴祯把林永盛的人头割下，把"巴丰"的尸体抬回绥远将军衙署。绥远将军一清点人数，随巴丰一起追捕林永盛的清兵大部分没有回来。这位绥远将军很有想象力，他认为林永盛在山中埋伏了一伙亡命徒，没有回来的清兵都成了亡命徒的俘虏。

绥远将军官居从一品，他这么说，别人哪敢不认同。

因为"巴丰"殉职，也因为巴祯带回了林永盛的人头，巴祯被提升为土默特旗务衙门从六品骁骑校。当然，这是几个月之后的事了。

那年，巴丰占据云雀岭，文雅和云恒成亲路过这座山，巴丰劫掠文雅，当得知文雅是巴府的人，是自己的侄女，巴丰后悔不迭。文雅和巴丰比枪法，她要当云雀岭的大当家。巴丰虽然身为土匪，但他不想让文雅落草为寇，可又不知怎么对文雅说。所以，喝酒时，巴丰心事重重，心不在焉。

文雅本想在山上当几天忽拉盖，过一把替天行道的瘾。可酒足饭饱之后觉得不对，那些跑回去的人肯定告诉自己的父母，阿爸和额吉知道自己被劫上山，说不定急成什么样，于是，文雅纵马下山，回了包头城。

文雅一个人回包头，巴丰也不放心，他派了几个兄弟，暗中把文雅护送到巴府，同时也打探巴府的情况。只是文雅当时喝多了，没有注意后面有人。

巴丰派去的几个兄弟回来告诉巴丰，海宝夫人三年前去世了，巴福、巴祯、巴祥兄弟三人分了家，三个家庭都很好。巴丰深为自己没有在母亲膝下尽孝而自责。他跪在地上，朝包头方向给额吉磕了三个头。

巴丰想，云雀岭一带归土默特右旗管辖，二哥巴祯是土默特旗务衙门的骁骑校，一旦发生冲突，那岂不成了自家人伤自家人？巴丰和啸天豹商量后，率这支人马离开了云雀岭。

啸天虎巴丰和啸天豹辗转到陕西，在抢劫官府时遭到伏击，啸天虎巴丰和啸天豹突围时被清军打散。民国后，巴丰带着二十几人投到阎锡山部下，阎锡山给了他一个连长。袁世凯就任大总统，正式任命阎锡山为山西都督，阎锡山手下的人都得到了提升，巴丰却还是连长。巴丰一怒之下把手下的兄弟又拉了出来。那日，巴丰带着几个兄弟进包头城，巧遇王定新、巴文栋、云恒组织民众游行集会，抗议《二十一条》，刘彪带警察抓捕文雅。见文雅有危险，巴丰当即出手，把她救出城。

想到二哥、二姐吉一定挂牵文雅的安危，巴丰决定亲自把文雅送回来，同时，也来看望一下二哥、二姐吉。

巴祯、巴丰兄弟互诉当年的旧事，管家乌恩其眉头紧皱，他几次要开口，但见巴祯、巴丰兄弟有说不完的话，他无法插嘴。

对于劫掠云恒和文雅，巴丰愧疚不已，他表示，对不起二哥、二姐吉，对不起文雅，对不起云恒。

巴祯、云氏夫人夫妻都是虔诚的喇嘛教徒，他们觉得这是命中注定，没有怪罪巴丰。巴祯、云氏夫人要留巴丰住下，巴丰说城外还有几十个兄弟，就匆匆告辞了。

送走了巴丰，一家人往院里走，巴祯、云氏夫人和文雅在前，云恒跟在文雅身后，乌恩其却站在门外，呆呆地发愣。

云恒和文雅不圆房，始终是巴祯和云氏夫人心中的结。云氏夫人语重心长地说："文雅，云恒，你们都老大不小了，你们的事不能再拖了。老爷，要不今晚就给他们小两口圆房吧？"

没等巴祯说话，文雅连声道："不行不行，额吉，我哥还在医院住着，他的伤还没好。再说，刘彪还要抓我，我，我怎么能，能连累，连累云恒……还有，我们上次也没买上东西。我一辈子就成一次亲，额吉，你就忍心让我都用旧的吗？"

文雅振振有词，云氏夫人一时不知如何是好，她的目光转向巴祯。巴祯想，可能是文雅和云恒的缘分未到，圆房的事就缓一缓，等文栋出院后，再择机而定吧。

云恒在巴府住了几天，文雅仍不给他正脸，也不跟他说话。云恒明白了，文雅说的根本不是真心话。尽管巴祯和云氏夫人对云恒十分热情，可每天遭受文雅的白眼，云恒的心无法平静。夜里，云恒常常睡不着，文雅如此瞧不起我，就算我和她圆了房，我能幸福吗？我在她面前能抬起头吗？云恒又想到了云雀岭，他恨巴丰为什么不一枪把他打死。如果我死了，文雅就会永远记着我，也省得每天受这份煎熬。

这天，云恒悄悄离开巴府，他出城来到刘宝窑子村王定新家。一进门，见林玉凤正给王定新喂鸡汤，王定新的伤已经好多了。王定新和林玉凤都有点不好意思，云恒却非常羡慕，什么时候文雅能这么伺候我一次，那该是多么幸福啊！

林玉凤放下鸡汤，去厨房烧水，准备给云恒沏茶。

云恒忘记了自己的烦恼，他问王定新："柄章，你和玉凤姑娘好上了？"

王定新摇头不语。

云恒道："人家这么伺候你，你对人家也没有什么表示？"

王定新勉强笑了一下："人家是大户小姐，我哪能高攀得上。"

云恒反驳道："这都什么年代了，你王柄章还有这种想法。得了，这件事交给我了，我跟玉凤说。"

水烧开了，林玉凤拎着水壶走了进来，见云恒和王定新有说有笑，她随口问了一句："你们说什么呢？这么高兴？"

云恒一副若无其事的样子："提亲呢。"

林玉凤放下水壶，她以为云恒在开玩笑，便道："提亲？给你提亲哪？"

文雅的影子在脑海中一闪，云恒叹道："我哪有那么好的福气呀，我给柄章提亲。"

林玉凤的手一颤，眉头皱了起来。

云恒接着说："包头城里的姑娘，人特别好，长得也特别漂亮。"

林玉凤已经把茶叶放进茶碗里，却不往茶碗里倒开水。她沉着脸，不再理云恒，林玉凤来到王定新身边，继续给王定新喂鸡汤，云恒被晾在一旁。

云恒故意为难林玉凤："玉凤，你不给我倒水了？"

林玉凤的口气从春天一下子到了严冬："茶和水都在桌子上，手长在你身上。"

云恒不时地向王定新挤眉弄眼，王定新假装没看见。

云恒又说："玉凤，你也不问问，我给柄章提的是哪家姑娘？"

林玉凤不冷不热："哪家姑娘与我何干？"

云恒故弄玄虚："怎么能说跟你没关系？说起来，你还认识呢，她长得跟你一样漂亮，身材跟你一般高，出身也是大户人家……"

林玉凤实在不想听了，她打断云恒的话："云先生，你来得匆忙，太热了吧？外面凉快。"

云恒站了起来，他环视一下屋子，又看了看玉凤手中的鸡汤："有这么烫的鸡汤，屋里能不热吗？我是该到外面凉快凉快。"

玉凤突然觉得云恒的话弦外有音，她仿佛感到了什么，脸一下子红了，她的心怦怦直跳："你说了半天，那姑娘到底是谁呀？"

云恒神秘兮兮地说："远在天边……"

玉凤瞥了云恒一眼："天边谁能看得到，净瞎说……"

云恒诡异地说："那近在眼前呢？"

玉凤明白了云恒的意思，她的心跳得更厉害了，嘴上却说："你，你这个人真是的，到底是谁呀？"

云恒望着王定新："柄章兄，你看，有人着急了吧？"说着，云恒哈哈大笑。

林玉凤的脸在发烫："你这个人吞吞吐吐，这么点事还说不明白，真是烦人了……"

云恒郑重地说："好，那我就告诉你，这个姑娘名叫林玉凤。"

林玉凤的心都要从嗓子眼儿里蹦出来了，玉凤口不应心地说："你这个人怎么这么讨厌，我把水给你倒上了，你还是端着到外面凉快去吧。"

在云恒的撮合下，林、王两家确定 1916 年元旦国民成立四周年之际为林玉凤和王定新完婚。

从警务分局赎出玉凤和王定新对广盛西来说是伤筋动骨的。随着盛夏的到来，皮毛、煤炭生意进入淡季，林永昌的资金周转日益艰难。为了能给玉凤和王定新办个像样的婚礼，林永昌把石拐的煤矿卖了一部分。

反对《二十一条》的声浪如火如荼，广大工人、学生、爱国人士进行了为期三个月的游行示威。日本政府见中国民众反应如此激烈，不得不做出让步，袁世凯领导的中华民国也做出了相应妥协。1915 年 5 月 25 日，中日双方在北京签订了《关于山东省之条约》《关于南满洲及东部内蒙古之条约》等 13 件换文，统称《中日民四条约》，二十一条减少到十一条。中国新文化运动领袖人物之一胡适评价说："吾国此次对日交涉，可谓知己知彼，既知持重，又能有所不挠，能柔也能刚，此乃历来外交史所未见。"

《二十一条》平息了，新的问题又来了。袁世凯要废除共和体制的中华民国，改为君主立宪制的中华帝国，袁世凯要当中华帝国的皇帝，全国形成反袁和拥袁两大对立阵营。王定新坚决反对袁世凯改变中华民国国体，坚决捍卫孙中山先生的自由、民主、博爱的建国方针。王定新伤愈后回到归绥，他继续以《一报》为阵地，向拥袁派发起了一轮又一轮轰炸。

袁世凯操纵国家机器，严查反袁派，一些民主共和人士被抓。绥远都统潘榘楹出身北洋，是袁世凯的心腹，在查封《一报》时，发现了王定新与全国各地国民党高层往来的反袁信件，潘榘楹把王定新关进大牢。

潘榘楹多次提审王定新，逼迫王定新承诺《一报》不再刊登民主共和人士的文章，宣传报道君主立宪派的活动。王定新态度坚决，毫不妥协。1915 年 12 月 24 日，王定新被杀害于归化城南孤魂滩，年仅二十八岁。行刑前，王定新高呼："革命的花朵必须用鲜血浇灌，我王柄章为保卫民主共和而死，死而无憾，死得其所，死得光荣。我的肉体虽然泯灭了，但民主的精神将永放光芒！"

北风凄凄，雪花漫天，宇宙间一片白色。林玉凤和父亲林永昌走在风雪中，雪在林玉凤的脸上融化成水，水与她的泪融为一体，滴滴滑落到胸前。四年前，也是一个飘雪的日子，玉凤和父亲林永昌安葬了郭洪霖；四年后的今天，父亲林永昌又陪她来安葬王定新。

在王定新坟前，林玉凤回忆自己和他最后的一面。那是秋日的一个早晨，树梢上几片枯叶飘落，天上细雨蒙蒙。林玉凤说日子不吉利，她不让王定新走。王定新用手指刮她的鼻子，说她迷信。

玉凤一直把王定新送到城外，他们拥抱了，他们亲吻了。林玉凤再三叮嘱他早点回来，他们要一起购置他们的新婚用品，布置他们的新房，她还说要买一男一女两个布娃娃……

林玉凤早早就买了一对布娃娃，早早就布置了新房，只等王定新回来成亲。

12 月 1 日，王定新没回来；12 月 10 日，王定新没回来；12 月 15 日，还是不见王定新。林玉凤一连打了好几封电报，可是，音讯皆无。

再有十多天就是元旦，就是中华民国成立四周年的日子，就是他们成亲的日子。林玉凤不能再等了，她从包头来到归化城《一报》报馆。然而，她看到的是报馆门窗上一张张歪歪的封条，玉凤一下了瘫倒在地上。一个人把她扶了起来，她回头一看，见是云恒。

玉凤抓住云恒的双肩："告诉我，柄章在哪儿？柄章在哪里？"

玉凤拼命地摇着云恒，云恒一动没动。玉凤累了，摇不动了，云恒把王定新被捕的消息告诉给玉凤。玉凤疯一般地跑到绥远特别行政区公署，她往里就闯，荷枪实弹的士兵拦住她，她还要往里闯，士兵鸣枪示警，云恒把她拉住了。

玉凤坐在地上，两眼痴痴地向绥远特别行政区公署的大门望着，望着，望着……云恒劝说，她充耳不闻；云恒把自己的大衣披在她身上，她没有反应；云恒把买来的热馄饨端给她，她看也不看……

夜，长长的夜。玉凤的手冻僵了，眉毛和头发结成了霜。

看见啦！看见啦！柄章从绥远特别行政区公署大门走了出来，他在向她笑，他向她张开了双臂。玉凤的肋下居然生出一双翅膀，玉凤飞了起来，一头扑到王柄章的怀里……

坟头的引魂幡"沙沙"作响，黄纸钱"呜呜"地燃着，玉凤跪在冰冷的地上，泪流满面。

一串脚踩雪地的"咯咯"声传来，声音停在了玉凤的身后。

"柄章是我们的好同志，我们和你一样悲痛，玉凤，节哀吧。"说话的是云恒。

"人死不能复生，柄章在九泉之下看到你如此伤心，他也会痛心的，玉凤。"这是巴文栋的声音。

"玉凤，柄章的血不会白流，我们一定踏着柄章的足迹，把革命进行到底！让自由之花、民主之花、博爱之花在中华大地上绽放！"

这个人的话有些耳熟，但一时又想不起是谁。林玉凤慢慢转过头，见一个人站在巴文栋和云恒中间，此人重眉朗目，双眼皮，高鼻梁，白脸膛，嘴唇棱角分明，下颏微微翘起。

林玉凤认出来了，他是李青林，是当年到处发表演讲的李青林，是山西同盟会领导人的李青林，是被老百姓称为李疯子的李青林。

林玉凤猛然来到李青林身边："李先生，请你给我一支枪，我要杀了潘榘楹，为柄章报仇！"

第二十二章

文雅望着乌恩其，想起小脚夫人说的那个伙计，"中等身材，为人机灵，蒙古语、汉语兼通"，好像这三个条件管家乌恩其都具备，不会是他吧？

一辆轿车匆匆停在包头召大门外，小脚夫人和大脚孙妈慌乱地下了车，小脚夫人对孙妈说了几句，大脚孙妈疾步而去。

小脚夫人踮着小脚走进包头召大殿，她先把十几块大洋投进功德箱，然后点燃三炷香，向宗喀巴佛像拜了三拜。小脚夫人跪下，尽可能使自己平静下来，她闭着眼睛，嘴唇嚅动，样子十分虔诚。

三炷香燃了一半，大脚孙妈把文雅带来了。

自从上次小脚夫人给巴文雅讲了自己的故事，小脚夫人经常夜里失眠，她总是带大脚孙妈来包头召，盼望能见到文雅，但每次都是希望而来，失望而归。今天事出紧急，她让孙妈立刻去找文雅，无论如何也要请文雅来一趟。

巴文雅觉得小脚夫人很可怜，也很亲切。所以，大脚孙妈一叫，她就来了。

小脚夫人站起身，脸色严峻，她让大脚孙妈到庙门外等着。小脚夫人拉住文雅的手，语速比平时快很多："孩子，我要走了，今生今世也不知道能不能回来。我有个请求，你能不能叫我一声娘？"

这可大大出乎文雅的意料，叫娘？我有娘啊！我娘就是我额吉，就是云氏夫人，怎么能随便再管别人叫娘呢？

文雅甚至怀疑小脚夫人思维不正常，她犹豫不决，文雅想避开小脚夫人的话题，便问："伊夫人要去哪儿？"

小脚夫人没有回答，她忙不迭地说："孩子，还记得我给你讲的故事吗？我实话告诉你，那个女人就是我，那个孩子就是你。你是我的女儿，你右臂和右腿上的牙印就是我咬的。后来，你……"小脚夫人想说"你爹"，但没说出来，她怕文雅连"娘"也不叫。

小脚夫人改口道："后来，我男人遇害，我就信了喇嘛教。还到当地的一家教会医院做义工，也就是在那里，我学会的外伤处理。我天天念佛，顿顿吃斋，见喇嘛庙就进去烧香，求宗喀巴神佛保佑。宗喀巴神佛终于让娘见到了你，孩子……"

小脚夫人泪如雨下。

文雅回味小脚夫人说的话，觉得她条理分明，不像是思维错乱的人，可"娘"还是叫不出口："伊夫人，你到底要去哪儿？"

小脚夫人使劲儿地摇了摇头，她用无比期盼而又十分焦急的眼神看着文雅："不知道，我真的不知道。我不知道此去是生是死，不知道能不能回来。孩子，求你了，叫我一声娘吧，就叫一声，行吗？"

小脚夫人痴痴地望着文雅，那样子，恨不能伸出手，从文雅嗓子眼儿里把"娘"这个字揪出来。

小脚夫人的乞求令文雅鼻子一酸，她撸开袖子，看着自己右臂上的牙印。这是隆冬时节，大殿里没有取暖之物，文雅白嫩的胳膊刚一露出来，就起了一层鸡皮疙瘩。

文雅轻轻地叫了一声："娘。"

小脚夫人搂过文雅："我苦命的孩子……"

大脚孙妈跑了进来："夫人，老爷已经催了三次，快走！再不走就来不及了！"

小脚夫人应道："马上，马上……"可是，嘴里这么说，手却不放文雅。

大脚孙妈上前把小脚夫人和文雅分开，她拉着小脚夫人就走。可刚走两步，小脚夫人甩开了大脚孙妈，她摆动两只小脚小跑到文雅面前："对了，孩子，当时娘把你托付给了一个男人，就是娘跟你讲的那个伙计，他叫孙恩铭，你知道他在哪儿吗？"

文雅摇了摇头："孙恩铭？没听说过。"

小脚夫人又描绘道："孙恩铭中等身材，为人机灵，蒙古语、汉语兼通……"

突然，外面响起枪声，一个黑衣汉子跑了进来："夫人，刘彪带人杀来了，老爷叫你快走！"

大脚孙妈把一条胳膊伸到小脚夫人腋下，连拖带拉地把小脚夫人拽出了包头召大门，那样子几乎跟绑架差不多。小脚夫人三步一回头，两步一转身，望着文雅，泪水汨汨而出。

文雅愣愣地站着，等她跑出包头召时，街上的枪声已经乱作一团，一群警察向轿车开枪，街道两旁不时有人向警察打冷枪。

轿车飞驰，枪声渐远。

小脚夫人的话在巴文雅耳边一遍又一遍回响……我是她的女儿？我会是她的女儿吗？巴文雅撸开右臂，又撸开右小腿。如果小脚夫人不是我娘，她为什么对我身上这两个牙印说得这般清楚？

巴文雅的心七上八下，她回身进了包头召大殿，小脚夫人点的香还没有烧尽，文雅跪在宗喀巴大师佛像前。这是刚才小脚夫人跪的地方，她仿佛觉得蒲团垫上还有小脚夫人的体温，她感到了小脚夫人的温暖。文雅望着宗喀巴大师佛像，心中默念：大师，请告诉我，我到底是谁的女儿……

门外面传来了云氏夫人的呼唤："文雅？文雅……"

文雅回过头，见云氏夫人已经到了自己身后。

云氏夫人看见文雅，悬着的心落了下来，她也跪在宗喀巴佛像前，口中道："谢谢神佛保佑我女儿平安，保佑巴府满门平安。"

云氏夫人把文雅带回家，文雅一路沉思，一句话也没有。云氏夫人关切地问："文雅，你怎么了？不舒服吗？"

文雅勉强地笑了笑，她撸开右臂："额吉，我胳膊上这块疤是怎么留下的？"

云氏夫人若有所思："好像是，好像什么咬的吧？"

文雅追问："什么咬的？"

云氏夫人想了想："这是你小时候留下的，你都二十多岁了，额吉早就忘了。"

文雅又撸开自己的右小腿："额吉，这块伤疤呢？"

云氏夫人用手摸了摸，还是说不出个所以然来。

文雅再问："额吉，你知道有个叫孙恩铭的人吗？"

云氏夫人反问："孙恩铭？干什么的？"

文雅道："伙计，也算是赶车的吧。"

云氏夫人摇了摇头："孙恩铭？听这名字应该是汉人吧？"

文雅未置可否："大概是吧。"

云氏夫人道："咱们家雇过几个赶车的，他们都是蒙古人，没有汉人，当然也就没有叫孙恩铭的。"

清晨，天地混沌一片，管家乌恩其和几个家人在扫雪，他们扫了一遍，雪又落下一层，他们再扫。

文雅走出房门，管家乌恩其向她打了个招呼："小姐。"

文雅望着乌恩其，想起小脚夫人说的那个伙计，"中等身材，为人机灵，蒙古语、汉语兼通"，好像这三个条件管家乌恩其都具备，不会是他吧？又一想，不对，小脚夫人说的那个伙计叫孙恩铭，是汉人，管家乌恩其是蒙古人。

文雅又一想，自己刚刚记事的时候，乌恩其就当管家，他对自己的身世会不会知道一些？

文雅走上前："乌恩其伯伯，我向你打听一个人。"

乌恩其直起腰："谁呀？"

文雅道："有个叫孙恩铭的，你认识吗？"

乌恩其身子一颤，神色异样："孙恩铭？他，他，他是干什么的？"

文雅道："二十多年前，他在归绥的一个皮毛店当伙计。"

乌恩其的眉头动了动："好像听说过，小姐怎么问起这个人？"

文雅眼前一亮，她把乌恩其叫进自己房中。文雅把小脚夫人讲的故事原原本本地学说给乌恩其，乌恩其惊问："这是城防司令伊占魁的夫人讲给你的？"

文雅注视着乌恩其："是啊。"

乌恩其激动不已："伊夫人在哪儿？"

文雅叹道："已经走了。"

包头镇警务分局改为包头镇警察署。绥远特别行政区公署一纸公文发到警察署，委任刘彪代理包头城防司令，责令刘彪迅速抓捕伊占魁，刘彪接到委任状就往后院跑。

刘彪以前住的房子被烧之后，又换了一套。

刘彪还没进门就喊上了："大胖，老婆，来了！来了！"

大胖正在吃点心，她白了刘彪一眼："谁来了？鬼来了？"

刘彪眉飞色舞："委任状，委任状来了！我老丈人，你爹，不，咱爹，咱爹给伊占魁安了个罪名，说他是乱党，让我立刻把他抓捕入狱！"

大胖睁大眼睛："那咱们那两万大洋能要回来吧？"

刘彪神气起来："那是当然。他敢不给，我就把他打成筛子！"

大胖比刘彪还急："那就快去抓他呀！"

刘彪跑到外面吹起哨子，警察迅速集合。然而，当刘彪气势汹汹地来到城防司令部时，伊占魁一家人已经跑了。刘彪的警察和伊占魁发生了枪战，但还是让伊占魁跑了。刘彪追出城外十几里，想到那两万大洋，刘彪不追了。他回到城防司令部，把伊占魁家翻了个底朝天，可是，连一块大洋也没找到。

刘彪骂道："这个龟孙子，他把大洋藏到哪里去了？"刘彪眼珠转了几转，我现在既是警察署署长又代理城防司令，大权在握，还愁没有钱花？

刘彪回到警察署后院的自己家中，他老婆大胖正在沙发上嗑着瓜子，一见刘彪，大胖把手伸了出来："嗯！"

刘彪问："什么？"

大胖想的是那两万大洋："钱哪！大洋！你跟我装什么糊涂？"

刘彪两手一摊："伊占魁比兔子跑得还快，我带人去抓他，却扑了个空。城防司令部翻了个遍，一块大洋也没有。"

大胖骂道："放屁！是我爹给你的官，也是我爹帮你收拾伊占魁的，没有大洋，用什么孝敬我爹？"

刘彪一拍胸脯："媳妇大人放心，不就是钱嘛！有权就有钱，咱们丢了两万，这回我给你捞四万大洋回来。"

大胖以为刘彪说大话："放屁！你怎么捞？"

刘彪嘿嘿一笑："我不放屁，我放垦。"

清初，蒙汉分治制度十分严格，绝对不允许汉人进入草原。雍正时期，山西、陕西发生大旱，树叶被摘光，树皮被剥光，百姓仍不能果腹，汹涌的难民潮冲破蒙汉分治禁令，成群结队地奔向杀虎口和张家口，逃往草原。汉人租用当地蒙古人的户口地开荒种田，土里刨食。"河西保德州，十年九不收，女人挖野菜，男人走西口"。走西口成了晋陕汉人的一条活命之路。当大批难民涌向草原时，清廷担心强行把他们赶回老家引起民变，于是，把禁止汉人进入草原改为汉人可以在草原耕种，但蒙古人的土地不能买卖，汉人有使用权，所有权永远归属蒙古人。

自从鸦片战争以来，清朝与列强签订了许多条约，这些条约归纳起来就四个字：割地赔款。割地容易赔款难。清朝财力枯竭，无款可赔。怎么办呢？清廷打起了草原的主意。自1901年以来，清廷先后对乌兰察布盟、伊克昭盟、察哈尔、归化城土默特等草原进行放垦，鼓励内地有钱人到草原买地。买地的钱称押荒银，交了押荒银，政府发给土地证，对土地有永久使用权。

放垦主要有两项：一是官地放垦；二是低价征用蒙古民众牧场，然后高价卖出。

中原人有着几千年的置地盖房传统，一听说草原卖地，有钱人纷纷到官府购买。清末共放垦草场340余万顷，卖了700多万两白银，大大地增加了财政收入。

放垦引起了蒙古民众的强烈不满，各地起义不断，清廷不得不叫停。

袁世凯上任大总统之初，为寻求蒙古王公的支持，禁止政府以各种名目放垦草原，并给各旗王公加官晋爵。蒙古贵族看到了希望，一致拥护中华民国，拥护袁大总统。然而，民国初创，财政困难，百废待兴，而且，前清的赔款还是接着赔，这就需要大量的银子。到哪儿弄银子呢？想来想去，还得卖地，袁世凯也打起了草原的主意。

1915年，又一轮放垦草原开始，这次放垦规模较清末有过之无不及。不管是蒙民的户口地还是官俸地，也不管是不是从先祖那里继承的牧场，只要有土地，就必须交钱领取土地执照。如果不交钱，国家就把这些土地收归国有，然后卖掉。1915年是农历乙卯年，因此，草原上的蒙汉百姓称这个土地执照为"乙卯大照"。

政府不但向蒙民收钱，也把手伸向汉人。草原上汉人的土地都是从蒙古民众手中租来的，民国政府又向汉人征收地租税，汉人耕种的成本大大增加。

刘彪通过老丈人又争取到了包头垦务督办的美差。土默特旗共六十个章盖，其中，包头周边的十个章盖划归刘彪放垦。刘彪在包头可谓位高权重，他限期蒙民到警察署交款领取执照，逾期不来，就把土地无偿收回。

巴家长门巴福、二门巴祯、三门巴祥，兄弟三人都有牧场，家庙包头召还有香火地，香火地由巴喜喇嘛管理。巴祯想，前清放垦，收了巴家大量土地；现在民国了，蒙古民族又受到更为严重的盘剥。这真是应了那句话：兴，百姓苦；亡，百姓苦。

巴家土地不少，积蓄不多。兄弟四人齐聚巴府，商议对策，巴祯说："大哥、三弟、四弟，想全部保住巴家的土地是不可能了，只能让刘彪收走一部分，用那部分的补偿款作为押荒钱。"

除了这样，别无他法。大哥巴福安慰自己，也是安慰几个弟弟："家有广厦千万间，睡觉不过三尺宽；家有钱财千万贯，日食不过三顿餐。剩下的土地，收点租子，能度日就行了。"

放垦草场，刘彪狂赚十万大洋。刘彪喝着小酒，哼着小曲，逗逗鸟，听听戏，还经常背着大胖逛妓院。

卖地之初，刘彪本想把赚来的钱一半孝敬给老丈人，可是，钱一到手，他又舍不得了。在大胖的再三催促下，刘彪才带五千大洋去了归绥。

临到老丈人家门前，又见有几个送礼的抬着箱子进去。刘彪想，每天有这么多人给我老丈人送礼，他的钱肯定是多得花不完，有我这五千大洋不多，没我这五千大洋也不少，都是自家人，给老丈人一千大洋意思意思就行了。

老头子勃然大怒："你个忘恩负义的白眼狼！"老头子一甩手，叫人把这一千大洋都给扔了出去。

刘彪"扑通"跪在老丈人面前："岳父大人息怒，岳父大人息怒，小婿给您准备了，准备了……三……"刘彪想说三万大洋，但一看老头子脸色铁青，他忙改口，"小婿给您老人家准备了五万大洋，五万大洋啊！听说这几天闹土匪，小婿是怕路上不安全，先带一千大洋探探路，现在知道路上安全了，小婿这就回包头，过几天就给您老人家送来。"

第二十三章

小脚夫人多次打发大脚孙妈来找巴文雅，巴文雅又向乌恩其打听孙恩铭。乌恩其把这几件事联系在一起，他猜到了八九。

刘彪的老丈人是阎锡山童年时的私塾先生，受聘于阎锡山家中教书。老头子对清朝官府欺压百姓、作威作福恨之入骨。老头子爱喝酒，一喝起小酒，就骂朝廷。

阎锡山从小喜欢听古代帝王将相的故事，阎锡山爱听，老头子爱讲，因此，阎锡山和老头子师生关系很好。后来，阎锡山家道败落，举家逃难，老头子带着老伴和女儿大胖跑到包头，因生活无着，把大胖嫁给了刘彪。

阎锡山升任山西新军八十五标标统后，暗中派人把老头子接到太原，老头子在阎锡山军中当了师爷，阎锡山让老头子给士兵讲陈胜、吴广、李自成，诱导士兵反抗清廷。老头子口才好，阎锡山所部军兵的反清情绪很快被点燃，所以，阎锡山振臂一呼，他的部队整建制起义。

阎锡山的军事行动经常征求老头子的意见。老头子觉得清廷不会长久，自己老了，难有太大的作为。那时，刘彪被樊恩庆免职，心情抑郁，他去了一趟山西太原，见了老头子。老头子劝刘彪反清，让刘彪立点功，改朝换代也能谋个一官半职。在谈话中，老头子还把阎锡山的一些军事行动透露给了刘彪，刘彪摩拳擦掌，跃跃欲试。刘彪在包头城内贴标语，传播阎锡山攻打包头的消息，都是从老头子那里得到的。

孙中山辞去大总统职位，袁世凯主政中华民国，阎锡山投靠袁世凯当了山西都督，老头子被任命为绥远副都统。

事由阴阳合成，人心集善恶一体。人既有善的一面，也有恶的一面。无论是多么邪恶之人，善念不会彻底泯灭；无论是多么善良之人，恶念也不会永远没有。好的制度能最大限度地抑制人的邪恶，不好的制度把人的恶念全部释放出来，危害社会。一味地强调道德，只能培养出更多的伪君子，只能让那些伪君子行恶时更为隐秘。

老头子当副都统之初，也想有一番作为，为国家为民族做一些贡献，青史留名。可后来发现，政府里的官员人人都中饱私囊，拨打自己的算盘，你不贪污，你不受贿，同僚认为你假清高，处处防着你；相反，你同流合污，却能跟大家相处很好，一团和气。老头子的手脚放开了，不搂白不搂，白搂谁不搂。以至于后来，老头子明目张胆地索贿受赂，就连自己的女婿刘彪也不放过。

刘彪回到包头，第二天，就给老丈人送去五万大洋，老头子的脸云开雾散。

在回包头的路上，刘彪闷闷不乐。回到警察署，刘彪默不作声。大胖打了一天麻将，一见刘彪就指自己的肩："嗯，嗯。"

大胖这是要让刘彪给她捏肩，刘彪满脑子都是那五万大洋，给老丈人五万大洋仿佛跟割他的肉差不多，哪有心思给老婆捏肩。刘彪往炕上一躺，假装打呼噜。

大胖用脚踹了他两下："别装死，没有我哪有你今天，来，快点。"

刘彪只得坐了起来。

以前，刘彪很喜欢大胖的一身肥膘子，软软乎乎，颤颤巍巍，白白净净。今天，刘彪对老头子不满，他看大胖也烦。不知不觉，脑海中出现两个人，一个是林玉凤，一个是巴文雅。你看人家，不胖不瘦，细高挑大个，跟个仙女似的。你看我这老婆，这是个什么东西，跟坛子似的。

刘彪心不在焉，他暗自叹气，那两个天仙美女我是得不到了。突然，他眉毛往上一挑，听说城里新开了一家妓院，叫什么平康里，平康里有头牌，叫赛嫦娥，我还没见过，不知这个赛嫦娥长得什么模样？

包头妓院出现在嘉庆年间，主要集中在定襄巷。1915 年，天义成皮毛店经理张汝猷见定襄巷妓院破破烂烂，不上档次，他想仿照北京、天津的妓院，建一家包头最豪华的妓院。他以股份有限公司的形式，向各商号集股，每股 200 大洋，共集了 20 股，4000 大洋，他们在包头城内西南角的永合成旅蒙商号买了 20 多亩地，盖起了一个院落，这就是包头城内有名的平康里妓院。

刘彪给大胖捏了一会儿，大胖的困劲儿上来了，她打起了鼾声。刘彪叫过绿豆眼和蛤蟆眼两个警察，三个人坐上轿车来到平康里。老鸨迎上前，刘彪让绿豆眼、蛤蟆眼在外面守着，他跟着老鸨进了赛嫦娥的房间。

赛嫦娥不但长得漂亮，吹拉弹唱样样出众。赛嫦娥先给刘彪唱了几首小曲，刘彪把赛嫦娥搂在怀里，亲了又亲，啃了又啃，然后，解开赛嫦娥的衣服，一个洁白的胴体展现在刘彪眼前。刘彪两眼放光，一双手从赛嫦娥的脸一直摸到赛嫦娥的脚。这身体，细如缎，滑如脂，美如玉。赛嫦娥这名字果然名不虚传。

刘彪把自己的衣服脱了个精光，像老鹰抓小鸡似的，一个俯冲扑到赛嫦娥身上。

两个身体刚刚合二为一，"咣当"，门被撞开了，外面冲进一个胖娘儿们，这个胖娘儿们脱下一只鞋，劈头盖脸地向刘彪打去。

"色鬼！色狼！老娘打死你，打死你！"

刘彪一抬头，见是自己的老婆大胖，他一骨碌从赛嫦娥身上滚了下去。听到叫骂声，一些妓女嫖客过来看热闹。

有人议论——

"那不是警察署的刘署长吗？他也来逛妓院？"

"人家现在可不仅仅是警察署的署长，还是代理城防司令兼垦荒督办呢！"

"追打他的胖女人是谁？"

"那还用说，肯定是他老婆呗！"

"这也太惨了点，连衣服都没穿。"

刘彪要穿衣服，大胖又抓又咬又挠："不要脸，不要脸，老娘打死你！打死你！"

看热闹的人越围越多，老鸨像只花蝴蝶飞到两个人近前："夫人，夫人，看在我的薄面上，别打了，别打了。"

这么多人看热闹，老鸨又上来劝架，刘彪脸上挂不住了，他推了大胖一把，大胖一个趔趄，差点摔倒。

大胖急了："好啊，你个没良心的，你敢打老娘，老娘跟你拼了！"

大胖刚才打刘彪只脱一只鞋，现在她把另外一只鞋也脱了下来，两只鞋抡开了，"啪啪啪啪"左右开弓。片刻之间，刘彪的脸就跟大胖的脸差不多大了。

刘彪被打急了，他抬脚踹在大胖肚子上，大胖仰面摔倒，后脑勺磕在墙角上，一股热乎乎的东西流了下来。大胖用手一摸，都是血，她一下子没气了。

刘彪穿上衣服就跑，刚跑两步，发觉两腿迈不开，一低头，见裤子前后穿反了。刘彪脱下裤子，重新穿好，这才跑出平康里。

逃回警察署办公室，刘彪换上制服，一想不对，我让绿豆眼和蛤蟆眼在外面守着，这两个王八蛋跑哪儿去了？正想着，绿豆眼和蛤蟆眼气喘吁吁地回来了。原来，两个人见刘彪进了赛嫦娥的屋，他们也来劲儿了，两个人各自找了一个妓女，也嫖上了。外面打得热火朝天，两个人玩兴正浓，谁也没出来。等他们尽了兴，穿上衣服回来，刘彪已经跑了。

一见绿豆眼和蛤蟆眼两个人，刘彪勃然大怒："你们两个王八蛋，成心让我出丑，老子毙了你们！"

刘彪拔出枪，"啪啪"两枪，绿豆眼和蛤蟆眼两个人倒在血泊中。

刘彪叫人把这两具尸体拖走，血迹擦干，他把门反锁上，怕大胖再来找他撒泼。可是，从中午到黄昏，从黄昏到半夜，连大胖的影子也没有。

刘彪一想，不好，不会是大胖死了吧？在平康里，我把她推倒了，好像她脑袋出血了。刘彪从办公室里出来，叫几个警察到平康里去看看。不一会儿，警察回来了，说老鸨子给大胖包扎了伤口，大胖醒过来之后就走了。

刘彪又回家里找，什么旯旮胡同，鸡架狗窝，茅房地窖，垃圾桶，柴火堆，全都找遍了，也没有大胖的影子。

刘彪把警察集合起来，连夜把包头城的旅馆客栈搜了一遍，直到第二天中午，也没见大胖。

刘彪急坏了，大胖死活无所谓，关键是她有个好爹，万一大胖有个三长两短，她爹跟我要人怎么办？不要说我的官职保不住，连脑袋都可能搬家！

刘彪想到了包头召，包头召是城内唯一的喇嘛庙，里面供着宗喀巴神佛，人们都说宗喀巴特别灵，有求必应。刘彪一想，我还是去求求宗喀巴神佛吧。

释迦牟尼是佛教的创始者，宗喀巴是藏传佛教黄教的创始者，后来的达赖和班禅都源于宗喀巴。藏传佛教博大精深，玄奥神秘，高深莫测。

大清早，刘彪来敲包头召的大门。巴喜喇嘛打开庙门，见是刘彪，巴喜喇嘛有几分反感，但是，香客到来，巴喜喇嘛不能拒绝。

刘彪在宗喀巴佛前上了三炷香，拜了三拜，然后跪倒磕头，嘴里念着："求宗喀巴大师保佑我高官得坐，骏马得骑，老婆早点回来。"

巴喜喇嘛在一旁，心中道：佛保佑的都是好人，从没听说佛保佑恶人，善恶到头终有报，一切自有定数。

刘彪拜完佛，只向功德箱中投了贰角银币。

在西方货币制度的影响下，1910 年 4 月，清朝确定国币为圆，这就是老百姓俗称的大洋。清朝的大洋以壹圆为主币，辅以伍角、贰角伍分、壹角三种银币，以及伍分镍币，贰分、壹分、伍厘、壹厘四种铜币。1914年，民国政府发行了新的国币，新国币也按圆、角、分铸造，上面有袁世凯头像，民间把一圆的国币称袁大头。

刘彪捞了那么多钱，居然只投了贰角银币。

刘彪离去，巴喜喇嘛做完早课回了禅房。

一辆轿车停在庙门前，大脚孙妈搀着小脚夫人下了车。小脚夫人进了大殿，大脚孙妈匆匆而去。

小脚夫人跪在宗喀巴佛像前。大约过了半个小时，大脚孙妈领来了巴文雅。

小脚夫人起身，未曾说话，眼泪先掉了下来："孩子！"

"伊夫人。"文雅道。

小脚夫人愣了一下，她弱弱地说："你，不叫我娘了？"

文雅只得叫了一声："娘。"

小脚夫人的眼泪一对一双地掉了下来："我苦命的孩子，你跟娘走吧，娘太想你了。"

文雅问："去哪儿？"

小脚夫人声音沙哑："去东北，去沈阳，反正你不能待在巴府。"

文雅问："为什么不能待在巴府？"

小脚夫人哽咽道："本来娘是信佛之人，信佛就应该容人所不能容，忍人所不能忍。娘可以原谅巴祯，可他毕竟是你的杀父仇人。娘一想到你叫他爹，叫他阿爸，娘的心就跟刀剁一样……"

文雅皱了皱眉："那我的亲生父亲是谁？"

小脚夫人回头仰视宗喀巴佛像，然后道："你的亲生父亲叫林永盛，你的亲生母亲就是我，李二改。"

文雅问："那我是怎么到巴家的？"

小脚夫人李二改道："当年，巴丰和巴祯追捕你爹时，你早产，娘把你交给伙计孙恩铭，娘让他把你抱走，至于孙恩铭把你抱到了哪里，你是怎么到的巴家，娘就不知道了。"

两个人正说着，乌恩其哭着走进大殿，他"扑通"一声跪在小脚夫人李二改面前："夫人，夫人，不义之人孙恩铭有负夫人，有负掌柜的，小姐是我抱到巴家的……"

巴丰没死，他到巴府与巴祯弟兄重逢；小脚夫人多次打发大脚孙妈来找巴文雅，巴文雅又向乌恩其打听孙恩铭。乌恩其把这几件事联系在一起，他猜到了八九。今天大脚孙妈一到巴府门外，乌恩其就注意上了。见文雅随孙妈走了，他悄悄地跟在后面。乌恩其躲在大殿外，小脚夫人李二改和文雅说的话，他听得一清二楚。

文雅大惊："乌恩其伯伯，你不是蒙古人吗？你怎么成了孙恩铭？"

乌恩其转过头："小姐，我不叫乌恩其，也不是蒙古人，我是汉人，我叫孙恩铭。"

孙恩铭是山西河曲人，十四岁时，河曲县大旱，孙恩铭父母饿死，孙恩铭孤苦伶仃，无依无靠，随着逃荒的人群走西口到了归化城。归化城有一个全国闻名的商号叫大盛魁。大盛魁商号有支驼队，驼队经常把布匹、茶叶、食盐等生活用品运到蒙古和俄罗斯，再从俄罗斯和蒙古运回皮毛、药材等。孙恩铭在大盛魁驼队拉了三年骆驼，在拉骆驼中，跟蒙古人接触频繁，他学会了蒙古语。

林永盛跟大盛魁商号驼队的队长是同乡，两个人关系不错。林永盛的皮毛店日益红火，他在包头开了分号，分号由弟弟林永昌经营。林永昌把归化城店里的伙计带走了一部分，这样，归化城总店的人手就有些不足。林永盛就跟大盛魁商号的驼队队长说，能不能给他物色一个蒙古语、汉语兼通的伙计，驼队队长就把孙恩铭推荐给了林永盛。

孙恩铭来到林永盛的皮毛店，他腿脚勤快，任劳任怨，林永盛很满意。林永盛出钱给孙恩铭娶了一房媳妇。有了媳妇，孙恩铭干起活来更有劲儿了。一年后孙恩铭的媳妇有了身孕，可是，媳妇难产，母子都没留住，孙恩铭悲痛至极。

绥远将军小舅子寇五强占林永盛的店铺，林永盛输了官司，准备举家逃往包头弟弟林永昌的分号。林永盛让孙恩铭套上车，拉着家中的金银财宝和妻子李二改。出了归化城，林永盛想回去烧了自己的店铺，什么也不给寇五留。他对妻子谎称有三百两银子忘在了家中，李二改信以为真。

当天风大，林永盛担心殃及邻居店铺，正在犹豫之际，寇五来了，林永盛一怒之下杀了寇五，巴祯随巴丰一起追捕林永盛。

李二改和林永盛成亲多年，一直没有生育，李二改一心想给林永盛生个男孩，继承林家的香火。李二改半路生产，见是个女孩，她非常泄气，孩子哭，李二改也哭。哭着哭着，李二改不哭了，她在孩子的右胳膊、右腿上咬了两口，孩子鲜血直流。孙恩铭很是心疼，他问女主人李二改为什么咬孩子？李二改也不解释，她让孙恩铭把孩子抱到包头，交给小叔子林永昌，她自己赶着车，追林永盛去了。

婴儿又哭又叫，孙恩铭无所适从。他想给孩子找点吃的，见远处有顶蒙古包，孙恩铭抱着孩子进了蒙古包。

蒙古包里有个慈祥的老额吉，老额吉养了几十只羊。老额吉见孩子哭成这样，她就挤羊奶给婴儿吃。婴儿吃饱，睡了。

孙恩铭惦记林永盛、李二改夫妇，他向老额吉说，他抱的是主人的孩子，主人在路上遇到了强盗，他请老额吉帮他看着孩子，他去寻找主人。

孙恩铭一边打听一边寻找，可是，直到归化城下，也没有发现林永盛和李二改。

第二天孙恩铭又找，在一个山脚下，发现了一具无头尸体。孙恩铭一看无头尸体的衣服大惊，这不是掌柜的林永盛嘛！孙恩铭放声大哭，他想把林永盛的人头找回来，连同躯体一起下葬。可是，林永盛的头没找到，却在一棵树下发现了李二改的衣服。衣服上全是血，地上似乎有被拖拉的痕迹，不远处还有李二改的一只绣花鞋。孙恩铭五雷轰顶，这一定是女主人李二改遭遇了野兽，被野兽吃了！

眼看天黑了，孙恩铭把李二改的血衣和绣花鞋放在林永盛尸体旁边，又拔了一些草把无头尸盖上，他想明天买口棺材把尸体盛殓起来。

可是，万没想到，孙恩铭第二天再到山脚下时，无头尸体和李二改的遗物踪迹不见。

第二十四章

文雅心事重重地回到巴府，突然一拍脑门，我为什么不去看看我娘住在哪里？文雅来到马棚，备上鞍子，纵身上马，"嗒嗒嗒"飞奔而去。

孙恩铭打听了好多人才知道，林永盛的尸体和李二改的遗物被清军带走了，孙恩铭后悔当天晚上没有把林永盛埋了。孙恩铭大哭一场，第二天，他怀抱女婴辞别老额吉，老额吉给他带了些奶食、炒米和肉干，孙恩铭徒步去包头找林永昌。

从老额吉家到包头近三百里，孙恩铭抱定一个念头，不管多远，就是爬也要爬到包头，把孩子交给林永昌。孙恩铭正想着，东边来了一辆马车。孙恩铭拦下马车，车主人说不到包头，只到沙尔沁。沙尔沁离包头还有三十里，只要到了沙尔沁，就好办了。

孙恩铭在沙尔沁下了车，抱着孩子又走了几里路，突然内急，把女婴放在路边，到十几步之外的树丛中方便。这时，两匹马飞奔而来，一个身着官服，另一个是喇嘛，女婴受惊哭了起来。两个人带住坐骑，一官一僧下了马，奔女婴而来。

孙恩铭一看，那个身着官服的是巴祯，那个喇嘛不认识，事后才知道是巴喜。

巴祯的妻子云氏夫人怀孕分娩，可是，孩子一生下来就抽风，只活了三天就死了。云氏夫人悲痛不已，又发烧，又说胡话。巴喜喇嘛下了几服药，不见好转，他到归化城请席力图召的住持喇嘛去给二姐吉看病。巴喜喇嘛到了席力图召，住持喇嘛不在。巴喜喇嘛就到土默特旗务衙门找二哥巴祯，有人告诉他，巴祯去了绥远将军衙署。

巴喜喇嘛来到绥远将军衙署时，见绥远将军正在为"巴丰"主持葬礼。

巴祯抬回了那具身着六品官服的尸体和林永盛的人头，绥远将军又让巴祯把林永盛的躯体抬回来。巴祯再次来到山脚下时，却见林永盛的躯体旁有件沾满血污的女人衣服和一只绣花鞋，巴祯把林永盛的躯体、血衣、绣花鞋一并运回绥远将军衙署。

绥远将军认为：林永盛有一伙帮凶，"巴丰"砍死林永盛，林永盛的那伙亡命徒又将"巴丰"置于死地。李二改赶车寻找丈夫林永盛，那些亡命徒把李二改打昏，抢走了车上的财物。李二改醒来后，找到丈夫的尸体，发现人头被割，她伏尸痛哭之时来了野兽，野兽把她拖走吃了，那拖痕就是最好的证明。

绥远将军凭想象就这么把案子定了。

为了给小舅子寇五报仇，绥远将军把林永盛的尸体曝尸街头。同时，在绥远将军衙署搭起灵棚，为"巴丰"举行葬礼，勉励清兵向"巴丰"一样，恪尽职守，为朝廷尽忠。

巴祯为五弟"巴丰"烧纸时，巴喜喇嘛来了。见到"巴丰"的灵位，巴喜喇嘛念经祈祷，之后，他把家中的情况告诉给了巴祯，兄弟二人安葬了那个假巴丰，第二天，巴祯就告假和巴喜喇嘛一起返往包头。

巴祯和巴喜喇嘛在归来途中，发现了路旁的婴儿。两个人四下看了看，并不见有人，以为这孩子是弃婴，巴祯就把孩子抱了起来。这一抱，孩子不哭了。巴祯的心一动，最近家中连遭不幸——五弟"巴丰"被害，女儿出生三天夭折，妻子病重，难道是神佛体恤我巴祯，给我送一个孩子为家中驱除晦气？

见这孩子挺可爱，巴祯心中喜欢。巴祯上了马，因为怀里抱着婴儿，怕颠着孩子，他和巴喜喇嘛没敢快跑。

孙恩铭见巴祯把孩子抱走，又急又恨，他提上裤子，一直跟到巴家大门外。

此时，巴祯的母亲还在，巴福、巴祯、巴祥兄弟三人还没有分家。

一连多日，孙恩铭又着急，又上火，又悲痛，吃不好，睡不着，主人唯一的骨肉交给我，还让仇人抱走了。孙恩铭急火攻心，就觉得天昏地暗，身子一软，倒在了巴家大门外。

孙恩铭醒来时，发现自己躺在热炕上，屋里一股草药味。见孙恩铭醒了，巴喜喇嘛用蒙古语问孙恩铭叫什么名字。

孙恩铭在大盛魁拉骆驼时，为了便于跟蒙古人打交道，队长给他起了个蒙古名，叫乌恩其。孙恩铭用蒙古语说出了自己的蒙古名。巴喜喇嘛告诉他，他的病并不严重，调养几天就会好的。

孙恩铭心里牵挂女婴，他刚好一些就下地了。在厨房门外，孙恩铭听到巴祯和巴喜喇嘛说，自从捡回了这个孩子，云氏夫人的病好了，心情也舒畅了。

孙恩铭一想，这孩子是林家骨血，我得想办法把孩子偷出去，送给掌柜的弟弟林永昌。孙恩铭每天早早起来，为巴家扫院子，劈木柴，铡草喂马。巴祯见孙恩铭勤快能干，就把他留下来给家里赶车。

云氏夫人把这个女婴视如己出，在死去的那个孩子百日之时，巴祯、云氏夫妇给这个孩子过了一个热闹的百天。十几个喇嘛为孩子念平安经，做祈祷，并给女婴起名叫巴文雅。

孙恩铭几次要把孩子偷走，可他是下人，不能随便到主人的房里去，孙恩铭无从下手。

孙恩铭勤勤恳恳，任劳任怨，给巴家留下了很好的印象。不久，巴祯给孙恩铭定了一门亲事。巴祯在归化城土默特旗务衙门为官，经常不在家，巴祯把巴家的大事小情交给孙恩铭，从此，孙恩铭当了巴家的管家。

巴家的人又对孙恩铭这么好，他偷走小文雅的想法就渐渐打消了。可是，孙恩铭总是觉得对不起林永盛和李二改夫妇，虽然他多次走到广盛西皮毛店的门前，但一直没有勇气进去和林永昌说实情。这件事就这么拖了二十多年。

巴祯母亲去世，他们兄弟三人分家，巴祯盖起了一套四合院，孙恩铭跟了巴祯，又给巴祯当了管家。

巴府上下没人知道乌恩其是汉人，更不知道他本名叫孙恩铭。

文雅没想到自己小时候的经历如此悲惨复杂，尽管她知道小脚夫人李二改和乌恩其说的都是真的，但是，她仍然无法接受这个事实。文雅泪流满面，不知如何是好。

"谁！"大脚孙妈叫了一声。孙妈向宗喀巴大师佛像背后奔去，见是巴喜喇嘛。

巴喜喇嘛手捻佛珠走了出来："阿弥陀佛，善哉善哉。"

文雅擦去泪水，她几步来到巴喜喇嘛面前："四伯伯，乌恩其伯伯说的是不是真的？我姓巴还是姓林？到底谁是我的亲生父母？"文雅连珠炮似的发问。

巴喜喇嘛面无表情："阿弥陀佛……"他只是念佛，捻佛珠，并不回答。

文雅"扑通"跪在巴喜喇嘛脚下，她搂着巴喜的腿，泪水又流了下来："四伯伯！出家人不打诳语，你告诉我，你告诉我，你告诉我呀！"

佛家有八戒：一戒杀生，二戒偷盗，三戒淫邪，四戒诳语，五戒饮酒，六戒衣着华丽，七戒坐卧高广大床，八戒午后再食。

巴喜喇嘛双手合十，嘴唇颤抖："阿弥陀佛，神佛把你送到巴府，这就说明你和巴府前生有缘哪。"

文雅仰脸望着巴喜喇嘛："四伯伯，请你不要绕弯子，我到底姓巴还是姓林，你说，你说呀？"

小脚夫人李二改、大脚孙妈和管家乌恩其都看着巴喜喇嘛。

巴喜喇嘛搀起文雅："孩子，你既已知晓，何必再问，阿弥陀佛……"

小脚夫人李二改向文雅张开双臂："我的孩子……"

文雅踉踉跄跄地扑到小脚夫人李二改怀里："娘——"

母女俩抱在一起泣不成声，小脚夫人李二改口中道："娘对不起你，娘对不起你……"

大脚孙妈在一旁说："夫人，天色不早了，还有百余里山路，如果天黑之前回不去，老爷不知道会急成什么样子！"

小脚夫人李二改不哭了，她用袖子给文雅擦了擦泪水，又抹了一把自己的脸："孩子，跟娘走吧！"

文雅摇了摇头："娘，巴家从小把我养大，我叫了他们二十多年阿爸、额吉，我不忍心哪！我想，我想问问阿爸，我亲生父亲埋在哪儿，我去给爹上坟，烧几张纸……"文雅突然住口，丹凤眼眨了又眨，"不对呀！五伯伯巴丰没死！娘，当年追捕你们的巴丰没有死！那我爹会不会也没死？"

小脚夫人李二改大惊："你说什么？巴丰没死？"

乌恩其也非常激动："是啊是啊，夫人，巴家五爷没死！"

文雅把她和云恒在云雀岭遭劫，她当了云雀岭大当家，财神庙被刘彪围捕，巴丰带人相救，之后又把她送回巴府等桩桩件件说了一遍。小脚夫人呆呆地发愣："巴丰没死，那，那两具尸体到底是怎么回事？"

文雅的心豁然开朗："娘，我去找五伯伯问个明白。我相信，我爹还活着，一定活着！"

小脚夫人李二改呆若木鸡："可是，我，我亲眼看到了他的尸体呀……"

乌恩其无法自制："夫人，你看到的不是无头尸体吗？你看到掌柜的脸了吗？"

小脚夫人李二改摇了摇头，她沉浸在往事的回忆中。

大脚孙妈又催道："夫人，我们快走吧。"

小脚夫人李二改走了两步，又回过身抱住文雅："你是娘的心头肉啊，你不跟娘走，只怕娘再也见不到你了。"

文雅抓住小脚夫人李二改的双手："娘，你去哪儿？等我打听到爹的下落就去找你。"

乌恩其也说："夫人，如果掌柜的还活着，我也跟小姐一起去找你。"

"永盛还活着？永盛还活着？你们找我，找我……"小脚夫人李二改喃喃道。

见小脚夫人李二改一脸茫然，乌恩其想，夫人毕竟改嫁伊占魁多年了，我的话是不是太唐突了？

文雅没想那么多，她问："娘，你住在哪儿？"

小脚夫人李二改柔肠百结："娘住在山里，今天晚上就要去很远的地方……"

文雅追问："去什么地方？"

小脚夫人李二改兀自摇头："我也不知道……"

大脚孙妈又催道："夫人，走吧，再不走就来不及了。"

小脚夫人李二改出了包头召大门，大脚孙妈扶她上车。文雅望着马车远去，直到消失在街口。

文雅心事重重地回到巴府，突然一拍脑门，我为什么不去看看我娘住在哪里？文雅来到马棚，备上鞍子，纵身上马，"嗒嗒嗒"飞奔而去。巴文雅出了城，一口气追出十多里，眼前来到大青山，前面出现两条岔道。巴文雅带住马，正不知往哪边追，突然，右边的路上跑来几匹马，跑在前面的人黑脸膛，细眼高颧，肩宽背厚，四肢粗壮，跨下一匹乌龙马，腰间插着手枪。

巴文雅又惊又喜："五伯伯！"

巴丰也认出了巴文雅，他勒马停了下来。

刘彪在包头召拜完佛回到警察署，见桌子上有封信，他拆开信一看，上面写着几行字：

> 你老婆在我手上，明天中午十二点，你送五万大洋到城东玉皇庙。请记住，你只可带两个随从帮你搬箱子，多带一个人或少带一块大洋，这辈子就别想再见到你老婆！

> 犬养良子
> 大正七年八月二十三日

刘彪仿佛活见鬼一般，他大叫："来人！快来人！"

一个警察跑来："署长。"

刘彪声音颤抖："这信是哪儿来的？"

警察道："是一个黑衣人送来的。"

刘彪又问："犬养良子是谁？大正年号是什么东西？"

这个警察也不知道犬养良子是谁，但他知道，大正是日本天皇的年号，大正七年就是民国七年，换成公元纪年就是 1918 年。

刘彪问了好多人，谁也不知道犬养良子。

刘彪又把这封信看了两遍，他头上汗津津的。这事太蹊跷了，我什么时候得罪了日本人？刘彪晃了晃脑袋，现在不是想得没得罪日本人，重要的是去不去见这个日本鬼子？要不要赎回大胖？这个日本鬼子居然要五万大洋，五万大洋啊！我好不容易在放垦中捞了十万大洋，第一次给老丈人一千块，第二次给老丈人五万块，要是把剩下的给这个日本鬼子，我不但白忙活，还亏了一千大洋。

刘彪一拍桌子："敲诈！这是敲诈！"

刘彪转念一想，我的大洋不也是敲诈来的吗？我先前敲诈了巴祯、林永昌两万块大洋，结果被伊占魁给调虎离山打劫了。这回好不容易放垦，敲诈了十万大洋，现在又发生了这件事。这真是螳螂捕蝉，黄雀在后。这这这，这可如何是好？

刘彪眼前一亮，大胖不用赎，不用。我今天不是去包头召了吗？我求了宗喀巴神佛，宗喀巴神佛一定能保佑我，保佑大胖。可是，刘彪随即又挠了挠脑袋，我只往功德箱里放了两角钱，是不是少了点？宗喀巴神佛不会嫌我小气吧？唉，要知道日本鬼子敲诈，我还不如多给神佛奉献点呢！

不行，还得赎大胖，万一大胖被害，老丈人向我要人怎么办？没有这个老丈人，我狗屁都不是。可是，大胖到底在不在这个日本鬼子犬养良子手里？万一不在，我给了他钱，大胖回不来，那我的五万大洋不是打水漂了吗？

刘彪思来想去，还得跟这个日本鬼子见面。刘彪觉得警察都是饭桶，他在城防司令部选了十几个身强力壮的士兵随他一起去玉皇庙。

玉皇庙的山坡上有一片墓地，从上往下看，一览无余。刘彪和十几个士兵骑马来到山坡下，一座大坟后转出两个短腿黑衣人，这两个人样子凶恶，一个是长眉，一个是短眉。

　　刘彪立刻拔枪，士兵的枪口也对准了两个短腿黑衣人。刘彪心里发虚，嘴上却很硬气："你们谁是犬养良子？"

　　长眉黑衣人阴沉着脸："谁是犬养良子不重要……"他向短眉黑衣人一点头，短眉黑衣人从怀里拿出一枚镶着宝石的戒指，他把这枚戒指抛向刘彪，刘彪接在手中。

　　长眉黑衣人说着一口流利的中国话："刘署长，刘督办，刘代司令，你认识这枚戒指吗？"

　　刘彪定睛一看，这不是大胖手上戴的那枚嘛！刘彪问："我老婆在哪儿？"

　　长眉黑衣人冷面如霜："我们的信上写得很明白，考虑你一个人搬不动五万大洋，允许你带两个人。可是，你太不讲信用了，如果明天……"他又重复道，"如果明天你不守约定，你收到的就不是你夫人的戒指，而是她的手指！"

　　两个黑衣人转身走了。

　　刘彪愣愣地站着，两个黑衣人已经走出二十多步，刘彪提着枪追上前。

　　两个黑衣人转过头，长眉黑衣人用狼一样犀利的目光看着刘彪："怎么，你是想要你夫人的人头吗？"

　　刘彪的枪口无力地垂下了："我，我，我问问，明天几点？在哪儿见面？"

　　长眉黑衣人道："已经有人把信送到了你的办公桌上。"说完，扬长而去。

　　刘彪回到警察署，果然办公桌上有封信，他哆哆嗦嗦地打开信，见上面写道：

明天同样的时间，同样的条件，南海子官渡东五里黄河北岸河湾处，一手交钱，一手交人。

犬养良子

大正七年八月二十四日

刘彪一屁股坐在椅子上。

第二十五章

文雅登上墙头，这下看清了，带头喊口号的人宽额大眼，英俊伟岸，左手拿着铁喇叭筒，右手握拳。巴文雅一愣，是他！

南海子官渡是黄河包头段的渡口。1874年黄河改道，萨拉齐的毛岱官渡无法使用，于是，清廷在包头南海子修了这个渡口。在没有汽车和火车的年代，水路交通就是国家的经济命脉。包头是塞外重镇，皮毛集散地，每年除了冬天河水结冰封河，其他时节官渡上下游往来的商船、客船穿梭不断。因此，清朝和民国都在这里设卡，向过往船只征收税费。

刘彪思考再三，救大胖重要，自己的安全更为重要。刘彪这次带上八个士兵，赶着马车来到南海子官渡。八个士兵把十个箱子搬到一条船上，这条船顺流而下，来到黑衣人指定的河湾。

黄河水很浑浊，有九曲黄河万里沙之说。不过，河湾里的水倒是很清，这里芦苇茂密，静谧无人，水鸟在空中盘旋，时起时落，并不时发出鸣叫。

刘彪拿出怀表看了看，已经到了十二点，却不见有人来。刘彪四下张望，正在狐疑之际，一条小船从身边的芦苇荡中划出。刘彪吓了一跳，这条船离自己也就十几步，他和士兵居然没发觉！

船上还是那两个黑衣人。长眉黑衣人站在船头，短眉黑衣人划着桨，他们的船靠近刘彪的船停了下来，两个人招呼也不打，纵身跳到刘彪的船上。

刘彪的船上，十个箱子分上下两层摞在一起，上面五箱，下面五箱。刘彪吩咐士兵："打开箱子。"

士兵把上面的五个箱子全部打开，刘彪道："五万大洋，一个子儿不少。你们该还我老婆了吧？"

长眉黑衣人从箱子里拿出一卷大洋，掰开，从中取得一块，吹了一口气，放在耳边听了听。短眉黑衣人从另一个箱子里也取出一卷大洋，他和长眉黑衣人一样，辨认大洋真假。两个人验完了上面的五箱大洋，又要验下面的五个箱子。

刘彪立刻阻拦："先别动，我老婆呢？她在哪儿？"

长眉黑衣人狡黠地说："我们看完下面的五个箱子就告诉你。"

刘彪用枪顶着长眉黑衣人的腰："不行！你们必须先让我见到老婆。"

士兵的枪口也都对准了两个黑衣人。

长眉黑衣人嘴角往上一翘："不让我们验箱子，难道里面装的是石头吗？"

刘彪脸色一变："胡说！验箱子可以，但我要先见到老婆。"

长眉黑衣人腮上的肌肉动了两下："刘彪，我们的信说得很清楚，只准你带两个人，上次你带了十几个，这次带了八个。你两次违约不算，还不让我们验箱。既然你不想要老婆，我们也不勉强。"长眉黑衣人向短眉黑衣人一摆手，"我们走！"

两个黑衣人说着就要上自己的船，刘彪吩咐士兵："把他们拿下！"

八个士兵往上一闯，要抓两个黑衣人，两个黑衣人各自拔枪，长眉黑衣人"啪"的一枪，刘彪头上的大檐盖就掉进了水中，刘彪吓得一捂脑袋。这时，一只水鸟飞来，短眉黑衣人手一扬，"啪"，天空中的飞鸟掉了下来。

刘彪和八个士兵目瞪口呆。

长眉黑衣人冷冷地说："刘彪，还玩不？"

刘彪面如土色："我，我……"

长眉黑衣人鼻子哼了一声："我们知道你肯定会耍花样，不过，我们还想给你最后一次机会，如果不想要你老婆，我们会成全你！"

长眉黑衣人对短眉黑衣人一点头，短眉黑衣人从衣袋里掏出一个红布包，手一扬，扔向刘彪。刘彪单手接过红布包，打开一看，里面竟是一根手指头。刘彪一哆嗦，这根手指头掉在船上。

刘彪大惊："这是谁的手指？"

长眉黑衣人狠狠地说："难道我昨天的话你忘了吗？日本人说话向来算数！"

刘彪战战兢兢地捡起手指，他眼睛瞪得跟牛眼一样："你们居然砍掉我老婆的手指！"

长眉黑衣人腮上的肌肉又动了两下："你听好了，如果下次你再敢戏弄黑龙会，砍下来的就不是你老婆的手指，而是她的脑袋！"

刘彪惊恐万状："什么，你们是黑龙会？"

黑龙会是日本势力最大的帮会组织，1901年2月3日成立。黑龙会觊觎中国东北三省、蒙古草原和沙俄的西伯利亚，他们的目标是把这一大片土地划入日本版图。因为黑龙江贯穿这一区域，所以，帮会起名黑龙会。黑龙会与日本政府、军部、财阀关系密切，他们刺探中国的政治、军事、矿山资源等各种秘密。黑龙会曾一度出资支持中国同盟会推翻清朝政府。到1937年，黑龙会的情报网几乎遍及半个中国，他们为日本军国主义全面侵华提供了大量情报。

两个黑衣人上了自己的船，短眉黑衣人扳桨划水，刘彪如梦方醒，他对两个黑衣人问："明天我把大洋送到哪儿？"

长眉黑衣人头也没回："回去看信！"

刘彪呆呆地站在船头，直到两个黑衣人的船消失在芦苇荡里，他的视线才收到眼前。刘彪看着大胖那根断指，带着哭腔说："我怎么遇上了黑龙会？这不是要我的命嘛！我到包头召拜了佛，佛为什么不保佑我？"

刘彪让八个士兵把上面装着大洋的箱子搬下来，把下面那五个箱子里面的东西全部倒进河里。士兵打开箱子，里面都是石头。

包头东门外有个高坡，高坡上有个敖包，此敖包离城五里，当地人称之为五里脑包或东脑包。东脑包坡下有个关帝庙，黑龙会约刘彪在关帝庙见面。

关帝庙背靠大青山，东西南三面都是稀疏的小草。

这次刘彪老实了，按信中所说，刘彪只带了两个士兵，他骑着马，两个士兵赶着车，三个人奔关帝庙而来。

车到关帝庙前停下，长眉黑衣人和短眉黑衣人从庙后闪出。两个人验过车上的箱子，五万大洋一块不少。两个黑衣人上了车，扬鞭催马。刘彪一把拉住马笼头："怎么，车也归你们了？"

长眉黑衣人口气极其生硬："不归我们，难道你让我们扛回去吗？"

刘彪急切地问："那，那我老婆在哪儿？"

长眉黑衣人乜斜地看了刘彪一眼："老规矩，回去看信！"

刘彪把枪拽了出来："不行！你们说过，一手交钱，一手交人，马上把老婆还给我！"

随刘彪来的那两个士兵也把枪口对准了两个黑衣人，长眉黑衣人眯着眼睛说："刘彪，你不是不想要老婆吧？"

刘彪无可奈何，只得收枪放人。

两个黑衣人赶着马车走了，刘彪扔下两个士兵，他骑上马，风一样跑回警察署。刘彪进了办公室，见桌上有张小纸条，刘彪抓起小纸条，见上面写道：

　　西脑包大照壁

落款跟前三次一样。

西脑包大照壁是土默特旗和乌拉特西公旗的边界，是与东脑包相对而言的。

清朝统一明朝之前，首先征服了北元蒙古。征服北元蒙古时，最先征服了科尔沁部蒙古。1634 年，科尔沁部随皇太极进攻北元蒙古大汗林丹，林丹汗逃到甘肃西部的大草滩抑郁而终。北元灭亡，草原形成了漠南土默特蒙古、漠北喀尔喀蒙古、漠西瓦剌蒙古（后为准噶尔汗国）。

为防止土默特部与漠北蒙古联手，清廷把科尔沁的茂明安部迁来，游牧于土默特部与喀尔喀部之间，监视漠南与漠北的往来；为防止土默特部与漠西蒙古联手，清廷把科尔沁的乌拉特部迁来，游牧于土默特与准噶尔两部之间，监视漠南与漠西的往来。

土默特部被画地为牢，生存空间被极大压缩。如果把明朝时期的土默特比为骆驼，清朝的土默特至多能算一只山羊，而且还是一只吃奶的山羊。即便如此，清廷仍不放心，又把土默特部拆解为左右两旗。

西脑包大照壁在包头城西门外。刘彪率城防司令部的一个连来到这里，可是，大照壁四周空旷，什么也没有，刘彪绕到大照壁西侧，发现照壁下有一堆乱草。刘彪让士兵扒开草，见大胖佝偻在其间，嘴被塞着，手脚被绑着，左手食指没了，伤口的血凝成了紫色。

刘彪见大胖这般惨状，心跟掉进冰窟一般，他把大胖抱在怀里，鼻子一酸，眼泪流了下来。

大胖像走失的孩子重见亲人，她咧开大嘴，放声大哭："挨千刀的，你可把老娘害惨了……"

救回大胖，刘彪想，我老婆落到黑龙会手里可以理解，可警察署大门一天二十四小时有人站岗，我的办公室也有人防守，黑龙会居然能把信送到我的办公桌上。这是黑龙会不想要我的命，如果想要我的命，我还活得了吗？

刘彪把所有警察的祖宗八代全部查了一遍，毙了几个嫌疑者，这才放下心来。

1916 年 6 月 6 日，袁世凯死后，北洋军阀分裂为直系、奉系、皖系，他们之间相互争夺地盘，打得昏天黑地。中华大地社会混乱，土匪横行，中央财政吃紧，地方财力无法满足军政开支，于是，各地巧立名目增加税收。

草原上能放垦的牧场都放垦了，怎么办呢？绥远特别行政区设立了一个新的税种——锅厘税。

锅厘税就是按锅收税，只要你家吃饭用锅，就必须交税。

在放垦草原中，刘彪给绥远特别行政区交足了大洋，得到了表彰。绥远都统觉得刘彪有能力、有魄力，这次征收锅厘税，又给刘彪增加五个章盖。这样一来，刘彪不但可以收包头镇近十万汉人的锅厘税，还可收十五个章盖的锅厘税。刘彪的权力更大了。

清朝前期曾征收过人头税，后来老百姓怨声载道，就叫停了，但锅厘税却从没听说过。广大蒙汉民众都骂政府榨取民脂民膏，纷纷抵制。刘彪哪管百姓死活，他带着警察到老百姓家，只要你不交，警察拎锅就走。这激起了老百姓的强烈不满，流血事件天天发生。

包头召的庙会叫嘛呢会，一年中有春祭和秋祭两次，春祭在农历三月二十三举行，善男信女祈求神佛保佑人畜兴旺，风调雨顺。秋祭在农历八月初一举行。相对于春祭，秋祭更为重要。这个季节牲畜奶水充足，膘肥体壮，蒙古民众做马奶酒敬献神佛，祈求草原吉祥，平安幸福。

秋祭庙会前两天，巴喜喇嘛请来一些喇嘛念经做法事。蒙古族、汉族、满族等各民族的信众来到包头召，他们献上钱财、奶食、面点和羊肉，主动为喇嘛和信众烧水、煮肉、做饭，做一些力所能及的事，从而得到心灵上的慰藉。

喇嘛是吃肉的。喇嘛教源于西藏，西藏气候干燥寒冷，土地贫瘠，环境恶劣，蔬菜粮食很少。相传，佛祖释迦牟尼为体恤弟子，将其神力化为牛羊，供喇嘛食用。不过，喇嘛吃的肉必须是五净肉，即不见杀、不闻杀、不为我杀、自死、鸟残五种。不见杀：不得看见宰杀；不闻杀：不能听见宰杀；不为我杀：不是专门为我而宰杀；自死：牛羊是自己死的；鸟残：鸟兽吃剩下的。

包头召外车水马龙，熙熙攘攘；庙内人头攒动，摩肩接踵。临近中午，东西两个跨院都摆上了桌子、凳子，桌子上放着碗筷。后院的十几口大锅热气腾腾，饭香、肉香四溢。

嘛呢会第一天诵平安经，第二天诵金刚经，第三天诵药师佛经。

驱魔是嘛呢会的高潮，其表现形式是跳查玛舞。驱魔是为了驱除人们的心魔、病魔和在庙外试图作乱的恶魔。跳查玛舞时，一般是由十二个喇嘛头戴不同面具组成，即牛头一人，鹿头一人，扮成白色老者一人，扮成阎王一人，骷髅面具四人，身着印度古装四人。

十二个喇嘛穿着神衣，手持法器，在大殿外左砍右劈，上刺下撩。

众信徒围着观看，只等跳罢查玛舞之后就开饭。可是，查玛舞正跳着，刘彪带着一大群警察闯了进来。刘彪歪戴着帽子，斜瞪着眼睛，挺着胸脯，迈着方步，警察呵斥信众："让开！让开！"

信佛者大都善良朴实，虽然人们恨刘彪，恨警察，但还是闪开一条道。刘彪带警察直奔后院。刘彪数了数锅，共总十八口大锅。一八得八，八八六十四，应交锅厘税一百四十四块大洋。

刘彪傲慢地问："谁是庙里管事的？过来过来，谁是？"

巴喜喇嘛走了过来："阿弥陀佛，贫僧就是。"

刘彪把手一伸："拿钱吧！"

巴喜喇嘛道："这十八口锅平时都不用，我们庙里只有贫僧一人，平时只用一口小锅做饭，大锅只是在庙会时才抬出来……"

刘彪眼睛一翻："怎么，还藏着一口小锅？小锅三块，中锅五块，大锅八块。再加收三块大洋。"

巴喜喇嘛愕然："阿弥陀佛，自古以来，佛门都是免税赋、免徭役、免朝廷的各种摊派，从来没听说向寺庙征税。"

刘彪口气严厉："我只是按上峰的命令办事，无论是佛寺还是道观，一律交税。"

巴文栋从人群中走了出来："自从清朝以来，草原上一直实行蒙汉分治，就算是收什么锅厘税，也应该是土默特旗或沙尔沁章盖衙门来收，轮不到你吧？"

刘彪从衣袋里拿出一张纸，在巴文栋面前抖开："看看，你们都看看，这是绥远都统给本署长、本代司令、本督办颁发的委任状。因为这里远离归绥，远离土默特旗，所以责成本署长、本代司令、本督办代收。巴文栋，你认识这上面的字吧？"

刘彪向院里的人高声道："你们都听着，如有抗税不交，蛊惑民众作乱者……"刘彪收起委任状，拔出手枪，"啪"，对空放了一枪，"就地正法！"

巴文栋大喊："我抗议！我抗议……"

巴文雅挤进人群，见刘彪如此嚣张，她的手伸向腰间，刚要拔枪，一只手摁住了她。巴文雅回头一看，见是五伯伯巴丰。巴丰声音很低："这里是家庙，是佛门圣地，是巴家列祖列宗灵魂安息之地……"

巴丰向文雅使了个眼色，便向庙外走去，文雅犹豫一下跟了出去。

巴丰步履匆匆，两个人一直来到警察署。

警察署门前聚集着数百人，人们手举标语，挥动拳头，其中有一个人，手里拿着铁喇叭筒，带头高呼口号："反对政府横征暴敛！"

百姓随之高呼："反对政府横征暴敛！"

这人又道："锅厘税是榨取老百姓的血汗！"

百姓随之高呼："锅厘税是榨取老百姓的血汗！"

这人再道："取消锅厘税！"

百姓随之高呼："取消锅厘税！"

声音从铁喇叭筒发出有点变调，文雅觉得耳熟，她踮起脚，可前面的人太多，根本看不见。文雅左右瞅了瞅，见旁边有堵土墙。文雅登上墙头，这下看清了，带头喊口号的人宽额大眼，英俊伟岸，左手拿着铁喇叭筒，右手握拳。

巴文雅一愣，是他！

第二十六章

刘彪的恶行在巴丰耳朵里早就灌满了，巴丰一直想收拾他，见刘彪到包头召找事，巴丰灵机一动，这可是天赐良机。

带头示威的人是云恒。

警察署大院门外站着数十名警察，警察荷枪实弹，枪口对着云恒和民众。民众中有穿长衫的，有着蒙古袍的，有身着青衣小褂的，还有头戴白色小帽的。穿长衫的通常是买卖人，穿蒙古袍的当然是蒙古人，穿青衣小褂的是普通百姓，头戴白色小帽的是回民。巴文雅的心一动，云恒居然能发动这么多民众，有两下子！

这时，一个高个子警察厉声喝道："云恒，你带人围堵警察署，严重扰乱公共秩序，严重违反社会治安。我限你即刻离开，否则，一切后果自负！"

云恒毫不示弱："只要你们停止征收锅厘税，我们马上就离开，一分钟也不在这里停留。"

高个子警察怒道："云恒，你敢威胁警察？你是活得不耐烦了！"

云恒不再理警察，他又一次举起拳头："打倒反动政府！打倒反动警察！"

民众高呼："打倒反动政府！打倒反动警察！"

巴文雅跳下墙，也加入集会队伍之中："打倒反动政府！打倒反动警察！"

"啪"，高个子警察开了一枪，接着，枪声大作，现场一片大乱，有人往东跑，有人向西逃，有人往南挤，有人向北撞。

云恒高呼："父老乡亲们，不要乱！"

然而，场面已经失控，云恒的呼喊声被枪声和咒骂声淹没了。

突然，云恒身子一栽，倒在地上。巴文雅迟疑一下，冲进人群。

民众往外跑，文雅往里挤，文雅被人流裹挟着，往前走三步，往后退两步。眼看几个警察用枪托不停地往云恒身上砸，文雅却冲不上去。

就在这时，李青林和林玉凤从警察署大门东侧跑了过来，两个人一人一支枪，"啪啪"，两声枪响，砸云恒的警察倒下两个，其他警察立刻向李青林和林玉凤射击。

巴文雅一直敬重李青林，她怕李青林有危险，文雅举枪"啪啪啪……"她的枪法太准了，眨眼间，警察倒下五六个。

突然，文雅身后的枪声如爆豆一般，文雅一回头，见五伯伯巴丰带一支队伍冲了上来，这些人个个手持短枪，向警察射击。

警察一边乱开枪，一边往后撤，他们躲在大门前的掩体后向巴丰这支队伍开枪。

巴丰对身边的两个年轻人道："王排长？杜排长？"

"有！"

"有！"

巴丰命令道："你们在大门前吸引警察。"

两个年轻人异口同声："是！"

巴丰又道："崔排长？"

"有！"

巴丰道："随我来。"

文雅听得很真切，她莫名其妙，五伯伯带的是什么队伍？怎么还有排长？

此时，民众都躲到了街道两旁。不知为什么，文雅开始担心云恒的安危，她的眼光搜索着，可是，云恒不见了，李青林和林玉凤也不见了。

巴文雅暗想，今天的云恒在凶恶的警察面前视死如归，大义凛然，与当初把自己扔在云雀岭的云恒简直判若两人。人都说，江山易改，本性难移。如果云恒是一个贪生怕死的人，他会如此吗？以前我是不是对他有点过分……

文雅正在胡思乱想，巴丰拉起她就走。

巴丰带着巴文雅绕到警察署后门，后门有个岗亭，岗亭外面站着两个警察。见一伙人冲了过来，两个警察拉枪栓喝道："站住！"

巴丰抬手就是两枪，两个警察应声而倒。

这两个警察刚倒下，旁边又冲出十几人，崔排长等人举起枪，"啪啪啪"，警察又倒下好几个，剩下的警察见势不好，一边开枪，一边往里跑。

文雅追上一个警察，她抬腿踹在这个警察的小腿弯处，这个警察"扑通"摔倒，文雅用枪顶着他的脑袋："说！刘彪和他老婆住在哪个房子？"

这个警察用手一指："那边，那边的小院。"

文雅揪住他的衣领："走！带我们去！"

巴丰、文雅、崔排长押着这个警察走进小院。巴丰一挥手，崔排长过去拽门，里面关得很紧，崔排长反复拽了十几下，门被拽出一条缝，见一根筷子粗的铁链在里面挂着。崔排长对着铁链开了两枪，铁链断了，巴丰、文雅和崔排长带人冲了进去。

这是一间大客厅，里面摆着沙发、茶几，墙上挂着山水画，地上铺着木地板，只是不见人影。巴文雅见西墙偏北有一扇门，文雅上前就是一脚，门没开，门板掉了下去。巴文雅又是几脚，门终于开了，巴丰、文雅一起冲了进去。

里面是间卧室，一张双人床，几个衣柜。崔排长在床下和衣柜里搜了个遍，只有些衣物和包袱，并不见人影。文雅发现这间屋的西墙有面一人多高，一臂多宽的镜子，文雅试着推了谁，发现镜子是活动的。巴文雅一脚下去，镜子碎了，又一脚，镜子后面出现一扇门。穿过这道门，里面又是一间屋，屋里没有窗户，黑乎乎的。透过这扇镜子门的光亮，见里面箱子摞着箱子，柜子挨着柜子，在箱子与柜子之间有个两尺宽的空隙，一个肥硕的大屁股撅着。

巴文雅照那大屁股就是一脚："出来！"

大胖战战兢兢地爬了出来，她一边磕头，一边说："好汉爷饶命，好汉爷饶命……"

大胖遭黑龙会绑架后，再也不敢出门了，整天躲在家里，除了吃，就是吃。这段时间，大胖更胖了。早晨有人给她买来两包蛋糕，每包蛋糕八块，她全吃光了。警察署前门枪声大作，不一会儿，后门又传来枪声。大胖吓坏了，难道黑龙会打来了？这帮天杀的，不是刚给他们五万大洋吗？怎么又来了？

崔排长上前塞住大胖的嘴，把她五花大绑，扔到墙角。

巴丰打开柜子，见里面珠宝堆得跟小山似的。又打开几个箱子，箱子里都是大洋。数了数，这间屋共四个柜子，十六个箱子。

征收锅厘税，刘彪又发了。本来刘彪要把这十六箱大洋存入银行，大胖不干。每天晚上睡觉前，大胖都要打开箱子数大洋，直到数累了才上床就寝。如果哪天没数，她就睡不着。

巴丰吩咐一声："全部抬走。"

这时，前门的杜排长提着枪跑了进来："队长，刘彪带人回来了！"

巴丰一皱眉："通知前门的弟兄，马上撤，老地方集合。"

杜排长答应一声，转身而去。

巴丰踢了大胖一脚，这脚并不重，大胖却很夸张地用鼻子哼了两声。巴丰对大胖喝道："你告诉刘彪，他要再敢搜刮民脂民膏，我们就烧了警察署，把他的脑袋揪下来当尿壶！听见了吗？"

大胖连连点头。

众人用床单等把大洋和珠宝打包，巴丰的弟兄或背在肩上，或提在手里。可是，大洋和珠宝太多了，大家带这么多东西，行动十分不便。

巴丰道："这都是老百姓的血汗，不能给刘彪留下，带不走的，抬到街上，都发给老百姓。"

崔排长等人抬着箱子，巴丰和文雅掩护，众人出了警察署北门来到街上。街上一个人也没有，巴丰左右看了看，见家家户户的门窗上都有一双或几双眼睛，巴丰命人把箱子里的大洋和珠宝倒在地上，大洋四处乱滚……

巴丰朝那些眼睛高声道："父老乡亲们，这都是你们的血汗钱，你们都拿回去吧！"

巴丰带着队伍出了西北城门，大约跑了十几里，队伍进了山环，眼前出现三间草房。不一会儿，王排长、杜排长及众人也回来了。

巴丰问："弟兄们都回来了吗？"

王排长道："报告队长，都回来了，有两个挂了点彩，但都是轻伤，没有掉队的。"

巴丰点点头："好！"

文雅忍不住问："五伯伯，你怎么成队长了？不叫大当家的了？"

巴丰脸色凝重："现在不叫了，不过，很快又要叫了。"

文雅像听绕口令似的，她刨根问底，巴丰长叹一声说出了实情。

上次巴丰送文雅回到巴府之后，就投奔了土默特旗保安队，土默特旗保安队也就是后来在土默特川上叱咤风云的老一团。老一团主要是由牧民组成的地方武装，他们打击土匪，保境安民。这支队伍经多次改编，频繁调动，但始终聚而不散。这支队伍对外称团，实际只有三百人左右，其下设四个队。巴丰投奔老一团后，老一团增设一个队，巴丰被任命为第五队队长。

北洋把持的国民政府放垦草原，土默特蒙古民众牧场被剥夺，蒙古民众不习耕种，放牧无着，生活水平急剧下降，老一团内部人心浮动。近来，绥远都统又征收锅厘税，就差明火执仗抢劫了。老一团虽是地方武装，但毕竟在北洋政府领导之下，老一团的高层敢怒不敢言。巴丰却咽不下这口气，他带着自己的原班人马脱离了老一团。

当初，刘彪强占巴府的牧场河柳滩，伊占魁打跑了刘彪，救了文雅，巴祯把河柳滩献给了城防司令部。后来，王定新、巴文栋、云恒、林玉凤入狱，刘彪敲诈了巴、林两家各一万大洋。伊占魁逃走后，刘彪虽然得到了河柳滩原巴府的那片地，但他更加仇视巴府。放垦中，刘彪不断给巴家穿小鞋，可他仍不解恨，这次征收锅厘税，刘彪想再拿巴家开刀。

刘彪对包头召的情况是清楚的，他知道包头召平时只有巴喜喇嘛一人，锅厘税收不了几个钱。可今天不同，今天是包头召秋祭，按照以往惯例，包头召一定要准备午饭。那么多人吃饭，必然要用很多锅，刘彪专门踩着这个点儿来收锅厘税。

刘彪的恶行在巴丰耳朵里早就灌满了，巴丰一直想收拾他，见刘彪到包头召找事，巴丰灵机一动，这可是天赐良机。不过，巴丰不想在庙里与刘彪发生冲突，他想来个围魏救赵，佯攻警察署，把刘彪吸引出来打伏击。

巴丰也没想到云恒会组织民众到警察署前游行示威，因为云雀岭的事，巴丰对云恒心存愧疚，他想救云恒，却见李青林和林玉凤把云恒救走了。巴丰临时改变主意，他命王排长、杜排长在警察署前门拖住警察，巴丰、文雅和崔排长从警察署后门抄了刘彪的老窝。

包头召不交锅厘税，刘彪要开功德箱，拿功德箱里的钱顶税款。来赶庙会参加秋祭的信徒不干了，那些钱都是他们从牙缝里挤出来献给包头召、献给神佛的，他们平时舍不得吃，舍不得穿，一分钱恨不能掰成两半花，怎么能让刘彪把钱拿走呢？

人们拥上前，护住功德箱，与警察对峙。

巴文栋振臂高呼："各位佛门弟子、信徒们，功德箱里的钱财都是我们的血汗，是我们对神佛的奉献，警察要强行收走，我们能不能答应？"

众人道："不答应！不答应！不答应！"

刘彪气坏了，他命警察往上闯，巴文栋和信众胳膊挎着胳膊，筑起了三道人墙，警察冲了几次也冲不进去。

刘彪大怒："反了你们！阻止征收锅厘税者，枪毙！"

信奉喇嘛教的人都梦想死后升入天堂，免受六道轮回之苦。能为神佛而死，为庙而死，他们在所不惜。因此，众信徒护住功德箱，毫不退却。

刘彪面露狰狞，他把枪举了起来："再不让开，我就要开枪了……"

话音未落，包头召外跑来一个警察："不好啦！不好啦！土匪攻进警察署了！"

刘彪大惊失色，他带人急忙往回返。

此时，王排长、杜排长和警察已经打乱套了。警察身着黑衣，统一制服，一眼就能认出来。可巴丰的队伍都是老百姓着装，五花八门，颜色不一，样式不一，不易分辨。王排长、杜排长混在老百姓中间向警察开枪，警察中弹倒地，死伤不计其数。

示威的人们连连叫好："打得好！打得好！打死这些警察狗子！"

刘彪回到后院，见屋里乱七八糟，柜子里的珠宝没了，十几箱子大洋也不见了，老婆大胖蜷缩在墙角，浑身抖成一团。

刘彪心中只有大洋和珠宝，他带人就追。可刚走几步，大胖又是哼哼，又是打滚。

一个警察对刘彪说："夫人还被绑着呢！"

刘彪回头骂了一句："你他娘的解开不就得了，这点屁事还来烦我！"

刘彪带人追出后门，见不远处一群老百姓在街上捡着什么。刘彪来到近前一看，有几个箱子扔在地上，老百姓都在地上抢大洋和珠宝。

刘彪大叫："这是老子的！谁都不要动！"

老百姓哪里肯听，刘彪急了，他向老百姓开枪，老百姓四散而走。刘彪和警察把散落在街上的大洋和珠宝装进箱子，抬回家。

大胖恨刘彪不给自己松绑，正骂着，见警察抬回几个箱子，刘彪跟在后面，大胖转怒为喜。警察把箱子放进屋中，大胖打发走警察，她和刘彪一数，十六箱大洋，四柜子珠宝，所剩无几了。

大胖放声大哭："这帮天杀的，这不是要了我的命吗……"

刘彪大叫："我要把警察和城防司令部的人全部拉出来，把那些土匪剜眼、摘心、点天灯，统统消灭！"

刘彪刚出警察署大门，几个身着军装的人迎面而来，为首之人向刘彪宣布三件事：第一，停止征收锅厘税；第二，包头警察署改为警察局；第三，新任城防司令即将上任。

刘彪瞠目结舌，他最关心的还是自己的官职。刘彪问自己是不是要改任警察局局长？新任城防司令是谁？那几个身着军装的人都摇头。

刘彪心中狐疑，这也太突然了，老丈人怎么一点消息也没吐露给我？到底出了什么事？不行，我得去绥远特别行政区公署找老头子问问。刘彪连夜赶往归绥。

绥远特别行政区公署位于今天的呼和浩特市新城西街鼓楼附近，也就是前清的绥远将军衙署。刘彪走进公署，来到老头子办公室门前。办公室门锁着，刘彪想找副官问问，可是，副官也没找到。

一个卫兵走了过来，他问刘彪是谁，从哪里来。刘彪一一回答。卫兵又问：老头子的老婆叫什么名字，家中有什么人，排行老几，身高多少，体重多少，脸上有几颗痦子……刘彪对答如流。刘彪奇怪，卫兵为什么问得这么详细？卫兵告诉刘彪，因为征收锅厘税，绥远各地老百姓纷纷造反，老头子散步时突遭枪击，副官当场毙命，老头子重伤住进了医院。

刘彪脊梁沟直冒冷气，他来到医院，老头子躺在床上，思维不清。刘彪觉得绥远都统对自己也不错，他想见见都统，了解自己下一步的任职。绥远都统正为各地的抗税愁眉不展，一见刘彪，勃然大怒："滚！都是你们这帮龟孙子给老子捅的娄子！"

都统这个态度，大大出乎刘彪的意料。刘彪暗觉不妙，改任警察局局长很可能没戏，趁新任警察局局长还没来，我得赶紧捞一把，不然，以后就没机会了。

可是，从哪儿捞？对了，林家！那天警察把云恒打伤，李青林和林玉凤突然出现，他们持枪向警察射击，救走了云恒。林玉凤是林永昌的女儿，林永昌既有煤矿，又有皮毛店，我就从林永昌身上下手！

第二十七章

刘彪暗恨自己，你说我当初怎么就没把伊占魁抓住，要是把他抓住，给他个枪子儿，哪还有今天这回事？这真是冤家路窄，冤家路窄呀！

"广盛西"匾本来是黑底金字，如今黑底的油漆斑斑剥落，没有剥落的油漆卷着，翘着，就像被太阳蒸干的水坑。匾上的金字也褪成灰色，十几步之外很难看清。几只麻雀在匾上蹦来蹦去，发出"啾啾"的哀鸣。

就在一年前，汽车在包头出现了。这是新生事物，包镇公行的大老板王用舟、沈文炳认为这是一个很好的商机，他们发行债券，筹资 50 万大洋，成立了西北汽车股份有限公司，在丰镇、归化城、包头、宁夏、兰州等地跑运输。此时，洋布大量进入中国，皮毛业严重萎缩，林永昌卖了几处房产，入股西北汽车公司。

可是，西北地区官匪勾结，当官的明里收过路费、道桥费、地皮费、水草费，等等，随便找个名目就收费；土匪暗中拦路抢劫，杀人越货，致使公司入不敷出，难以为继。

林永昌想卖掉西北汽车公司的股份，可是，连问的人都没有。这些日子，他的头发都白了。

然而，屋漏偏逢连夜雨，刘彪率警察包围广盛西。刘彪没有找到林玉凤，他把林永昌抓到警察署，逼林永昌交出林玉凤。林永昌被打得遍体鳞伤，但他一口咬定，不知道林玉凤在哪里。

林家的老者骑马跑到石拐煤矿，找到林永昌的儿子林信。

此时，林信经营的煤矿也出了问题——挖出的煤常常运不出去，一些地痞无赖经常堵在路上设卡拦车，收取高昂的过路费，林信的资金周转陷入危机。

得知父亲入狱，林信匆匆赶往警察署。

林永昌被打得奄奄一息，幸好有牢头赵登科的关照，他给林永昌送水送药，林永昌十分感激。

林信见父亲被打成这样，心如刀剜。他找到刘彪，提出花钱赎回父亲。刘彪向林信要五万大洋，林信当时就傻了。不要说五万大洋，就是五千大洋林信也拿不出来。林信乞求刘彪少要点，刘彪眼睛一翻，让人把林信轰了出去。

林信实在没有办法，只得在包头城内贴出低价售卖煤矿的消息。告示贴出三天，只有两个人来洽谈。林信要价十万大洋，第一个人只给四万。第二个人加了一万，林信有心不卖，又担心父亲林永昌在牢中撑不住，只得五万大洋成交。林信带着五万大洋来到警察署，林永昌方才脱离虎口。

晚上，刘彪和大胖把门插好，一起数大洋。

大胖有点不满足："怎么才五万块，咱们家那十六箱大洋是四万块，还有那些珠宝，少说也有三万块，这五万大洋连赔咱们的都不够。"

刘彪嘿嘿一笑："媳妇，还有这个呢！"

刘彪拿出一纸文书，在大胖面前一晃。

大胖一把夺了过去，见是一张煤矿出售合同，大胖只认大洋，不认合同："这是大洋吗？"

刘彪道："当然，这不但是大洋，这还是摇钱树呢！知道不？告诉你，这是林永昌的煤矿，最少能卖二十万大洋。"

大胖嘴张得老大："啊！那就赶紧把煤矿卖了，换成大洋吧？"

刘彪不屑道："女人就是女人，头发长，见识短。有了这个煤矿，再加上伊占魁留下的巴家官俸地河柳滩，我们成立一家煤炭公司，就可以垄断包头的煤炭市场，知道不？只要垄断了包头的煤炭市场，我们就能抬高煤价。这么一来，林永昌的煤矿可就远不止二十万大洋了。知道不？告诉你，公司的名字我都想好了，就叫金鹰公司，知道不？"

大胖两眼放光："真的！那就赶紧成立公司吧。"

刘彪十分得意："我已经让警察去办了，咱们的公司很快就要对外开张了。"

大胖高兴地在刘彪脸上连亲了好几口："当家的，你真行！"

刘彪抹了一下脸，他叹了口气："唉，只是包头警察署马上就要改警察局了，不但没让我当局长，还不让我管城防司令部了。老婆，你哪天去归绥跟咱爹说说，其实，那城防司令部听起来好听，可也就那么回事，没多大油水可捞，只要能给我一个警察局局长，到哪儿都行。"

大胖点头："行，我明天就去归绥。"

天又阴又冷，风吹着，一阵又一阵。太阳终于露出了圆圆的轮廓，一些年纪大的人蹲在墙根下，沐浴着阳光，然而，又一片乌云从远处飘来。

大门外，几个警察把"包头镇警察署"的牌子摘下来，换成"包头镇警察局"。院内，警察把路扫得干干净净，没有一片树叶，也没有一个烟头。

一切收拾停当，刘彪身着一套新警服，率领全局警察列于大门两侧。

一支马队奔警察局而来，这些人头戴大檐帽，身着灰布军装。走在前面的人骑着高头大马，肩上斜挎武装带，左边挂着马刀，右边插着手枪，看上去很是威武。马队在离警察局大门前十几步站住了。

高头大马旁边有个腰挎双枪的壮汉，双枪壮汉高声道："局长到——"

刘彪面对众警察："稍息，立正——"

警察全部立正。

刘彪双手提拳于腰间，跑向高头大马，在高头大马五步之外停下，立定，敬礼："报告局长，包头警察局刘彪带全局警察迎接局长……"

刘彪声音洪亮，可话到最后，声调却低了下来。刘彪非常惊讶，眼前这位新来的局长不是伊占魁嘛！刘彪结结巴巴地道："你，你是伊占魁，伊，伊司令？"

双枪壮汉五指并拢，一指高头大马上的伊占魁对刘彪说："这位是绥远特别行政区公署警务处副处长兼包头镇警察局局长伊占魁先生。"

刘彪重新敬了一个军礼："伊副处长，伊局长。"

伊占魁下了马，走到刘彪近前，他拍了拍刘彪的肩，嘴角微微往上一挑，似笑非笑："刘署长，不不不，刘副局长。"

刘彪一挺胸："有！"

伊占魁意味深长地说："我们是老朋友了。"

刘彪支吾道："老，老，老朋友……"

刘彪把伊占魁领到一间宽敞的办公室，桌子、椅子、沙发、茶几一应俱全。伊占魁看了看，却摇了摇头。他来到刘彪的办公室，刘彪的办公室虽然和刚才那间大小差不多，办公用品却跟那间一般无二。

伊占魁的眼睛在屋里环视一圈，似自言自语，又似对刘彪说："这间办公室倒是挺大的。"

刘彪道："伊局长，这间办公室和你那间一般大，一般大。"

伊占魁看了看天花板上的吊灯："我有办公室吗？"

刘彪哈着腰："刚才那间办公室就是给伊局长准备的。"

伊占魁摆了摆手："不不不，我想在这间屋里办公。"伊占魁回过头，对身后的双枪壮汉道："把里面的东西清走。"

双枪壮汉立正："是！"

双枪壮汉叫过几个警察，几个警察把刘彪的公文书卷、毛笔、墨水等物品收拾到一起，放在走廊上。

刘彪想，伊占魁不要新办公室，我要。他让几个警察把他的东西搬到那间新办公室，几个警察抱着刘彪的办公用品要往新办公室搬，伊占魁一摆手，他脸一沉："局长有办公室，难道绥远特别行政区公署的警务处副处长不该有一间办公室吗？"

刘彪脸色发白："那，那是……局长，你的意思是，是要用两间办公室吗？"

伊占魁的脸绷着："警务处副处长要处理的是绥远特别行政区公署的差事，包头镇警察局局长要处理的是包头事务，难道不应该有两间办公室吗？"

刘彪的喉结上下动了一下："是……那我，我的办公室……"

伊占魁道："你再找一间办公室吧。"

刘彪没笑挤笑："伊局长，警察局就这两间办公室大一点，别的办公室，我的办公桌放不进去，知道不……"

刘彪的口头禅是"知道不"，这是高人一等、盛气凌人的口头禅，他平时说惯了，一不小心，在伊占魁面前秃噜出来了。

伊占魁很不高兴，他训斥道："我知道！我怎么不知道？我知道活人不会被尿憋死！我知道你换成小办公桌就能放进去！怪不得包头社会治安如此混乱，这么点事都办不了，还能办什么？"

伊占魁不让刘彪搬进大办公室，刘彪就生气；伊占魁让他换成小办公桌，刘彪更生气。可是，他毕竟是副职，只得忍着。

伊占魁的办公室布置完了，他坐在办公桌前，叫刘彪把印章、花名册、财务账本和资产档案交上来。刘彪一一照办。

伊占魁把印章放在办公桌的左上角，把花名册放到桌子右上角。伊占魁先翻了翻财务账本，然后又看了看资产档案，资产档案里除了桌椅板凳几乎没有什么值钱的东西。

伊占魁问："好像警察局在石拐还有煤矿吧？"

刘彪站在伊占魁身旁，脸色发青："局长，警察局除了桌椅和这个院子，没有别的资产，怎么会有煤矿呢？"

伊占魁又问："那金鹰公司难道不是警察局的吗？"

刘彪脸色骤变："……不是。"

伊占魁追问："那金鹰公司是谁的？"

刘彪的心怦怦直跳："是我的……"

伊占魁站了起来："走，带我去金鹰公司看看。"

伊占魁骑在马上，带着双枪壮汉等随从和刘彪一起奔向石拐。

石拐地区是山岳地貌，山坡草木稀疏，零星地有一些低矮的沙棘。山沟里牛羊在吃草，中间有条溪流。过了溪流，登上一道山梁，四面都是山包，一眼望不到边。

伊占魁跳下马，他往东看了看，见一个山梁上一大群人正在挖煤，下面长长的马车、牛马停在山路上，一伙人正在往车上装煤。山下有几个蒙古包，蒙古包前不时有人出入。

伊占魁用手一指："刘副局长，东边那片草原是河柳滩吧？"

刘彪应道："是，是河柳滩。"

伊占魁道："河柳滩两侧的山好像是我的煤矿吧？"

刘彪一下子紧张起来。河柳滩周边原是巴祯的官俸地，刘彪要霸占这里，巴祯把这片官俸地给了伊占魁，伊占魁不肯收，巴祯就说给城防司令部，因为当时伊占魁任城防司令，实际巴祯还是给了伊占魁。伊占魁开挖河柳滩的煤矿没有多长时间，就被绥远特别行政区公署通缉。伊占魁逃走，刘彪把这片煤矿据为己有。

在办公室和办公桌上，刘彪已经知道伊占魁在给他穿小鞋，如果不把河柳滩煤矿还给伊占魁，伊占魁肯定会变本加厉地收拾他。

刘彪心知肚明："伊局长说得是，说得是。自从你离开包头，我就派人看着河柳滩，专门等候局长回来。现在这片煤矿物归原主，物归原主。"

伊占魁望着煤矿，面无表情："我离开两年了，两年来，河柳滩煤矿出了不少煤吧？"

刘彪没有琢磨出这话的味道："出煤，出煤，每年能出四五千吨。"

伊占魁似乎不经意地问了一句："现在一吨煤多少钱？"

刘彪心中有恨，脸上却是一副谄媚相："六块两角，六块两角。"

伊占魁道："如果按六块一吨计算，一年能收入两万大洋吧？"

刘彪额头上一下子见汗了，伊占魁这是向他要钱哪！一年两万大洋，伊占魁走了两年，那就是四万大洋。刘彪暗恨自己，你说我当初怎么就没把伊占魁抓住，要是把他抓住，给他个枪子儿，哪还有今天这回事？这真是冤家路窄，冤家路窄呀！

见刘彪不说话，伊占魁用一双锐利的眼睛盯着他："刘副局长，这四万大洋，你是给，还是不给呢？"

刘彪的耳朵"嗡嗡"作响："给，给，我给……"

伊占魁冷笑道："刘副局长还是识时务的嘛！"

伊占魁又往北看了看，见北面山中升腾着黑色的烟尘，他又问："刘副局长，那也是煤矿吧？"

刘彪不敢多说话："是……"

伊占魁眉头皱了两下："如果我没记错的话，那是广盛西皮毛店掌柜林永昌家的煤矿吧？"

刘彪含糊地说："可能……是吧……"

伊占魁道："听说前不久有人在警察局门前闹事，林永昌的女儿林玉凤向警察开枪，有这回事吗？"

刘彪道："有。"

伊占魁掸了掸袖子上的尘土："林玉凤一介女流，不可能有这么大胆子，这背后一定有人指使，这个指使者很可能就是林永昌。对敢于对抗国家的人必须严厉打击，绝不手软！"伊占魁回头对双枪壮汉说："通知林永昌，他的煤矿没收了。"

"是。"双枪壮汉答应一声。

"啊！"刘彪的眼睛顿时就直了。

伊占魁呀伊占魁，你也太狠了，你要回河柳滩煤矿也就算了，我好不容易抓住林永昌，逼他儿子把煤矿卖给我，你这么一句话，就把这煤矿给收了？

刘彪忙说："伊局长，伊局长，这片煤矿以前是林永昌的，后来他儿子把这片煤矿卖了，卖给了我。嘿嘿，现在这片煤矿是我的，是我的，知道……"刘彪差点又把"知道不"秃噜出来。

伊占魁眼睛里射出两道寒光："现在有了煤矿就有了摇钱树，林永昌的儿子放下好好的煤矿不干，为什么要卖掉？"

刘彪含含糊糊地说："这，这，我把林永昌抓了，可能是，可能是林信要赎林永昌，才，才卖……"

伊占魁的目光深不可测："他卖了多少钱？"

刘彪想撒谎，可又怕伊占魁一直问下去；不撒谎，又不知道伊占魁下一步怎么算计自己，刘彪挠了挠脑袋："也就，也就几万大洋吧。"

伊占魁追问："几万大洋？"

伊占魁说的是疑问句，可刘彪故意把疑问句当陈述句，他想蒙混过去："是是是，就几万大洋。"

伊占魁瞪着刘彪，一字一顿地问："我在问你，你是多少钱买的这个煤矿？"

刘彪只得实话实说："五，五万，五万大洋。"

伊占魁道："这么说，林信是用五万大洋赎的林永昌了？"

刘彪半吞半咽："是，是吧……"

伊占魁大声呵斥："我问你是不是？"伊占魁的话如子弹出膛一般迅速。

刘彪心惊肉跳："是，是是是……"

伊占魁顺藤摸瓜："那警察局的账上怎么没有这五万大洋？难道是谁贪污了吗？"

一股山风吹来，刘彪打了个寒战："我，我这，没有吧？"

伊占魁瞥着刘彪："刘副局长，你是在问我吗？"

刘彪直想撒尿，他强憋着："没，没有，那可能，可能是他们忘了上账。"

伊占魁回身上马："走，回警察局，我要看看这笔钱到底在哪儿。"

第二十八章

娘的话里有话呀！文雅心说。我身上的牙印是娘咬的，娘当时怕我长大后母女不能相认，那玉佛难道也与我有关系吗？我身上到底还有多少秘密？

回到警察局，刘彪推说内急，他在茅房里尿了一泡，提着裤子就往家跑。进了家，插上门闩，转身进入内室。内室灯光昏暗，朦胧中，见大胖在里面数着大洋。

刘彪心头一喜："你回来了？咱爹怎么说？"

大胖像霜打的茄子："我爹腰椎中弹，下肢瘫痪，都统说他不能履行职务，已经从副都统岗位上退下来了。这帮王八羔，兔崽子，过河就拆桥，卸磨就杀驴……"

刘彪打断大胖："你说什么？你爹现在不是副都统了？"刘彪刚才还说"咱爹"，转眼之间就成"你爹"了。

大胖如丧考妣："不是了。我想，把咱家的钱孝敬给我爹点，早日治好他的病。"

刘彪大叫："不行！"

大胖一个高蹦了起来，双手叉腰，瞪起眼睛，大胖刚要发威，可一想，今非昔比，父亲这座靠山没了，大胖身子好像矮了半截，她只得把火压了压："你叫什么叫？怎么了？"

刘彪一推大胖："去去去，一边去！"

刘彪把大洋装进箱子，又贴上封条，然后，打电话叫警察过来抬大洋。

大胖双臂一横："挨千刀的，你把大洋都给那姓伊的，咱们的日子不过了？"

刘彪急道："你以为老子想给他吗？可不给伊占魁，他就要以贪污罪处罚我，知道不？现在你爹不是副都统了，他收拾我跟踩死一只蚂蚁一样容易，知道不？"

两个警察进来，箱子被一一抬走。

大胖一屁股坐在地上，放声大哭。

伊占魁的家眷刚到包头，小脚夫人李二改就带大脚孙妈来到包头召。李二改在大殿中拜佛，大脚孙妈把巴文雅叫来。小脚夫人李二改拉着文雅的双手："我的孩子，想死娘了。"

文雅非常高兴："娘，你回来了！"

李二改喜笑颜开："回来了，回来了。"

文雅问："不走了？"

李二改道："不走了，不走了。"

文雅两眼出神："娘，我见过五伯伯巴丰了，他说当年我和云恒在云雀岭被劫，那个二当家啸天豹就是我爹。五伯伯没有杀我爹，我爹杀了绥远将军小舅子寇五之后，就跟五伯伯一起当了忽拉盖，两个人结为兄弟。后来，云雀岭事件不久，他们的队伍被打散，五伯伯听说我爹投了陕西督军冯玉祥，但一直没有再见到我爹。"

一旁的大脚孙妈听到这里，两眼突然射出一道寒光。

小脚夫人李二改和巴文雅母女都在注视对方，谁也没留意大脚孙妈的异常举动。

李二改呆若木鸡，她心情沉重，痴痴地说："怎么会是这样？怎么会是这样……"小脚夫人李二改晃着文雅的手，激动得不能自制，"巴丰在哪儿？你能不能让娘见他一面？"

文雅道："五伯伯行踪不定，不过，我一定安排娘和五伯伯见面。"

小脚夫人李二改跪在宗喀巴佛像前，嘴唇嚅动，泪眼汪汪。良久，她恭恭敬敬地给宗喀巴神佛磕了三个头。李二改站起身，向功德箱中投了几块大洋，神情轻松了许多。

这么多年，小脚夫人李二改一直没能照顾文雅，没有尽到母亲的责任，心中充满愧疚，她想给文雅买几件衣服和首饰，以求心灵上的慰藉。

小脚夫人李二改带着孙妈和文雅来到九江口，三个人转了一会儿，李二改给巴文雅买了一套蒙古袍、一套汉装，见前面有家珠宝店，她拉着文雅走了进去。

掌柜的见李二改衣着华美，气质高贵，文雅天生丽质，气度非凡，一看就是阔家的夫人小姐，他十分热情。掌柜的给李二改搬了个凳子，请她坐下，又给三个人沏上茶。

掌柜的把柜上的首饰一件一件拿出来摆在母女面前。李二改看了半天，没有特别喜欢的。掌柜的走进里屋，捧出一个精制的首饰盒，打开首饰盒，里面是块玉佛。这块玉佛有一寸多高，七分多宽，上红，中白，下绿，红如朝霞，白如祥云，绿如青草，温润如脂，晶莹剔透。玉佛笑容慈祥，肚子凸起，雕刻十分精致。

小脚夫人李二改捧起玉佛，手就抖了起来。她反复看了好几遍，揉了揉眼睛再看，又叫掌柜的拿过放大镜，她激动得不能自制。

掌柜的很会说话："夫人，小姐，这可是玉中的极品，是本店的镇店之宝，我看夫人和小姐是大富大贵之人，如果是一般的客户，我拿也不往外拿。"

小脚夫人李二改热泪盈眶，连声道："这块玉佛我请了，我请了……"
人们出于对神佛的敬畏，通常把"买"称为"请"。
掌柜的赞不绝口："夫人真是好眼力，一看就是行家，太识货了。"
小脚夫人李二改问："掌柜的，这块玉佛你是从哪里请来的?"
掌柜的道："从缅甸。"
小脚夫人李二改带着颤音说："不对! 这块玉佛一定是什么人送来的。你跟我说实话，我给你个高价。"

掌柜的讪笑道："夫人真是明察秋毫，这块玉佛是警察局监狱的赵头当的。"

小脚夫人思索着："赵头？赵头？……"

掌柜的补充一句："他叫赵登科，人们都叫他赵头。"

文雅从小生活在巴家，虽然现在巴府大不如从前，但她对首饰也很内行，知道这块玉佛价格不菲，文雅拉着小脚夫人李二改的手："娘，这个我不喜欢，再到别的店看看吧？"

小脚夫人李二改推开文雅的手，执意地说："不不不，这块玉佛娘请定了。"李二改又问，"掌柜的，多少钱？"

掌柜的伸出三个指头："三千现大洋。"

文雅知道这块玉佛很贵，但没想到掌柜的要这么高的价，她拉母亲要走，可是，小脚夫人李二改连价也不还，一定要买下来。然而，三千大洋，谁也不会带这么多钱上街，小脚夫人李二改叮嘱文雅："孩子，你在这儿等着，娘回去取钱，一会儿就来。"

小脚夫人李二改带着大脚孙妈，两个人出了门，叫了一辆轿车，匆匆而去。

文雅看着玉佛，心中十分感动，生母李二改要请这么贵重的玉佛送给自己，可见母亲对女儿的一片真情。

掌柜的又给文雅的茶碗里续上水，文雅喝了两口，就在这时，门前走过一个人，此人宽额大眼，英俊伟岸，一表人才。

云恒！

文雅思忖，云恒中弹被李青林和林玉凤救走，数月不见，看样子他的伤已经痊愈了。

文雅脑海中又浮现云恒带领民众抗交锅厘税的情景，面对凶恶残暴的警察，云恒置生死于度外，大义凛然，英勇不屈。也就是那次，云恒在文雅心中的形象被彻底颠覆了，他是个爷们儿，是个蒙古汉子！想到以前总是骂他二刘子，想到自己对云恒的刻薄，文雅心中很不是滋味。我是不是应该跟他把话说开，消除我们之间的误会……文雅甚至想到了跟云恒圆房。

文雅心跳加剧，她推门出了珠宝店。

云恒已经走到了广盛西皮毛店门前，文雅疾步追去。可是，云恒拐了个弯，向西进入财神庙三道巷。文雅加快脚步，来到巷口，见云恒从林家门前经过到了巷子尽头。文雅跑到巷子尽头，可是，云恒不见了。

巴文雅伫立在街头，又想到小脚夫人李二改，娘是不是该回来了？

文雅又急忙往珠宝店返。一进珠宝店，见小脚夫人李二改泪流满面，大脚孙妈在一旁劝着。

文雅问："娘，怎么了？"

李二改哭得十分伤心："那块玉佛被人请走了……"

原来，就在巴文雅离开珠宝店之后，店外来了几个骑马的人，他们每人马背上都驮着鼓鼓囊囊的袋子。其中，一个汉子身材魁梧，肤如古铜，五官英俊，目光深邃。他走进店中，见柜上有块玉佛，一眼就相中了。汉子坚持要请，店掌柜的说已经有人订了，一会儿就来交钱。

汉子问："那人给你多少钱？"

掌柜的说："三千块大洋。"

汉子很干脆："我给三千五百块现大洋，这块玉佛我请了。"

掌柜的摇了摇头："这位爷，不行啊，我们买卖人要讲信誉，说出去的话不能反悔。"

汉子眼睛一瞪："我没有工夫跟你磨叽，再给你加五百，我给你四千块大洋，这块玉佛归我了。"

说着，汉子出门叫外面的人把马上的袋子搬进两个，汉子从袋子里倒出四千大洋。掌柜的怕是土匪打劫，只得由那汉子把那块玉佛带走了。

掌柜的一脸无奈："夫人，不是我不讲信誉，我也是没办法。要不，柜上还有这么多玉佛，夫人再选选？我把价格给你让到最低。"

小脚夫人李二改只是流泪，并不回答。

文雅安慰母亲："这有什么，不就是一块玉佛嘛，本来我也不想要，娘，算了算了。"

小脚夫人李二改擦了一把眼泪，郑重地说："孩子，那块玉佛和你身上的牙印一样，都连着娘的心哪！"

娘的话里有话呀！文雅心说。我身上的牙印是娘咬的，娘当时怕我长大后母女不能相认，那玉佛难道也与我有关系吗？我身上到底还有多少秘密？

小脚夫人李二改对孙妈吩咐道："回家。"

小脚夫人李二改跟文雅挥了挥手，就匆匆上了一辆车。

一到警察局，小脚夫人李二改立刻叫孙妈把监狱里的赵头找来。赵头不敢怠慢，跟着孙妈来了。

小脚夫人李二改问赵头，珠宝店的那块玉佛是不是他当的？赵头的脑袋一下子就大了，眼前这位可是局长夫人，得罪局长夫人就是得罪局长。赵头不敢隐瞒，就把几年前他从林玉凤手中得到玉佛的事说了一遍。

小脚夫人李二改尽可能使自己平静、再平静，她捻着佛珠，捻着捻着，手不动了，盯着赵头："你确定那块玉佛是林小姐从脖子上摘下来的？"

赵头道："是小人亲眼所见，我确定。"

小脚夫人又问赵头："那后来，林小姐是怎么出狱的？"

警察局里的人都知道伊占魁在打压刘彪，赵头很会见风使舵："刘彪对林玉凤心怀鬼胎，他要单独提审林小姐。小人觉得林小姐给的玉佛太贵重了，拿人钱财，替人消灾。小人就跑到林家送信，林小姐的父亲林永昌交了赎金，林小姐才被放了出来。"

当听到"林永昌"三个字时，小脚夫人李二改陷入沉思之中。

赵头不知小脚夫人李二改在琢磨什么，他怕李二改把这件事说给伊占魁。新官上任三把火，如果有一把火烧到自己头上，那自己的饭碗就丢了。

赵头胆战心惊，他扇了自己两记耳光："都是小的财迷心窍，收了林小姐这么贵重的东西。当时林小姐说能值两千大洋，就在一个月前，小人八岁的儿子得了重病，小人没办法才把那块玉佛当了，一共当了一千二百块现大洋，给我儿子看病花了一百多块，我一会儿就回去，把剩下的大洋全都给夫人拿来……"

小脚夫人李二改打断赵头："林永昌是干什么的？"

赵头道："林永昌是广盛西皮毛店掌柜的，他担任过包镇公行的文牍，因为得罪了刘彪，被免去了包镇公行的职务，现在的广盛西已经倒闭了。"

小脚夫人李二改站了起来："孙妈，备车。"

小脚夫人李二改和大脚孙妈的车穿过九江口，来到财神庙三道巷林家。林家大门紧闭，大脚孙妈敲了半天里面也没有回应。小脚夫人李二改在门前又等了一个多小时，林家既无人进，也没人出。李二改只得和孙妈回警察局。可是，半路上，李二改又变了主意，她让车夫把车赶到包头召。

宗喀巴大师的金身依然那么安详，无论李二改跪在哪个角度，那双慈善的眼睛都像阳光一样抚摸着她，令她感觉既亲切，又温暖。

小脚夫人李二改上了三炷香，她双手合十跪着，心中默默祈祷。

"啪啪"，包头召庙外传来两声枪响，有人高喊："别让他跑了！"

"啪啪"，又是两枪，然后，就没了动静。

小脚夫人李二改回到家时天色已晚，桌上摆着几个小菜，一壶酒。伊占魁坐在桌前，却没有吃。

小脚夫人李二改和孙妈走进屋中，伊占魁倒了两盅酒："二改，我让厨房做了几道你爱吃的菜，咱们夫妻喝两盅。"

小脚夫人李二改勉强地笑了一下，坐在桌前。

见李二改心不在焉，伊占魁问："二改，怎么了？"

李二改摇了摇头："没有，没怎么。"

伊占魁说："这么多年来，咱们夫妻相亲相爱，你有什么事不能对我说吗？"

小脚夫人李二改欲言又止："没……没有，来，占魁，我敬你。"

几盅酒下肚，小脚夫人李二改觉得头有点晕，她对伊占魁说："我不舒服，先去睡了。"

伊占魁让大脚孙妈扶李二改进了里屋，伊占魁抓起了酒壶，嘴对着壶嘴，"咕嘟咕嘟"，他把一壶酒喝了个精光。

第二天上午，小脚夫人李二改带着大脚孙妈又来到财神庙三道巷，林家仍是大门紧闭。

天色阴沉，憋得人透不过气来。小脚夫人李二改坐在门前的下马石上，她半闭眼睛捻着佛珠，孙妈垂手侍立。

"嗒嗒嗒嗒"，一辆轿车飞奔而来，车到小脚夫人李二改和大脚孙妈近前停住了。李二改睁开眼睛，见一个头戴礼帽的络腮胡子男人赶着车，文雅从车上跳了下来。

文雅"扑通"跪在小脚夫人李二改面前："娘，我求你救一个人……"

小脚夫人李二改忙把文雅扶了起来，惊道："孩子，起来起来，你要救谁？"

文雅道："云恒，女儿要救云恒，他是女儿的丈夫。"

数月前，云恒组织民众抗税，他被警察开枪打成重伤，巴文雅和巴丰的队伍及时赶到，李青林和林玉凤趁机救走了云恒。

李青林是包头最早的革命者，辛亥革命成功之后，他被任命为山西省繁峙县县长。袁世凯以君主立宪制取代民主共和制，李青林把县长大印一扔，他不干了。袁世凯当了皇上，蔡锷起兵，护国战争爆发，全国讨袁之声一浪高过一浪。李青林联络山西革命党，响应护国军，打击袁世凯。

袁世凯死后，李青林被山西省招回，任命他为五寨县县长。李青林当了几个月县长，见北洋把持的中华民国政府远不是他想象的那样，他又把县长大印一扔，回到绥远，发动群众，准备建立一个他心中理想的民主共和国。

放垦草原，老百姓的忍耐已经到了极限，不久，政府又征收锅厘税。李青林忍无可忍，他与云恒决定发动民众抗税。两个人从归绥返回包头，与巴文栋秘密相见，三个人分头行动。尤其是云恒，他进商家，串农户，走矿山，入牧场，说服百姓争取自己的利益。老百姓一传十，十传百，包头的各族民众都被发动起来。

林玉凤的第一个未婚夫郭洪霖遭清政府杀害，第二个未婚夫王定新遭北洋政府杀害，林玉凤的革命热情被激发出来。那日，巴文栋和李青林、云恒在包头召小学堂接头，林玉凤推开房门，她向三个人说，自己要参加革命，向北洋政府讨还血债。

李青林小时候，父母给他定过亲，但他逃婚走了。这么多年的革命生涯，也没有遇到合适的。巴文栋发现李青林和林玉凤两个人挺合适，他想促成李青林和林玉凤的美满姻缘，但是，当年自己与玉凤相恋过，文栋一时过不了心中的那道坎。

　　云恒对别人的事向来热心，在云恒的撮合下，李青林和玉凤相恋了。

　　李青林、巴文栋和云恒三个人确定了示威游行时间，但是，民众的积极性特别高，提前两个小时就到了警察署。云恒本想再等等李青林、巴文栋和林玉凤，可是，老百姓激情澎湃。云恒觉得民众的士气宜鼓不宜泄，于是，他当众发表演说，痛斥警察署的罪恶行径。

　　李青林和林玉凤听到枪声，他们想往里冲，可老百姓太多，根本冲不进去，他们又绕到警察署的东侧，就在这时，云恒中弹倒地。李青林见云恒伤势严重，他背起云恒就走，林玉凤在后面掩护。因为巴文雅和巴丰的队伍拖住警察，李青林、林玉凤雇了一辆马车，把云恒拉出了包头城。

第二十九章

巴丰抬头一看，见林永盛面前摆着"先祖麻公政和之灵位"。巴丰吃了一惊，麻政和与自己的祖父巴鲁有八拜之交，是生死弟兄，这里怎么会有麻政和的灵位？

昆都仑召现在归属包头市，民国时期却是乌拉特中公旗的旗庙。昆都仑召位于包头城西四十里之外，该召有个德喇嘛，他在庙外山里娶了媳妇。德喇嘛精通医术，济世救人。当年，李青林曾经在他家治过枪伤，与德喇嘛很熟悉，因此，李青林和林玉凤用车把云恒拉到德喇嘛家。

19世纪八十年代之前，喇嘛是不能娶妻的，喇嘛也都能够遵守这一戒律。可是，清朝规定旗与旗之间不能通婚。当时，每个旗的人口少则千儿八百人，多则七八千人，既然不能与外旗通婚，只能是本旗内部消化，每个旗都是近亲结婚，因此，蒙古民族人口增长较慢，朝廷又要求"三出一，五出二"当喇嘛，不但如此，清朝一有战事就征调蒙古骑兵，致使无数蒙古族女人失去丈夫，好多成年蒙古族姑娘愁嫁，蒙古民族人口急剧下降，个别喇嘛偷偷在庙外娶妻生子，以延续家族香火。寺院发现后，把犯戒的喇嘛打四十鞭子，脸上涂抹锅底灰，赶出庙，以示惩戒。

这种惩戒是严厉的，但恰恰给一些老妈妈、老奶奶带来了希望。因为家中唯一的男人在庙里出家，如果自己的儿子或孙子能被打四十鞭子，驱逐出庙，她们就可心安理得地给儿子或孙子娶媳妇传宗接代了，不然，家族的根就断了。这一势头很猛，大批喇嘛犯戒，寺院难以招架，有的召庙只得退而求其次：经活佛允许，喇嘛可以在庙外成家。

德喇嘛就是在这种情况下成家的。不过，德喇嘛白天在庙里念经，晚上才回家。

德喇嘛给云恒取出子弹头，留云恒在家中养伤，李青林和林玉凤一直在云恒身边照顾着。

人就是这样，越是得不到的，越想得到。云恒的伤稍好一些，巴文雅的影子就如期而至，尽管文雅对云恒恶语相加，甚至对他冷酷无情。但是，云恒对文雅的思念没有减少一分。玉凤把药端来，文雅在云恒脑海中一闪；李青林把饭盛上来，文雅在云恒脑海中又一闪；德喇嘛给云恒换药，文雅在云恒脑海中再一闪……尤其是云恒见到林玉凤和李青林成双成对，云恒就想，什么时候自己和文雅也能像玉凤和松如先生这样，那该是多么幸福啊！

云恒的伤口愈合了，能下地走了。白天，李青林和林玉凤陪他散步，一到晚上，云恒就失眠。

这夜，云恒翻来覆去无法入睡，满脑子都是文雅。不行，我一定要见到她，我必须跟文雅好好谈谈，哪怕我把话说完了就死，我也甘心。

后半夜，云恒悄悄地爬了起来，他穿好衣服，出了大山，一个人向包头城走去。

刘彪认为，他受制于伊占魁，被降为副局长，家中财宝被劫，都是云恒一伙人造成的，他恨伊占魁，更恨云恒等人。这些日子，刘彪整天带着几个便衣警察在街上来回遛。昨天，他走在清真寺巷，突然发现了云恒。刘彪带着便衣就追。云恒想跑到包头召躲藏，刘彪连开四枪，其中一枪打中了云恒的腿，云恒被捕。

李青林和林玉凤吃早饭时才发现云恒不见了，两个人山前山后、山左山右都找遍了，连云恒的影子也没有。李青林和林玉凤离开德喇嘛家，潜入包头，经多方打探，得知云恒受伤被关进了警察局。

李青林和林玉凤想找巴文栋商量如何营救云恒。两个人躲进包头召大殿，直到包头召小学堂放学，他们才进入巴文栋的办公室。

"松如先生？玉凤？"巴文栋惊道，"这些日子你们去哪儿了？怎么一点儿消息也没有？"

李青林道："焕章，我们的事先不说了，云恒出事了……"

三个人正说着，文雅推门而入："云恒出什么事了？"

李青林把以往的经过叙述一番。当然，迫切见到文雅是云恒的心理活动，李青林和林玉凤是不知道的。

玉凤对文栋说："焕章，云恒本来身上的枪伤就没有痊愈，现在又落入刘彪之手，恐怕是凶多吉少，我和松如先生来，就是想跟你商量，怎么才能把云恒救出来。"

李青林也对文栋说："云恒既是令堂云氏夫人的侄子，又是巴府的……"李青林想说云恒是巴府的女婿，可他看了文雅一眼，下面的话没说出来，"听说令尊大人和伊占魁有交情，如果能请令尊出面，这件事就好办了。"

文雅一听就急了："不行不行，阿爸已经病了半个多月，不能让老人家着急。"

李青林和林玉凤知道文雅说的不是谎话，但两个人不约而同地看文栋，文栋皱了皱眉："是啊，阿爸重病在身，看看有没有别的办法？"

玉凤叹了口气说："我爹倒是也跟伊占魁有交情，只是不知道我爹在哪儿，不然，我爹可以出面。"

文雅早就有了主意，她往前走了两步，目光如炬："这件事交给我，云恒是我的男人，我有办法救他！"

李青林、巴文栋、林玉凤谁都没想到文雅能说出这种话，以前，她是那么瞧不起云恒，现在突然称云恒是她男人，这个转变也太快了，简直令人反应不过来。

文栋问："文雅，你有什么办法救云恒？"

文雅眼睛眨了眨："找我娘。"

三个人莫名其妙，尤其是文栋，自己和妹妹一奶同胞，他们兄妹管母亲叫额吉，文雅说的"娘"肯定不是额吉，这是怎么回事？

文雅把自己的身世，巴丰和生父林永盛之间的关系，当年云雀岭自己和云恒被劫，以及小脚夫人李二改再嫁伊占魁的事全盘托出。

三个人瞠目结舌，文栋更是像听天书一般，这太出乎他的意料了！原来啸天虎就是五伯伯巴丰，啸天豹就是文雅的生身之父林永盛，怪不得两个人把文雅劫上山，又把她放了。以前文栋还因为自己和玉凤不能终生相守，怨过五伯伯和阿爸，现在看来，全然不是那么回事。不过，文栋的心提了起来，从小他就和妹妹亲如手足，文雅既然知道了自己的生身父母，她会不会离开巴府？

文雅郑重地说："阿爸和额吉都盼望我和云恒早日圆房，快点抱上外孙……我怎么能轻易离开巴府呢！"

文栋释然道："你真是我的好妹妹！"

文雅仿佛一夜之间成熟了："你永远都是我的好哥哥！"

正说着，门开了，巴丰走了进来："救人也算我一个。"

文雅惊道："五伯伯！"文雅忙对文栋说："哥，这就是咱们的五伯伯。"

文栋又惊又喜："五伯伯！"

文栋和巴丰叔侄相认，二人高兴得都不知说什么好了。

一旁的林玉凤如坠雾中，当年自己那么恨焕章的五伯伯巴丰，恨焕章的父亲巴祯，现在全都错了，巴丰不但没有杀自己的生父林永盛，两个人还是生死弟兄。林玉凤也想到了自己的身世，二叔林永昌说，我是林永盛的女儿，怎么文雅也成了林永盛的女儿？当年二叔把我捡回来，是因为我身上戴着父母的定情玉佛。文雅说她娘叫李二改，我也没向二叔问过自己的母亲叫什么，那么，我和文雅是什么关系呢？

林玉凤满腹心事。

巴丰说："我想这么办……"

巴丰说出了营救云恒的想法，李青林、林玉凤、巴文栋、巴文雅都表示赞同。

巴丰击了三掌，杜排长从外面走来，巴丰在杜排长耳边说了几句，杜排长点头而去。

文栋出了包头召来到警察局大门前，他把赵头约出来，说想求见局长夫人，赵头进去通禀。

小脚夫人李二改问赵头那块玉佛来历的当天，赵头就把当玉佛的钱给李二改拿来了。李二改不但分文没要，还赏了他一百块大洋，赵头万分感激。至于李二改为什么赏他，他也想不明白。不过，赵头却觉得这位局长夫人可亲可敬，比那个爱财如命的刘彪老婆大胖强多了。

不一会儿，赵头就出来了，他说局长夫人不在，带着孙妈走了，文栋只得回包头召，告诉五伯伯巴丰和妹妹文雅。

文雅想，以往母亲李二改总是在包头召和自己相见，既然母亲带大脚孙妈出去，会不会来包头召？可是，等了好半天也不见小脚夫人李二改。文雅救云恒心切，她要上街去找。巴丰往脸上安了络腮胡子，他戴了一顶礼帽，扮作赶车人，文雅坐在车上，两个人在街上跑了一会儿，终于在林家门前找到了小脚夫人李二改。

小脚夫人李二改觉得自己欠女儿太多了，能为文雅做点什么她求之不得。小脚夫人李二改和大脚孙妈坐上巴丰的马车，匆匆返回警察局。

站岗的警察拦住这辆车，小脚夫人李二改从轿车里探出头。警察见是局长夫人，又是点头，又是哈腰，车顺利地进了警察局。

在一所小院门前，车停下了，巴丰留在车上，文雅随小脚夫人李二改进了屋。

李二改外衣也没脱，就拿起电话，她把电话打到伊占魁的办公室，办公室里没人接听。李二改又让孙妈去伊占魁办公室看看，可是，孙妈去了半个多小时也没回来。小脚夫人李二改心里着急，又把电话打到牢房。赵头接了电话，小脚夫人李二改让他把云恒押来。

云恒本来腿上中弹，又被刘彪打得皮开肉绽，赵头和一个警察把云恒抬进小脚夫人的房间。云恒昏迷不醒，血肉模糊。文雅的心一阵阵绞痛，仿佛受伤的是自己，而不是云恒。她用温水擦去云恒身上的血污，小脚夫人李二改取出自己的药箱，给云恒的伤敷上药，然后，包扎起来。

文雅俯身轻轻地在云恒腮边亲了一下，泪水滴在云恒脸上。突然，云恒的眼睛睁开了，文雅心头一喜："云恒，你醒啦！"

云恒嘴唇嚅动，声音虚弱："文雅，是你吗？"

巴文雅紧紧握住云恒的手："云恒，是我，我是文雅……"

云恒看着文雅，眼中有爱，有忧，有喜，有怨，有悔，只是没有恨。云恒气息微弱："文雅，这不是做梦吧？"

文雅使劲儿地摇头："不是，不是，不是……"

云恒痴痴地说："文雅，你能原谅我吗？"

文雅的脸贴到云恒脸上："云恒，对不起，对不起，是我不好，我对不起你……"

几声"对不起"使云恒热泪盈眶。

小脚夫人李二改想等大脚孙妈回来，可孙妈就是不见踪迹。时间一分一秒地过去，外面的巴丰觉得好像有什么大事要发生，他从外面走进屋中："文雅，时间不早了，快走吧。"

巴文雅和巴丰把云恒抬上马车，小脚夫人李二改也上了车："我送你们出城。"

轿车出了小院，过了警察局大门，很快就来到包头城东门。几个警察拦车检查，小脚夫人李二改撩开车帘："怎么，我出去也要检查吗？"

警察一见是局长夫人，立刻敬礼放行。

出了城，巴丰把车赶进一片树林，杜排长和七八个大汉迎了上来，旁边还有十几匹马和一辆车。巴丰停下车，摘下蒙古礼帽，揪下脸上的络腮胡子。

文雅对母亲说："娘，你不是一直都想见五伯伯吗？这就是五伯伯巴丰。"

小脚夫人李二改睁大了眼睛："你是巴丰？你真是巴丰？"

巴丰道："姐吉，我是巴丰，是林永盛大哥的生死弟兄，我没有杀他……"

当年，林永盛怒杀绥远将军小舅子寇五，他跑出城，见孙恩铭和小脚夫人李二改停车在路边等他。林永盛来到车前，李二改见丈夫身有血迹，就问他发生了什么事。林永盛手刃仇人，心中特别痛快，就把事情的经过告诉给妻子。这时，巴丰、巴祯两人率兵追来，孙恩铭赶着车拉着小脚夫人李二改飞奔，林永盛跟在后面。可是，车赶得再快也快不过骑马，眼看巴丰和巴祯越来越近，恰巧前面有个岔道，一条路通往包头，另一条路通向大青山。林永盛想引开清兵，他拨马进了大青山。

巴丰带兵追向林永盛，巴祯带兵追向马车。

林永盛的马绕了几个山环，把清军甩开了，只有巴丰一人紧追不舍。巴丰只想追捕杀人逃犯，并不知道杀人逃犯是谁，他赶到近前，才发现是林永盛。

巴丰跟林永盛有过一面之缘，那是去年除夕之夜。过大年，家家都要祭拜祖先。林永盛在家中后堂祖先灵位前焚香磕头，突然街上大乱，一个人闯了进来。原来有人行刺绥远将军，身为前锋校的巴丰追捕刺客，误入林家后堂。

巴丰抬头一看，见林永盛面前摆着"先祖麻公政和之灵位"。巴丰吃了一惊，麻政和与自己的祖父巴鲁有八拜之交，是生死弟兄，这里怎么会有麻政和的灵位？

巴丰问林永盛是麻政和的什么人，林永盛不知巴丰的底细，当然不肯说。巴丰就把自己的身世先告诉给了林永盛。得知巴丰是巴鲁的孙子，林永盛大喜，他也说出了自己的身世。

林永盛本不姓林，而是姓麻，他是麻政和的长孙。

巴鲁、麻政和死后，他们的队伍被清军打散，麻政和的儿子麻继祖为逃避清廷抓捕，把"麻"字上面的"广"去掉，改姓林。麻继祖改为林继祖，他的两个儿子麻永盛、麻永昌分别改为林永盛和林永昌。

林继祖死后，林永盛和林永昌兄弟二人在天津开了家绸缎庄，因绸缎难做，林永盛、林永昌两兄弟来到归化城，做起了皮毛生意。

巴丰没有和林永盛多谈，就追捕刺客走了。此后，两个人一直没有见面。

巴丰没想到杀人逃犯竟是林永盛！巴丰问林永盛为什么杀人？林永盛把怒杀寇五的经过说了一遍。

巴丰痛恨绥远将军贪赃枉法，鱼肉百姓，加之巴、麻两家的关系，巴丰就放了林永盛。林永盛非常感激，他刚上马，两个清兵赶到。这两个人都是绥远将军的心腹，平时跟在绥远将军身后屁颠屁颠的，好事不做，坏事做绝，巴丰一直瞧不起他们，他们也不把巴丰放在眼里。两个人要拦林永盛，巴丰举起刀"噗噗"两下，就把这两个人宰了。

巴丰让林永盛逃走，林永盛上了马，可一想，我走了，巴丰怎么办？放走逃犯，罪加一等，巴丰不就要被杀头吗？

林永盛又下了马，他让巴丰把他带到绥远将军衙署领罪。巴丰早就想离开绥远将军远走高飞，然而，巴丰担心自己逃走会连累二哥巴祯，于是，他和林永盛与那两个清兵调换了衣服，又用刀把两个清兵的脸划得血肉模糊，无法辨认，让人误认为这两个清兵就是巴丰和林永盛。不但绥远将军没认出来，就连巴祯也被蒙在鼓里，甚至还有小脚夫人李二改。

巴丰和林永盛想去找小脚夫人李二改，可是，山上下来一伙土匪，见两个人身着清兵衣服，就把他们围了起来。两个土匪头子不敌巴丰和林永盛，他们就把二人请上山，让巴丰、林永盛当头领。尽管林永盛年龄比巴丰大，但他坚持推让巴丰坐第一把交椅，他甘为二当家。众土匪又给巴丰和林永盛起了名号，巴丰为啸天虎，林永盛为啸天豹。

林永盛惦记妻子李二改，他和巴丰二人多次下山，可活不见人，死不见尸。两个人怀疑李二改被巴祯抓走了，巴丰和林永盛夜入土默特旗务衙门，想找巴祯问个究竟。可当时巴祯不在，两个人抓来一个清兵，这个清兵说李二改被狼吃了，还把那只绣花鞋和血衣指给巴丰和林永盛看，林永盛以为李二改和她肚子里的孩子都被狼吃了，他痛不欲生。

小脚夫人李二改泪流满面："阴差阳错，阴差阳错呀！那血衣是我生二女儿时扔掉的，那只绣花鞋是占魁救我时遗失的。"

文雅无比惊讶："什么？娘，难道我还有个妹妹？"

第三十章

小脚夫人李二改瞠目结舌，她跟伊占魁和孙妈生活这么多年，居然没发觉他们是日本人，是黑龙会的谍报人员！

李二改生下小文雅，并在小文雅身上留下两处牙印。她把小文雅交给了管家孙恩铭，自己驾车追向丈夫林永盛。

小脚夫人李二改一进山，肚子又剧烈地疼了起来。李二改是第一次生孩子，毫无经验，她以为是正常反应，过一会儿就没事了。可是，一股又一股热乎乎的液体从下身流出。李二改停下车，"哇——哇——"，又一个孩子降生。

这也是个女孩。小脚夫人李二改把自己的衣服脱下来，给孩子擦去身上的血迹，擦完就随手扔到车下，她扯过车上的被单裹在孩子身上。

女人爱一个男人爱到极致时，就想给他生个儿子。李二改太爱林永盛了，这对双胞胎女儿让她特别失望，她心里在骂，这两个冤家，早不来，晚不来，偏偏这个时候来。小脚夫人李二改把孩子放在车上，扬起鞭子，再次追赶丈夫。

马车在山路上颠簸，孩子哭了起来。李二改又急又气，她停下车，一狠心，把孩子放在路边，她祈祷：但愿好心人把她捡去。李二改又像咬小文雅那样，在这个孩子的胳膊上咬了一个印记。可是，这孩子比小文雅能哭，声音也比小文雅尖亮。见孩子如此哭闹，李二改的心软了，她张了张嘴，第二口没有咬下去。小脚夫人李二改在胸前一摸，摸到了当年林永盛给她的定情玉佛。小脚夫人李二改把这块玉佛从脖子上摘下来，挂在孩子脖子上，她上车而去。

小脚夫人李二改把马打得跟飞了一样，肚子一阵阵揪心般地疼痛，虚汗一身接一身往外冒，下身的液体不停地往外涌，她坚持，坚持，坚持……小脚夫人李二改眼前一黑，就什么也不知道了。

小脚夫人李二改醒来时，发现自己躺在一个庄户人家的炕上。李二改脑子里出现的第一个人就是丈夫林永盛，她翻身下地，还要去找自己的丈夫。她刚坐在炕沿儿上，下体又是一股热流。

小脚夫人李二改一阵眩晕，她穿上鞋，摇摇晃晃地走到门外。见自己的车停在院中，李二改来到车前，她想上车，可腿怎么也抬不起来。

一个年轻男子跑了过来："你太虚弱了，你要休息。"

小脚夫人李二改哭道："我要找我男人，我要找我男人，求你把我扶上车，我要找我男人……"

无论年轻男子怎么劝，小脚夫人李二改都不为所动，年轻男子只得把她扶上车。可是，李二改鞭子都拿不住，怎么赶车？

年轻男子没想到世界上还有这般痴情女子，他坐在车辕上，为小脚夫人李二改驾车。车进了山，在一个山脚下，李二改发现有具无头尸体，她立刻让年轻男子停车。

年轻男子把李二改扶下来，小脚夫人李二改见尸体身着林永盛的衣服，她"哎呀"一声就昏了过去。

小脚夫人李二改再次醒来时还是在那个庄户人家。李二改哭闹着要去埋葬丈夫，可下地时，发现自己的鞋少了一只。年轻男子忙解释，说他把李二改抱上车时，鞋还在她脚上，可能是回来的路上颠掉了。

当年轻男子又一次把李二改拉到山脚下时，无头尸体不见了，那只鞋也没找到。

李二改在年轻男子家住了半年，年轻男子又是熬药，又是煎汤。虽然是孤男寡女，但年轻男子对她有礼有节，毫无非分之举，李二改在年轻男子身上得到了活下去的力量。直到这时，李二改才问年轻男子的姓名，年轻男子说，他叫伊占魁。

伊占魁要到东北做生意，小脚夫人李二改心想，既然丈夫已经死了，自己无家可归，伊占魁人又挺好，她只能跟这个男人了。随着时间的推移，李二改的心逐渐转到两个女儿身上，她盼望有朝一日能与两个女儿相见。为了寻求心灵的寄托，李二改信了喇嘛教。小脚夫人李二改坚信，好人一定有好报，因此，她坚持做善事，经常到一家教会医院当义工，后来，学会了外伤治疗。

伊占魁赚了钱，请来大脚孙妈服侍李二改。

辛亥革命之后，伊占魁带着小脚夫人李二改和大脚孙妈辗转到归化城、武川、包头一带，后来，伊占魁在武川当了个小官，再后来他被任命为包头城防司令。也就是那次从武川来包头赴任的途中，伊占魁和小脚夫人李二改路遇刘彪强占巴祯的官俸地河柳滩，文雅受伤。李二改在给文雅治伤时发现了她身上的牙印，小脚夫人万分激动，自己这么多年信佛，一定是神佛把大女儿给她送来了。

伊占魁二次来包头赴任，小脚夫人李二改要给文雅买首饰。在珠宝店里，李二改又发现了她当年挂在二女儿身上的那块玉佛。她找来牢头赵登科询问，她猜到林玉凤就是自己的二女儿。小脚夫人李二改几次跑到林家，但都没有见到林玉凤和林永昌。

小脚夫人李二改说出了以往的经过，人们都为她的悲惨遭遇而叹息。

这时，林永昌、林玉凤和李青林从旁边的那辆车走了过来，林永昌在前，林玉凤和李青林在后。

小脚夫人李二改依稀辨认出了林永昌，她的心一阵狂跳："你是永昌……"

林永昌睁大眼睛："大嫂！"

小脚夫人李二改的脸一阵发烧，她曾经是林永昌的大嫂，可现在已改嫁多年，面对这位从前的小叔子，她不知怎么应答。

林玉凤"扑通"跪在李二改脚下，她满眼泪痕："娘，你刚才说的我都听见了，我就是玉凤，是我把那块玉佛给赵登科的……"

小脚夫人李二改俯下身，把玉凤搂在怀里："我苦命的孩子，娘对不起你，对不起你姐姐文雅……"

文雅也跪在李二改脚下："娘……"

母女三人抱头痛哭。

"警察！"杜排长突然喊了一声。

"啪啪啪"，树林外枪声响起，刘彪率百余名警察围了上来。

巴丰众人还击，枪声如同爆豆一般，眨眼之间，巴丰手下倒了三四个。

刘彪躲在警察后面高叫："你们被包围了，快投降吧！"

巴丰见势不妙，他对众人道："快，上马，撤！"

小脚夫人李二改一时没了主意，文雅和玉凤把她扶上云恒那辆轿车。

杜排长高声道："队长，我带着几个弟兄掩护，你们快撤。"

巴丰对杜排长说："兄弟，保重！"

巴丰上了轿车，林永昌和李青林上了马，众人向东奔去。

进了山，绕过两个山坳，众人刚想喘口气，身后枪声又起，刘彪带着马队追了上来。

巴丰扬鞭打马，众人一边跑，一边还击。

前边的路面渐渐发黑，一看就是运煤的路，巴丰等人顺着这条路就下去了。又跑了四五里，运煤的路没了，眼面出现一条巷道。巷道有一人多高，四五步宽，黑洞洞的，巴丰只得停车。

巴丰回头一看，见后面尘土飞扬，刘彪的马队越来越近。巴丰把车赶向左边，左边有一堆石头拦住去路。巴丰又把车赶向右边，右边还是石头拦路。

左右道路不通，后面又有刘彪，巴丰跳下车："快！进巷道。"

李青林跳下马，他从车上背下云恒，玉凤换着小脚夫人李二改，四个人进了巷道，巴丰、文雅、林永昌三个人后面掩护。

刘彪带着警察来到巷道前，他躲在一块岩石后面："巴丰、巴文雅、李青林、林玉凤，你们都听着——这条巷道有进口，没出口，你们马上把枪扔出来，我还能饶你们不死。不然，只要我们把洞口一炸，你们就永远也别想出来!"

巴丰并不理会,众人往巷道深处走去。可是,越往里越窄,越往里越低,只走了二十多步,就无路可走了。众人又返回巷道口。

李青林背着云恒气喘吁吁,云恒说:"不要管我,你们快逃!"

文雅道:"不,云恒,我只要有一口气就要把你带出去。"

小脚夫人李二改道:"巴丰兄弟,永昌,我出去,刘彪不敢把我怎样。我去找伊占魁,让他放你们走。"

小脚夫人李二改刚要往外走,外面传来大脚孙妈的说话声:"刘副局长,干得不错嘛!"

众人在巷道中往外一看,见大脚孙妈和伊占魁站在刘彪面前,刘彪没理孙妈,他向伊占魁立正:"报告局长,巴丰等乱匪已经全部被我赶进巷道,是否炸毁洞口,请您指示?"

伊占魁脸色铁青,他喝问:"刘副局长,难道你要把我的夫人也炸死在里面吗?"

小脚夫人李二改闻听此言,心中甚感安慰。

警察围拢过来,伊占魁黑着脸对警察说:"这里没有你们的事,你们全部离开!"

谁都怕巷道里向外打冷枪,警察巴不得离开。

警察一走,左右两侧的石头堆后面上来两伙黑衣人。

大脚孙妈又开口了:"刘副局长,你也进巷道吧。"

刘彪想,巴丰等人在巷道,我进去,那活得了吗?刘彪十分反感,你不过是伊占魁家的老妈子,居然也指挥起我来了,你算老几呀?刘彪鄙夷地瞪了孙妈一眼,随口道:"你是什么人?"

大脚孙妈很得意:"我就是日本黑龙会绥远地区谍报队队长犬养良子!恭喜你把这些包头的精英赶进巷道。只要他们一死,包头就是我们大日本的天下,将来绥远也是大日本的,满洲和草原也是我们大日本的,整个中国都将是我们大日本帝国的!"

巷道里的人目瞪口呆,大脚孙妈怎么成犬养良子了?她不是小脚夫人李二改的女仆吗?小脚夫人李二改更是不敢相信,大脚孙妈这是在说什么？难道她脑子出问题了吗？

刘彪呆若木鸡，他一下子想起绑架大胖时的那几封信，信的落款都是"犬养良子"。刘彪无比惊骇，犬养良子怎么会是伊占魁家的老妈子？

刘彪无法相信，他问伊占魁："伊局长，她，她，她到底是什么人？"

伊占魁双眉拧在一起，并不答话。

两个黑衣人一左一右走了过来，一个长眉，一个短眉。一见这两个人，刘彪不由得倒退两步，大胖被绑架时，就是他们勒索了他五万大洋！

长眉黑衣人一阵怪笑："刘彪，我来告诉你，孙妈是你们伊局长的上级，你们的伊局长并不叫伊占魁，而是叫伊藤正雄，我们都是日本黑龙会谍报人员，你现在明白了吗？"

伊占魁的确是日本人，他随犬养良子、黑田平男一起来到中国。三个人最初在东北一带活动，后来被派往绥远。犬养良子一到绥远，就被绥远将军看上了，黑龙会指示她化名孙翠莲，给绥远将军当了五姨太。黑田平男化名孙江河，谎称是假孙翠莲的弟弟，就这样，假孙江河黑田平男成了绥远将军的小舅子。因为老百姓痛恨假孙江河，于是，给他起外号叫寇五。假孙江河利用绥远将军为黑龙会搜集了很多政治、军事和经济情报。时间一长，假孙江河的日子过得越来越安逸，在搜集情报上就不像以前那样用心了，他甚至做起了生意，过起了自己的小日子。假孙江河看上了林永盛的店铺，他想花几个钱把林永盛的店铺买下来。可是，林永盛说什么也不卖，接着就发生了林永盛刀劈寇五事件。

假孙江河的所作所为令日本黑龙会十分震怒，事发不久，黑龙会就把犬养良子调回东北，对她进行了严厉的惩处。

日本黑龙会在包头镇也有据点，伊占魁在包头搜集情报。那年包头发生了瘟疫，伊占魁烧得昏迷不醒，黑龙会怕他传染上别人，就把他扔到城外乱坟岗子，交给官府统一烧掉。当时，巴祯从归化城土默特旗务衙门回沙尔沁章盖衙门办差，他随父亲海宝从沙尔沁章盖衙门回家探视怀着身孕的妻子云氏夫人。海宝见伊占魁等十几个人还有气，他说啥也不让点火。海宝和巴祯叫人在城外支起几顶蒙古包，把这些人安置在里面，父子二人熬了几锅药，给这些染上瘟疫的人连喝了七天，伊占魁才死里逃生。救命之恩，如同再造。因此，伊占魁对巴家万分感激，他一直寻找机会报巴家的恩。

海宝、巴祯父子救的人较多，又因巴祯没几天就回归化城了，所以，巴祯对伊占魁等人没有什么印象。可是，伊占魁对海宝和巴祯却是铭刻肺腑。

黑龙会担心伊占魁的瘟疫没有痊愈，把他送进大青山单独居住，三个月后，伊占魁救了小脚夫人李二改。伊占魁的瘟疫没有复发，半年后，黑龙会把伊占魁和李二改召到东北，小脚夫人李二改还以为伊占魁是到东北做生意。黑龙会想把李二改培训成谍报员，可李二改潜心向佛，毫不关心社会上的事，这件事就放下了。不过，黑龙会认为，伊占魁有一个中国媳妇做掩护更便于开展工作，因此，默认了伊占魁和小脚夫人李二改的婚事。

犬养良子求黑龙会给自己一个立功赎罪的机会，她再次要求到绥远，黑龙会让她以孙妈为名，服侍小脚夫人李二改，实际上仍然是伊占魁的领导。伊占魁能当上包头城防司令、绥远特别行政区公署警务处副处长兼包头镇警察局局长，都是假孙妈犬养良子在背后操作的。其目的只有一个，就是为了得到绥远地区更多的军事、政治、经济情报。

假孙妈犬养良子对伊占魁说了几句日语，伊占魁立正敬礼："哈伊！"

伊占魁一指巷道口，命道："刘副局长，你现在进去还算是剿匪殉职，请吧！"

刘彪一边摇头一边后退，他惊恐道："我不进，我不进，我不进……"

刘彪转身就跑，假孙妈犬养良子抬手一枪，刘彪身子往上一挺，两臂一乍，倒在地上。

巷道里的人看得一清二楚，小脚夫人李二改瞠目结舌，她跟伊占魁和孙妈生活这么多年，居然没发觉他们是日本人，是黑龙会的谍报人员！小脚夫人李二改从腕上摘下佛珠，一个劲儿地捻着。

假孙妈犬养良子向长眉、短眉两个黑衣人说了几句，两个人同时"哈伊"，随即退到右侧石头堆。两人各抱出一个炸药包，他们来到巷道口边，把炸药包放在地上，要拉导火索。

伊占魁冲上前，两手分别抓住两个人的后衣领，大叫："不！巷道里有我的夫人！"

假孙妈犬养良子用枪顶在伊占魁的后脑上，她又说了几句日语，口气极其严厉，伊占魁的头重重地垂了下去。

假孙妈犬养良子向长眉和短眉两个黑衣人一努嘴，两个黑衣人再次要拉导火索。突然，"啪啪"，两声枪响，长眉和短眉两个黑衣人应声而倒。

假孙妈犬养良子一回头，见两匹马飞奔而来，冲在前面的是个中年男子，此人身材魁梧，肤如古铜，五官英俊，目光深邃，身着灰布军装，左手提着手枪，右手握着马刀。在他的侧后方有个身着蒙古袍的男子。两个人的身后尘土冲天，不知有多少人马。

巷道里的文雅一眼认出了蒙古袍男子，她惊道："乌恩其伯伯！"虽然文雅知道了乌恩其本名叫孙恩铭，但仍习惯称他"乌恩其伯伯"。

假孙妈犬养良子发现情况不妙，她举枪要向中年男子开火，中年男子的马腾空跃起，就在那匹马往下一落的瞬间，中年男子手中的马刀劈了下来，假孙妈犬养良子一缩手，可动作慢了点，"咔嚓"，马刀砍在枪上，手枪落地。

巴丰大喜过望："大哥！林大哥！"巴丰又转过头，他加重语气说，"文雅、玉凤，这是你们的父亲林永盛！"

文雅和玉凤同时握住小脚夫人李二改的手："娘，爹来了！"

小脚夫人李二改手中的佛珠停了，她痴痴地往外看。

林永昌也看清了："大哥！"

文雅又对云恒说："云恒，我爹来了！我爹来了！"

李青林扶起云恒，众人的目光都集中在洞外。

情况突变，众黑衣人立刻向林永盛和乌恩其开枪。就在这时，林永盛身后来了数十名骑兵，这支队伍的军装与林永盛一样，他们人人都是左手短枪，右手马刀，这支骑兵旋风般冲到黑衣人中间，马刀如同砍瓜切菜一般，黑衣人一个个哀号倒下。

假孙妈犬养良子从怀中又掏出一支枪，她对准林永盛的后心……就在这千钧一发之际，巷道里文雅的枪响了，"啪"，一颗子弹从假孙妈犬养良子眉心穿过，她像根朽木一样仰面摔倒。

巴丰、林永昌出了巷道，文雅搀着云恒，李青林和玉凤搀着小脚夫人李二改。乌恩其跳下马，径直跑到李二改面前："夫人，我把掌柜的请来了！"

小脚夫人李二改声音哽咽："好！好！好啊……"

林永盛跳下马，迈大步来到小脚夫人李二改面前："二改！"

小脚夫人李二改眼中含泪："永盛！"

林永盛抓住李二改的双手："我从珠宝店看到咱们的定情玉佛就想到你，后来，孙恩铭找到我，他说你还活着，我就带着两个骑兵排来了。"

小脚夫人李二改手足无措，她对文雅和玉凤说："快，快叫爹！"

李青林扶住云恒，文雅走到林永盛面前，她和玉凤同时叫了一声："爹！"

一家四口紧紧地拥抱在一起，乌恩其一边抹眼泪，一边说："团圆了，团圆了，掌柜的一家团圆了……"

现场的黑衣人全部被消灭，只是没有找到伊占魁。

包头召大殿香烟缭绕，宗喀巴大师佛像的肩上挂着金色的哈达。酥油灯静静地燃着，供桌上摆着新鲜的奶食、面点和供品。两旁的喇嘛吹着法号，敲着铙钹，念着吉祥祝福经。巴文栋、奥云、巴丰、林永昌里里外外地忙活着，大殿门前站着两对中年人——云氏夫人挽着巴祯，李二改挽着林永盛。云恒和文雅、李青林和林玉凤两对新人走上前，院内人山人海，鞭炮齐鸣，每个人脸上都洋溢着灿烂的笑容。